Günter Bolten

IM SCHATTEN BRÖCKELNDER FASSADEN

PRIVATE, BERUFLICHE UND GESELLSCHAFTLICHE ERLEBNISWELTEN

Bibliografische Information der Deutschen Nationalbibliothek:
Die Deutsche Nationalbibliothek verzeichnet diese Publikation in der Deutschen Nationalbibliografie; detaillierte bibliografische Daten sind im Internet über http://dnb.dnb.de abrufbar.

Herstellung und Verlag: BoD – Books on Demand, Norderstedt

ISBN: 978-3-7543-1427-2

Inhaltsverzeichnis

A Vorwort

Menschen brauchen Reize jeglicher Art, über bestimmte Dinge nachzudenken. Wir sind abhängig von Rahmenbedingungen, in denen wir uns bewegen und die unser Leben erleichtern oder erschweren bzw. in vielen Lebenssituationen steuern.

Die Intention dieser Trilogie entstand aus der Erkenntnis, dass man sich häufig von zunächst nicht erkennbaren Entwicklungen überrascht zeigt. Private und berufliche Alltagserfahrungen sind Vorboten für gesellschaftliche Auseinandersetzungen, wie sich auch umgekehrt gesellschaftliche „Selbstverständlichkeiten" eingebürgert haben, die als Rahmenbedingungen unser Verhalten beeinflussen und bestimmen. Kaum jemand wird leugnen, dass es auch in seinem Leben bröckelnde Fassaden gab bzw. gibt, die es zu überwinden gilt.

Unter Fassade versteht man die Vorderseite eines Gebäudes. Im allgemeinen Sprachgebrauch sind Fassaden ein für jedermann erkennbares Aushängeschild, das nicht erkennen lässt, wie es in einem selbst wirklich aussieht und was man denkt und empfindet. Im übertragenen Sinne definiert der Autor Fassaden als scheinbar glaubhafte Bilder oder Vorstellungen (Visionen) der Realität. Sie suggerieren meist positive Erwartungen und setzen Signale, die nicht immer der Wahrheit entsprechen.

„Im Schatten bröckelnder Fassaden" beschreibt wahre Lebenswirklichkeiten und spiegelt Erfahrungen und Erwartungen, Gegebenheiten und Empfindungen als Überhitzungserscheinungen, die sich zu verunsichernden Situationen bis hin zu persönlichen Schicksalsschlägen entwickeln können. Nicht selten werden sie zu übertünchten Herausforderungen missbraucht. Manch ein Profiteur aus Business und Gesellschaft neigt zu diesem Kult der Übertreibung. Man fühlt sich damit vertraut oder empfindet es als beunruhigend. Je mehr

Fassadenhürden zu überwinden sind, desto stärker wird der Wunsch, die vorfindlichen Gegebenheiten deutlich zu überstehen.

Fassaden produzieren auf der einen Seite Widerstände und auf der anderen Seite Vorbilder, die Verunsicherungen reduzieren, weil sie für die Zukunft ein Idealbild eines anzustrebenden neuen Zustandes darstellen. Fassaden lassen häufig den Alltag vergessen (z.B. Boulevardpresse). Je höher sie sind, desto größere Schatten werfen sie. Übertragen auf alltägliche Situationen ist niemand davon verschont. Die meisten Menschen müssen damit fertig werden, wollen sie nicht vom Strudel ihrer Empfindlichkeiten hinweg gespült werden.

Das eigentliche Übel ist der willkürliche Umgang mit vorbildbehafteten Ansprüchen und Erwartungen. Das eigene Ich hält häufig mit der Realität nicht Stand und erzeugt Unruhe und Ängstlichkeit. Es versinkt im Verborgenen! Solche Situationen müssen ertragen und getragen werden. Es gibt Tatsachen, die wir nicht wahrhaben wollen.

Freude, Herzlichkeit im Miteinander, innere Zufriedenheit und Harmonie sind nur wenigen Menschen vergönnt. Unser Tagesgeschehen wird über weite Strecken von Ungeduld und Oberflächlichkeit bestimmt. Im Alltag bläst uns häufig kalter Wind entgegen.

Je nachdem, in welche Familien man hineingeboren ist, spielen unterschiedliche private und gesellschaftliche Zwänge eine Rolle. Durch die vielen Rollen, die wir spielen, werden wir konfliktanfälliger. Anpassung ist Ausdruck für Erlebnisvarianten, von denen jedem Leser einige - wenn nicht sogar viele - bekannt sein werden. Anpassung ist die wichtigste Fähigkeit aller Lebewesen dieser Welt.

Rolf Ganzen1 beschrieb als Phänomen vieler Menschen, dass sie „lügen, heucheln, nach dem Mund reden, buckeln, gekünstelt lächeln" usw.

Solche Verhaltensformen gewinnen eine Art Selbstmacht und bewirken Anpassungszwänge mit sich ergänzenden Einordnungsritualen. Die Menschen werden mit Ängsten groß. Selbst Religionsgruppierungen machen bereits in jungen Jahren deutlich, was Obrigkeit bedeutet. Menschen fügen sich gemeinsam in die Massengesellschaft ein und wollen mit ihr verschmelzen.

Wer sich anpassen kann, gehört zu den Gewinnern. Ein Mindestmaß an Anpassung wird es immer geben. Überlebensnotwendiges Anpassungsverhalten bewirkt oftmals hektische Ungeduld, die uns ergreift. Man glaubt, sich nach scheinbar erfolgreichen Menschen richten zu müssen und im Umgang mit ihnen auf kein Thema verzichten zu dürfen. Bei Erfolgen entwickeln sich Motivation und Identität mit einhergehendem Vertrauen. Nicht selten führt übertriebenes Anpassen in Form blinder Unterwürfigkeit zu abnehmender Kritikbereitschaft (Kritikfähigkeit) - bei Misserfolgen, Enttäuschungen und Verunsicherung bis hin zu kontraproduktivem Verhalten und emotionaler Aggressivität.

Leider macht man sich zu selten Gedanken oder will sich keine Gedanken darüber machen, dass der Ausgangspunkt für aktuell empfundene Entwicklungen - lange bevor er sich bemerkbar macht - in der Vergangenheit liegt. Sich damit nicht rechtzeitig auseinanderzusetzen, ist ein folgenschwerer Fehler.

Schattenbilder verlieren und lösen ihr verdecktes Rollenverhalten durch befreiende Echtheit im Umgang mit der Komplexität des Alltags und mit uns selbst. „Die Zeit ist zu kostbar, um sie mit falschen Dingen zu

---

1 Deutschlandfunk Sendung „Freistil" am 22.09.2019

verschwenden" (Heinz Rühmann). Man sollte über seinen eigenen Schatten springen können!

Wenn auch der Begriff Fassade von den meisten Menschen negativ besetzt ist, können Fassaden durchaus auch beabsichtigte positive Wirkungen beispielsweise auf Visitenkarten oder auf vom Zwang zur Schönheit dominiertem persönlichem Behübschen hervorrufen. Auf Aufmerksamkeit gerichtete und nach Möglichkeit erwartungsvolle Reaktionen sei hingewiesen. Sie behübscht sich und geht zum Frauentreff; er behübscht sich und geht zum Herrentreff. Auch Vermarktungen von Filmgrößen oder Produkten sind nichts Anderes als fassadenwirksame Vorgaben, um optisch etwas zur Erlangung der Aufmerksamkeit darstellen zu können. Imagebilder beherrschen die Szenerie. Auch die Optimierung des Körpers wird zu Fassade.

Die eigentliche Fassade eines jeden Menschen ist sein ihm anhaftendes Image, seine Ausstrahlung, seine Wirkung auf Andere. Nur wenigen Menschen ist es vergönnt, eine ihnen von Natur mitgegebene aufmerksamkeitswirksame Aura zu vermitteln. Ihre Ausprägung weist auf bestimmte Charakterzüge als Persönlichkeitsmerkmale, die in „Schatten bröckelnder Fassaden" analysiert werden. Man gewöhnt sich sehr schnell an den Horizont vielschichtiger Fassetten.

Der Autor möchte das Unvernünftige, Irrationale und Triebhafte aufdecken, das sich unter einer Oberfläche von scheinbar rationalen, wohl durchdachten Strukturen verbirgt. Das Leben ist kompliziert genug. Häufig passiert auch Undenkbares. Deshalb soll „Im Schatten bröckelnder Fassaden" Menschen bewegen, über sich selbst stärker nachzudenken, um auf ihre jeweiligen Lebenssituationen ehrlicher zu reagieren. Der (die) Leser(in) wird sich schnell an sich selbst erinnern. Das ist spannend und macht neugierig.

Wenn man auch für die Vielzahl täglich anstehender Probleme keine für jedermann gültigen Lösungen aufzeigen kann, so ist doch eine gute Analyse bereits die halbe Therapie, um die Lebenswirklichkeit mit ihren

Fallstricken besser verstehen und bewältigen zu können. Selbstwirksame Lösungsansätze sollen einen Schlüssel zum Erfolg aufzeigen!

„Im Schatten bröckelnder Fassaden" ist das Ergebnis aus vielen Gesprächen und persönlichen Erlebnissen des Autors mit Menschen aller Couleurs. Diese Gespräche spiegelten eine Sehnsucht nach Offenlegung von Lebenserfahrungen und verborgenen Wahrheiten.

Niemand kann vor seinen Gefühlen fliehen. Der Autor will keine Irritationen auslösen, sondern Gedanken auf erlebte und erlebbare Lebenswirklichkeiten richten. Es mag sein, dass manch ein(e) Leser(in) unmittelbare Situationsbeschreibungen nicht wahrhaben will - als Ziegelsteine sind sie nicht gedacht.

Der Verfasser hofft, in seiner Einschätzung unterschiedlicher Erlebniswelten realitätsnah an die Wahrheit zu kommen, um ggf. auch persönliche Grenzen des Machbaren verschieben zu können.

Er dankt insbesondere Jens Kreykenbohm für seine ergänzenden Anregungen sowie allen Gesprächspartnern für ihre Bereitschaft zum Dialog - auch jenen wenigen, die Orientierung gaben, ohne es wirklich gewollt zu haben.

B Realitäten, denen man sich nicht verschließen darf

Der Betrachtungshorizont von Themen und Problemen wird umso größer, je stärker man sich der Wirklichkeit annähert.

B.1 Angst - der schlimmste Fallstrick

Angst ist eine natürliche Reaktion auf einen ungewissen Ausgang anstehender Ereignisse. Veränderungen produzieren Verlierer und stiften Unruhe (z.B. Digitalisierung, Unternehmensübernahmen usw.). Wenn wir uns ängstigen, eine belebte Straße zu überqueren oder einen Menschen zu verlieren, empfinden wir natürliche Ängste im Sinne eigenen Selbstvertrauens. Was immer wir unternehmen, entscheiden und fühlen, es ist häufig mit Ängsten verbunden.

Leugnen Menschen ihr Vertrauen zu sich selbst und orientieren sich an Fassadenwelten - also außerhalb ihrer eigenen Authentizität, dann klopfen Ängste von außen an und bringen Unsicherheit und Widerstände mit sich. In vielen Fällen führt unser inneres Gefühl in die Eigenverantwortung, wenn man beispielsweise eine Freundschaft oder im Krankheitsfall eine Chemotherapie ablehnt.

Darüber hinaus ist Angstmacherei von außen häufig ein Spiel, Werte und Gefühle zu manipulieren und nicht selten zu zerstören. Es gibt kein besseres Geschäft als das mit der Angst. Wissend, dass Menschen für von draußen kommender Angst anfällig sind, bringt man ihnen so viel Angst bei, dass sie anschließend das vollziehen, was ihre „Anstifter" wollen - beispielsweise Landabgabe für Reinwaschen sündigen Verhaltens vor Jahrhunderten. Auf vergleichbare Weise entstandener psychischer Druck ist heute der Krankheitserreger schlechthin, der ständig an einem nagt, sobald man das Vertrauen zu sich selbst verloren hat.

Die naturgegebene Angst ist eine Reflektion unserer inneren Empfindungen und Gefühle, durch die wir emotional gehen. Angst, Einsamkeit und Hoffnung verbinden sich und bestimmen unsere Empfindungen. Die Hoffnung stirbt bekanntlich zuletzt! Eine Häufung „suggerierter Ängste" schaltet unsere natürlichen Reflexe ab und macht uns a la longue kaputt.

B.2 Das Phänomen Identität hat viele Fassetten

Identität ist Gleichsetzung und Schaffung von Gleichheit mit Personen, Zielen, Aufgaben und Handlungen. Um Identität zu schaffen bzw. auszubauen, bedarf es der Pflege vorangegangener und fortlaufender Identifikationsprozesse und der Arbeit am Image. Zur Identität gehört das kulturelle Selbstvertrauen. Identifikation ist der Prozess hin zur Identität. Dabei spielen die jeweiligen Gestaltungsmöglichkeiten eine besondere Rolle. Es geht um grundsätzliche Verhaltensweisen, die in ihrer Verschiedenartigkeit und ihren Wechselwirkungen auf Dauer angelegt sind. Identität ist immer Antrieb für persönliches Engagement! Weder als Privatmann, Mitarbeiter oder Chef sollte man Schuldmanagement betreiben.

B.2.1 Zur privaten Erlebniswelt

Als Privatperson wird man stets von Aktion und Reaktion, Stabilität und Instabilität sowie Eigen- und Fremdsteuerung herausgefordert. Modehäuser oder attraktiv beworbene Produktneuheiten sind Brutstätten für die Entdeckung vielfältiger Identitäten.

Beispielsweise sorgen in der Öffentlichkeit stehende Damen (Ansagerinnen) durch Veränderung ihres Outfits (übertrieben verlängerte Haarsträhnen) für den besonderen „Kick". Nicht wenige Nachahmerinnen sehen darin ihre neue imagefördernde Identität.

Gleiches gilt aus Herrensicht für die Autoindustrie. Ähnliche Effekte werden mit allgemeinen Produkten wie Dessous, Hygiene, Kleidung usw. verfolgt. Werbung lebt von Blendwerken der Illusion und deren Wirkungseffekte auf das Nachfrageverhalten der jeweiligen Zielgruppen. Man ist größtenteils nicht in der Lage, sich der Mode zu entziehen. Passt man sich den Verkaufsstilen an, weil man auf sich aufmerksam machen will oder als Frau begehrlich sein will, dann wird Mode zur Maskerade für ein neuartiges Lebensgefühl und raubt wirkliche Individualität. Man bildet sich ein, wie man auszusehen hat. Wenn der Jugend entwachsene Damen mit aufgeschlitzten Hosen herumlaufen, deutet das auf eine erhoffte verjüngende Wirksamkeit ihrer angenommenen Fassadenwelt hin.

Der geniale Trick vieler Modemacher: Man ist nicht nur an der Findung, sondern auch an der Entstehung und Weiterentwicklung seiner eigenen Identität beteiligt, indem man Produktanbieter „beteiligt" und sich in deren Abhängigkeit begibt.

Im Gegensatz zu diesen eher extrovertierten Identitätswirklichkeiten äußern gesundheitlich geschwächte oder kranke Menschen eine vollkommen andersartige Identitätsgefühligkeit. Insbesondere schwerkranke Menschen und deren Familien erzeugen Ängste. Wenn der Strom an Schicksalsschlägen (Herz-Op, Schlaganfall, Brustkrebs usw.) nicht nachlässt, fragt man sich schicksalsbetroffen, „wann das denn einmal aufhört"?

Die Mehrheit dieser Menschen neigt offenbar dazu, ihre Identitätsbefindlichkeit nach dem Motto „Ich lasse mir Nichts anmerken" zu zerstreuen, obwohl alle Familienmitglieder darunter leiden. Man lebt eine Identität vor, die nicht der Wirklichkeit entspricht. In vielen Fällen bzw. nach Schicksalsschlägen ist es in unserer Gesellschaft immer noch üblich, diese zu verheimlichen und nicht darüber zu sprechen. Das passiert oft innenfamiliär, aber vor allem auch nach außen hin. Das Resultat ist wieder eine Fassade.

B.2.2 Zur beruflichen Erlebniswelt

In der Businesswelt ist die Eingangstür zum Erfolg Identität, Souveränität und Integrität.

Wer als Führungskraft souverän sein will, muss u.a. Qualifikationen seiner Mitarbeiter erkennen und anerkennen und sich damit auch ernsthaft auseinandersetzen können. Ziel derartiger Aktivitäten ist es, Mitarbeiter mit dem Unternehmen zu identifizieren bzw. eine Motivation aufzubauen, um eine stärkere emotionale Bindung und Vertrauen zu schaffen.

Aus der Unterschiedlichkeit der Unternehmen und ihrer jeweiligen Organisation lassen sich unterschiedliche Identitätssegmente ableiten. Unternehmenssolidarität Führungssolidarität, Abteilungssolidarität, die Solidarität unterschiedlicher Hierarchieebenen und Teamsolidarität sind Sinnbilder unterschiedlicher Identitäten. Eine Wertpapierabteilung wird sich sehr vom Identitätsverständnis einer Kreditabteilung unterscheiden. Aus Sicht jedes Einzelnen werden Motivation und Identität sehr verschieden empfunden. Dagegen ist aus Sicht der Unternehmen Einheitlichkeit und ein gemeinsamer Weg, der eine gewisse Kontinuität aufweist, erstrebenswert, um eine gemeinsame Identität - sprich ein familiäres „Wir-Gefühl" - zu erschaffen und zu erhalten.

Allerdings liegen häufig Welten zwischen den Interessen der Manager und den Themen, die Mitarbeiter bewegen. Damit stellt sich die Frage, wieweit alle Beteiligten „an einem Strick" ziehen und ein einheitliches Erscheinungsbild verkörpern können. Führung wird dann erfolgreich sein, wenn es gelingt, unterschiedliche „Identitätsmerkmale" in Einklang zu bringen.

B.2.3 Zur gesellschaftspolitischen Erlebniswelt

Gesetze, Verordnungen und Richtlinien dienen Staaten zur Aufrechterhaltung, Funktionsfähigkeit und Sicherheit des Systems. A la longue kann das nur gelingen, wenn die Bürger dahinterstehen und sich mit dem System identifizieren - wenn nicht, wird der Versuch unternommen, es stimmig zu machen. Erschwert wird diese Entwicklung allerdings in demokratischen Ordnungssystemen durch die dort vorherrschende Meinungsfreiheit. In den letzten Jahren kam es in Deutschland zu Absplitterungen einzelner Gruppen wie beispielsweise den sog. Reichsbürgern. Insbesondere in Demokratien kann es auf jeder Ebene auch immer zu Unterwanderungen des Systems kommen.

Nicht ohne Grund werden in autoritär geführten Staaten Verhaltenserwartungen vorgegeben und identitätswirksam eingehämmert. Dem Volk wird eine Zwangsjacke als Maulkorb verordnet. Da die Bevölkerung meist über Generationen hinweg nichts Anderes gesehen und kennengelernt hat, wird sie sich damit arrangieren (müssen) und womöglich am Ende des Prozesses von ihrem System sogar überzeugt sein und sich schließlich damit identifizieren - eine erfolgreiche „Gehirnwäsche".

Wer dagegen ist, der muss seine Überzeugungen stillschweigend als persönliche Identität mit sich tragen. Der Identitätenschwindel wird letztendlich als Normalität ertragen. Vergleichbare Vorkommnisse treffen - wenn auch in unterschiedlich abgemilderter Form - für alle Staatsformen zu. Die Vielfalt gelebter Identitäten in aller Welt - also auch in Demokratien - wird uns täglich vor Augen geführt.

B.3 Im Fassadenrausch von Zeit und Geschwindigkeit

Mehrheitlich beschleicht Menschen das Gefühl, etwas verloren zu haben, was sie nie wirklich hatten - ausreichend Zeit. Im Umgang mit der Zeit wird es immer Gewinner und Verlierer geben. Gewinnt dabei wirklich jeder Einzelne am Schluss für sich selber oder gewinnt er für ein System? Kann man hier nicht eine gewisse Korruptheit nachweisen? Jeder begründet sich aus seiner Realität bzw. aus der von der Gesellschaft oder anderen Systemen (Regularien) vorgegebenen Realität.

Jeder erlebt auf seine Weise Stress. Private u./o. berufliche Zwänge sind die Ursache. Man hetzt von Aufgabe zu Aufgabe, von Termin zu Termin. Man bemüht sich, sein Verhalten über die Zeit zu begründen und ist dabei, sich selbst zu ignorieren, um meist Anderen zu gefallen oder dem vorgegeben Stress gerecht zu werden., Nicht selten drücken sich Menschen vor neuen Aufgaben mit der Begründung, sie hätten keine Zeit, um einen gewissen Selbstschutz (Fassade) für sich aufrecht zu halten. Gelingt dieser Selbstschutz wirklich oder belügt man sich selber? In Wirklichkeit haben viele Menschen eine Menge Zeit und nutzen sie als willkommene Ausrede. Der Umgang mit der Zeit ist immer stärker interessengeleitet. Die Folge ist, schlechter mit der Ressource Zeit umzugehen. Oft fehlt ein weitreichender Blick, um weitere Konsequenzen abzuschätzen.

Der Umgang mit der Zeit ist nicht das einzige Problem. Die Gesellschaft ist gespalten in diejenigen, die für sich Recht und Handeln in Anspruch nehmen - jenen, die sich einfach über vieles hinwegsetzen und prinzipiell aus ihrer Natur heraus ,,die Schuld immer bei Anderen suchen und denen, die davon betroffen sind und sich anpassen (müssen). Die Einen klagen die Anderen an und umgekehrt. Die vermeintlichen Gewinner sind überzeugt von der Richtigkeit ihres Handelns und versuchen, auf ihre Art die Masse fremd zu bestimmen. Dabei avanciert Geschwindigkeit zum Maßstab für das allgemeine Zeitempfinden. Sie bestimmt den privaten wie auch beruflichen Alltag und führt zu teils überhasteten Entscheidungen. Nach dem Motto „je schneller, desto besser" soll Geschwindigkeit (an Lautstärke zunehmende schnellere Sprechgeschwindigkeit, tendenzielle

Verkürzung ganzer Sätze, unverständliche Wortwahl usw.) Handlungsfähigkeit und Souveränität vermitteln. Die Zeit ist immer gegenwärtig. Sie drängt sich auf, sie wird genutzt und benutzt und zerbröselt doch wieder wie ein Sandklumpen im Wasser.

Alltägliche Floskeln wiederholen sich im üblichen Begrüßungsritual beispielsweise mit der Nachfrage nach dem Befinden eines Menschen. Alles andere als „Danke gut" will man nicht hören. Eingeübte Verhaltensfloskeln sind zeitverkürzende Regeln im gegenseitigen Umgang. Frage und Antwort werden im Lichte der gewohnten Optik gefiltert.

Vergleichbare Rituale bestimmen das berufliche und gesellschaftliche Umfeld. In vielleicht stärkerem Ausmaß neigt man dazu, sich besser darstellen zu wollen als man in Wirklichkeit ist. Man möchte nicht durchschaut werden, sondern die Optik verbessern, indem man sich von der Mehrheit zu unterscheiden versucht bzw. das Abstandsgefälle als gängiges taktisches Blendwerk zum Schutz für die eigene Person nutzt.

„Gewinner" bevorzugen den Zeitfaktor als Vorwand für Entscheidungen und geplante Vorhaben, während sich „Verlierer" den Gegebenheiten unterwerfen und anpassen. Entstehender Druck auf beiden Seiten sowie die Gewöhnung daran reduziert gegenseitige Wertschätzung, die zwar in Sonntagsreden symbolträchtig gepriesen wird, in der Realität jedoch sehr selten aus Zeitmangel ge- und erlebt wird. Sogar Werte, Regeln und Normen werden als Fassaden missbraucht.

Beispielhaft sei ein Mitarbeiter erwähnt, der seinen Vorgesetzten um ein Gespräch bittet. Die Antwort des Vorgesetzten, er habe bis zum Aufzug Zeit, da er gerade auf dem Weg zu einer Sitzung sei, ist eine unverfrorene zeitbegründete Pseudoablehnung.

Ein weiteres spannungsbeladenes Verhältnis zwischen Unternehmensleitungen und Mitarbeiter(innen) ergibt sich aus dem

Umstand, dass Unternehmen nicht selten ihre Gewinnsituation durch Personalabbau zu verschönern versuchen. Die anfallenden Arbeiten des ausgeschiedenen Personals müssen meist im gleichen Zeitrahmen wie bisher vom verbleibenden Personal bei gleichem Lohn übernommen werden. Solche Umbrüche vollziehen sich meist in rasantem Tempo, was zu Demotivation und unverhohlener Abneigung führt.

Zeit und Geschwindigkeit prägen menschliches Verhalten. Vor Wahlen wird häufig Vieles versprochen, was nach den Wahlen nicht gehalten wird. Man baut darauf, dass Zeit schnell vergessen lässt. Aufsteiger in Beruf und Gesellschaft versuchen, Unsicherheit zu vertuschen, indem sie sich extrem dominant, arrogant und kurzatmig geben, sich also aus ihrer Warte schnelllebig überhastet zeigen.

Im Spannungsfeld zwischen Sein und Schein, zwischen Dominanz und Laissez fair, zwischen Stress und Unstress werden Zeit und Geschwindigkeit zu Fassadenwirklichkeiten. Dabei kommen meistens die Menschen zu kurz, die Aufmerksamkeit verdient hätten. Häufig sind dies die eigenen Familien.

B.4 Authentizität - Die Kunst, echt zu sein

In Anlehnung an Karl Jaspers[2] ist ein Phänomen von Menschen, Sehnsucht nach Wahrheit zu haben und authentisch zu sein. Authentizität bedeutet Echtheit, sich mit sich selbst identifizieren können und auch nach außen entsprechend stimmig wirken.

---

2 Psychiater und Philosoph (geb. 23.Februar 1883, gest. 26.Februar 1969)

B.4.1 Der Wahrheit verbunden bleiben

Es gibt kaum einen Menschen, der nicht mit sich selbst, seinen eigenen Problemen oder auch Problemen seines Umfeldes (z.B. Arbeit, Sozialleben) hadert. Wer möchte in seinem Innersten nicht frei sein von Kriegsschauplätzen persönlicher Auseinandersetzungen mit emotionalen Rollenklischees und Geschlechteridentitäten? Daraus abgeleitete äußere Anfälligkeiten spielen eine besondere Rolle und bestimmen unser Alltagsverhalten.

Manchmal scheinen Probleme so groß zu sein, dass man sich bewusst in Lügen verstrickt, da die Angst gegenüber Dritten - aber auch mit Personen aus dem vermeintlich engen Vertrauenskreis, Gespräche über die eigene Problematik undenkbar macht. Man lügt sich sehr schnell etwas vor. Zwischen Lüge und Wahrheit kann kaum noch unterschieden werden. Nicht selten erscheint die Kraft der Lüge als beruhigende Selbsttherapierung. Dennoch wird es immer auch Momente der Wahrheit geben!

Je stärker wir uns Fassadenkulturen beugen, desto abhängiger werden wir oder sind wir bereits. Mit der Zeit verlieren wir unsere geistige und mentale Bewegungsfreiheit. Warnsignale erkennen wir schon nicht mehr. Wir stürzen uns in gängige Verhaltensfloskeln und glauben daran. Dabei nehmen wir an der großen Flucht vor uns selbst teil, weil es eben die Anderen so machen. Die meisten von uns hat diese Veränderung erfasst. Nicht selten bestimmt die emotionale Überfrachtung aus der Vergangenheit unsere gegenwärtige Verfremdung bis in die Zukunft hinein.

Wer diese Wahrheit nicht erträgt, vergreift sich an seiner persönlichen Erlebniswelt. Deshalb sollte es das Ziel eines jeden Menschen sein, mit der Wahrheit besser umzugehen und sie vor alles Andere voranzustellen. Viele werden das höchstwahrscheinlich nicht annehmen, da für sie Macht und Ruhm mehr bedeuten als die

Wahrheit. Bei ihnen ist die Vernunft übermütig und führt in Formen egoistischer Knechtschaft, weil sie ihre Triebe und Neigungen nicht überwinden können. Hinter erlogenen Fassaden schaukeln sich häufig Situationen hoch, die Schattenbilder mit falschen Aussagen erzeugen.

Damit fertig zu werden, setzt voraus, mit der eigenen Betroffenheit umgehen zu können, um die Chance zu sich selbst zu öffnen und zugleich die Wahrnehmung der Wahrheit der eigenen Wirklichkeit zu ermöglichen.

Man sollte nicht nach den ersten, vielleicht nicht gelungenen Versuchen aufgeben, sondern durchhalten! Man muss um die Wahrheit ringen, um mit sich selbst zufrieden und im Reinen zu sein. Es macht Sinn, in verfänglichen Situationen lieber nichts als die halbe Wahrheit zu sagen oder zu lügen, Der ehrliche Umgang mit der Wahrheit überwindet die Abhängigkeit von Fassadenwelten.

B.4.2 Authentizitätsmerkmale und Risiken

Authentizitätsmerkmale sind Selbstwahrnehmung und Selbstwirksamkeit. Wir deklarieren häufig etwas als Wahrheit, was so nicht wirklich erlebt und gelebt wird - wohinter wir uns jedoch gerne verschanzen. Wahrnehmung und Wirklichkeit können weit auseinanderliegen. Das führt zu Unsicherheit, weshalb jeder seine eigene Wahrnehmung hinterfragen und erforschen sollte, was allerdings die wenigsten Menschen wirklich machen.

Es ist wichtig, zu wissen, was man unter Authentizität versteht und was Authentizität bei anderen Menschen bewirkt. Die persönliche „Ausstrahlungskraft" und das „Ansteckungspotential" eines Menschen spielen insbesondere in Situationen mit Problem- oder Veränderungspotential eine Rolle. Das bedeutet auch, sich öffentlich zu machen gegenüber Risiken und möglichen Anfeindungen, die damit verbunden sein können.

Wer als Mensch respektiert wird, der wird immer etwas von sich einfließen lassen. Diese Offenheit findet allerdings ihre Grenze, sobald ausschließlich Fassaden das Bild prägen und an der Wirklichkeit vorbeiziehen.

Im Kern geht es nicht darum, was Recht und Unrecht ist. Es geht um die Wahrnehmung von Wahrheit. Sie wird nicht allein durch vorgegebene und offiziell „festgeschriebene Inhalte" bestimmt, sondern von dem, was in uns als persönliches Wahrheitsempfinden angelegt ist und wo wir zu einer Antwort kommen - also was man dazu empfindet und was man daraus macht, wie man darauf reagiert und wie man damit umgeht. Glaubwürdigkeit macht die Persönlichkeit eines Menschen aus. Nicht die Dinge selbst, sondern die Meinungen über die Dinge sind persönlich gefühlte Wahrheit. Dabei wirken sich verändernde gesellschaftliche Werte und Normen auf das Verhalten ein und bestimmen uns.

Die Orientierung an Werten und Normen hat nicht unbedingt etwas mit Menschenfreundlichkeit zu tun. Hier geht es um ein bestimmtes Steuerungskonzept, das auch als riesige Manipulation missbraucht werden kann. Manchmal müssen wir lange auf das Ergebnis dieser Wahrheit warten.

Unser persönliches Ich - die eigene Wahrheit steht häufig im Widerspruch zu deklarierten Wahrheiten. Man hegt Zweifel. Haben kirchliche Würdenträger noch nie an ihrem Gott gezweifelt? Man kann es kaum glauben. Zweifeln nicht auch die Gläubigen, für die es schwierig sein wird, persönliche Zweifel vom Glauben abzustreifen? Der Mensch ist menschlicher als viele Dogmen, die ihm vorgegeben werden (z.B. Abtreibung missgebildeter Föten). Wie weit man sich dabei nach außen zu erkennen gibt, hängt vom Selbstverständnis und Selbstbewusstsein ab.

Auch wer nicht an Gott glaubt, bedient sich dennoch gewisser Werte, die in allen Völkern aus deren religiöser Kulturgeschichte abgeleitet werden. Die verschiedenen Texte und Legenden, die im Laufe der Zeit (-geschichte) in die Bibel eingegangen sind und zur Mystik wurden, ermittelten Werte und Normen zu etwas zeitlos Gültigem, zu erstrebenswerten Leitbildern in Form von deklarierten Glaubenswahrheiten als anzuerkennender Verhaltenskodex und/oder Wertemaßstab. Teilweise wurden Schöpfungsmythen als Symbolsprache zu „ritualen Wahrheiten" erhöht, an denen man sich zu orientieren hat, und die auch heute noch gelten. „Man kann nur ins Morgen schauen, wenn man das Gestern verstanden hat bzw. versteht" ist die gängige Vorstellung; aber nicht die erkennbare Wirklichkeit, sondern eine Utopie. Jede Religion sucht ihre Mystik zur Unterstützung und Festigung ihrer mentalen Identität.

Dabei werden Utopien gerne als erstrebenswerte Ziele empfunden und hochsterilisiert. Die Wirklichkeit jedoch zeichnet sich durch Standards aus. Standards sind zwar auch Ziele, die man aber nicht aufgibt. Ziele kann man niedriger setzen, Standards nicht.

Sogar bei Kindern bedient man sich zur Vermittlung von „Werten und Normen" oft mit Märchen (Bsp., Gebrüder Grimm)

Meist werden jedoch negative Aspekte zur Vermittlung von bestimmten Werten hervorgehoben, weil es dem Menschen an sich leichter fällt, einen negativen Aspekt in einen positiven Wert umzuwandeln.

Manchmal ersticken wir sogar an unserer Moral, weil Fassaden im Widerspruch zur inneren Befindlichkeit stehen. Moral kommt nicht aus dem Verstand. Dennoch werden häufig über die Moral als scheinbarer Wertemaßstab verstandesmäßige Erwartungen angesprochen und übergestülpt. Schaut man sich alltägliche Gesetzmäßigkeiten und das Leben in seiner Gänze an (sofern man dazu überhaupt in der Lage ist), dann scheint hinter Allem eine lenkende Intelligenz zu sein. Die Moral jedoch ist weniger eine Kopfkreation als vielmehr das Ergebnis aus gefühlvollen Empfindungen.

Normen und Werte, Kultur und Ideologien sind Bollwerke, die Menschen für sich ausnutzen oder hinter denen sie sich verstecken. Die oft beschworene heile Welt (Fassade) ist häufig gar nicht so heil! Viele hochsterilisierte Reden entpuppen sich als hohl und verlogen. Ethische, kulturelle, religiöse Werte und Normen versiechen zu Fassaden, wenn sie zu Eigennutz missbraucht werden.

Die Realität ist immer das, was wahr ist bzw. was jeder Einzelne als wahr empfindet. Wer glücklich und zufrieden sein will, der sollte den Versuch nicht aufgeben, der Vielfalt wahrer Werte und Normen zu entsprechen. Er muss sozusagen zur Wirklichkeit erwachen. Die Wahrheit sollte Vorrang vor allen persönlichen Prioritäten haben!

B.4.3 Mut, sich zu riskieren

Um seinen Alltag bewältigen zu können, muss man sich in vielerlei Hinsicht immer wieder neu entscheiden. Ist man sich nicht sicher, wie eine Situation ausgeht, ist jede Entscheidung ein Wagnis, das gerne in der Hoffnung ignoriert wird, die vorhandene Situation nicht verändern zu müssen. Dahinter verbirgt sich der Wunsch, im schlimmsten Fall keine negative Kettenreaktion auszulösen und selbst nicht in Erklärungsnot zu geraten. Dienlicher als Entscheidungsblockaden ist Mut, sich zu riskieren. Eine Entscheidung ist immer eine Erleichterung - man schiebt Nichts mehr vor sich her.

Mut ist eine Haltung und Eigenschaft, die eine nüchterne Sicht der Dinge gibt und gleichzeitig etwas Emotionales entfacht. Entscheidend ist die Willenskraft jedes Einzelnen, aus der heraus sich Mut entwickeln kann. Jeder möchte näher zu sich selbst sein, um zu spüren, was er will, worauf es ihm ankommt, wofür er sich einsetzt? Mut ist ein Gespür dafür, wie sich eine Situation entwickelt und wie belastbar man ist. Dabei ist es egal, ob eine getroffene Entscheidung aufgeht oder nicht.

Trotz Furcht vor Offenlegung der eigenen Situation und/oder der eigenen Meinung ist es ein Geschehen mit offenem Ausgang.

Sosehr man ein auf sich selbst bezogen positives Image zu pflegen versucht, fühlt man sich dennoch oft mutlos. Wie geht man damit um, wenn man in seiner Mutlosigkeit Angst hat? Dinge nicht wirklich schaffen zu können, ist nicht schön und macht wenig Sinn. Menschen dürfen sich nicht verlieren in ihrer Mutlosigkeit!

Mutig sein bedeutet, dass man sich für eine Aufgabe, ein Ziel oder einen Menschen in die Waagschale wirft. Für ungewisse Situationen braucht man Mut zur eigenen Verwundbarkeit[3]. Auf diese Art eröffnet man sich die Chance zu erhoffter Überwindung von Problemen und deren Anfälligkeiten. Das wiederum führt sehr schnell zu Übertreibungen, die sich zu dem Problem schlechthin (z.B. einer neuen Beziehung) entpuppen. Und genau das ist das eigentliche Problem.

Viele Menschen sind damit beschäftigt, sich ihren Ängsten zu stellen, Um damit besser fertig zu werden, müssen Stolpersteine überwunden werden. Angst lähmt und ist kein guter Motivator. Es ist eigentlich nicht schlimm, Angst zu haben; schlimm aber ist, wenn die Angst Einen hat. Wie fasst man Mut, mit der Vielzahl der auf uns einwirkenden Situationen und Fassaden fertig zu werden?

Die Bereitschaft, sich zu riskieren, ist Ursprung für ersehnte Erfahrungen. Jede Entscheidung ist ein Wagnis. Spreche ich in einer Beziehung ein Tabuthema an oder nicht? Spreche ich bei einem Menschen seine Schwierigkeiten an, ohne zu wissen, wie er darauf reagieren wird. Das sind Situationen, in denen man sich riskiert, sich ins Spiel bringt und auf ein Geschehen mit offenem Ausgang einlässt.

---

3 Melanie Wolfers; Wie man sein Leben selbst in die Hand nimmt „Trau Dich, es ist Dein Leben“ Bene Verlag; Im Spannungsfeld zwischen Mut und Angst Die Kunst, mutig zu sein OE1 Sonntag 1 8.08-2019 Gedanken zum Tag

Deswegen braucht es immer wieder mutige Schritte, sich selbst in die Hand zu nehmen und seine intellektuellen und emotionalen Fähigkeiten zu nutzen.

Wer immer nur Angst hat, wie er bei anderen ankommt oder ob er alles überhaupt gut genug kann, der wird nichts Neues machen. Der Mut, sich zu riskieren, unperfekt zu sein, sich zu zeigen, öffnet die Tür zur eigenen Zufriedenheit und Freundschaft mit Anderen. Angst vor Verwundbarkeit sperrt Menschen ein. Wer auf Dauer die Zentralverriegelung Angst aktiviert und Niemanden an sich heranlässt, führt ein sehr einsames Leben.

Der erste Eindruck im Umgang mit Menschen löst immer Gefühle aus. Wehre aus Deinem Unterbewusstsein entspringende Vorurteile ab und gönne Dir die Chance einer Revision!!

Für ungewisse Situationen und Befindlichkeiten braucht man das Wissen, dass jeder Mensch die Fähigkeit zur Regeneration in sich trägt. Diese Gewissheit mag Trost gegen zu frühe Resignation sein. Scheitern wird häufig als Makel angesehen. Wenn etwas schief geht, nimm dennoch den nächsten Anlauf. Auch wenn man den Sieg nicht mehr im Auge hat, sollte man den Glauben an sich selbst nicht verlieren. Hab' Vertrauen in Dich selbst! Drücke Dich nicht vor Verantwortung und Risiken! Aus Unsicherheit sind noch nie Zuversicht und Freiheit hervorgegangen. Löse Dich von Deinen eigenen Fesseln und überwinde Sturheit und Starrsinn!!

Mit sich selbst fertig werden setzt voraus, positiv mit der eigenen Betroffenheit umgehen zu können, den Mut aufzubringen, frühzeitig genug dialogfähig zu sein und die Dinge nicht schleifen zu lassen. Selbstmotivation ist ein wesentlicher Bestandteil menschlichen Handelns. Was immer man denkt oder fühlt, es gibt Nichts im Leben, was nicht auch eine positive Seite hat! Wenn man sich aus Enttäuschungen u/o. Misserfolgen als Verlierer fühlt, sollte man dennoch ernsthaft darüber nachdenken, auch daraus etwas Sinnvolles abzuleiten und zu machen!

B.5 Interdependenzen - Grundlage für Entwicklungen unterschiedlicher Erlebniswelten

Lebensräume unterscheiden sich in der unterschiedlichen Ausrichtung ihrer wechsel-seitigen Motivations- und Identitätstiefen.

Wechselwirkungen zwischen den jeweiligen Lebensräumen zu diskutieren macht nur Sinn, wenn sie auf die „Lebensführung" der Menschen ausgerichtet sind. Wie weit beeinflusst die Privatsphäre den beruflichen Erfolg und welchen Einfluss übt das Berufsleben auf das Privatleben aus? Das trifft in gleicher Weise für unseren Umgang mit der Gesellschaft zu, in der wir leben und mit der wir uns arrangieren.

In allen Lebenswirklichkeiten unterscheiden sich Menschen und grenzen sich voneinander ab. Wissen, Fertigkeiten und affektive Besonderheiten machen den Unterschied aus. Eliten bilden sich und werden zu Vorbildern, an denen sich die Mehrheit ausrichtet. Man kommt einfach nicht an der Realität vorbei, dass Eliten Aufmerksamkeit auf sich ziehen. Es darf aber auch nicht übersehen werden, dass Elitisierung in jeder Hinsicht (Privat-, Berufssphäre und Gesellschaft) distanzierende Mehrklassenideologie verfestigt.

Ausschließlich einseitig private, berufliche oder gesellschaftspolitische Fixierungen machen wenig Sinn und sind schädlich für das Zusammenspiel unterschiedlicher Lebensräume. „Im Berufsleben ist unser Blick geschärft für das Entdecken von Chancen. Im Privatleben erkennen manche nicht einmal, dass es hier überhaupt so etwas gibt wie Chancen."[4] Auch gesellschaftspolitische Zwänge können das Privat- und Berufsleben beeinflussen und sogar zu Stillstand führen, wie umgekehrt die Bevölkerung auf Regierungen Einfluss ausüben kann.

Zur Lösung solcher Probleme reichen allein lineare Denkmuster (wenn, dann ...) nicht mehr aus. Schnittmengen-Prozesse führen zu wirkungsvolleren Verhaltensformationen. Logik und Emotionalität zeichnen menschliches Handeln aus.[5] Obwohl wir uns durch unsere logischen Fähigkeiten hervorheben zu können glauben, sind es doch Emotionen, die sozusagen als Spiegelreflexe aus unserem Unterbewusstsein hervortauchen und unser Handeln überwiegend bestimmen.

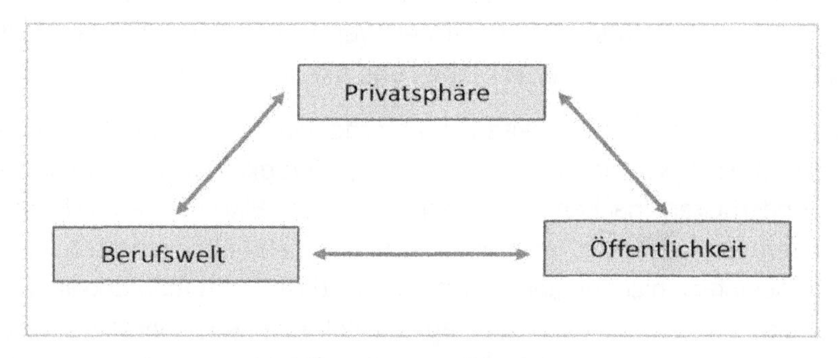

Abbildung 1: Interdependenzen

Zwischen diesen Erlebniswelten bestehen gegenseitige Abhängigkeiten in Form von Wechselwirkungen. Alles, was realisiert werden kann, bedarf des Zusammenspiels dieser Aktionsebenen als steuernde Größen. Nur darüber kann man aktiv werden - und zwar nicht im Sinne

---

4 Günter F. Gross „Beruflich Profi, privat Amateur" Verlag Moderne Industrie, Vorwort 5. Auflage

5 Siehe auch C.3.7 „Interdependenzen zwischen Emotion und Vernunft"

von Entweder/Oder, sondern im Sinne von sowohl / als auch. Der inhaltliche Fokus von Privatsphäre und Öffentlichkeit ist eher langfristig angelegt, wohingegen die einzelnen Ebenen eher kurzfristig ausgerichtet sind.

Dass Vernetzungen der Erlebniswelten langfristig zu Identität führen und Identitäten wiederum Vernetzungen ermöglichen, ist realitätsnah. Motivation und Identität sind wechselseitige Verstärker. Motivation führt langfristig zu Identifikation, wohingegen Identifikation die Motivationsfähigkeit und Motivationsleistung begünstigt.

Da Aufgaben bei entsprechender Motivationsbereitschaft gerne wahrgenommen und übernommen werden, muss man wissen, wo der Schwerpunkt der jeweils eigenen Interessen liegt. Niemand sollte perspektivlos sein. Am schlimmsten ist Perspektivlosigkeit!

Bei der Identifikation (Prozess hin zur Identität) sind verschiedene Bedürfnisse aufeinander abzustimmen. Damit soll eine Aktivitätenidentität in unterschiedlichen Lebenssituationen (privat. und öffentlich) hergestellt werden. Letzten Endes geht es um einen Gleichklang, der erzielt werden soll.

Der Vorteil der Identifikation liegt in einer starken Kopplung zwischen Menschen und deren Erlebniswelten. Voraussetzung dafür ist, dass sich Menschen mit ihrer Aktivitätengesamtheit identifizieren. Hier steht kein kurzfristiges Optimieren im Vordergrund, sondern eine enge Verzahnung zwischen den jeweiligen Lebenswirklichkeiten. Wenn man an einer Stelle anfängt, hat man zugleich Schnittstellen zu den beiden anderen Lebensbereichen. Jede Aktivität ist also aus persönlicher Sicht wie auch aus Sicht des Umfeldes konfliktträchtig, weil jedes Handeln praktisch schon bei der Zuordnung sehr eng untereinander übergeht in alle anderen Erlebniswelten.

Überschneidungen zwischen Motivation und Identifikation gibt es in allen Lebens-lagen und zwischen allen Lebensräumen. Förderung der

Identifikation erfordert sehr unterschiedliche Vorgehensweisen. Jeder hat seinen persönlichen Handlungsrahmen, der unabhängig davon ist, was Menschen in verschiedenen Situationen erleben. Es geht immer darum, dass sich Menschen mit ihrem Einsatz möglichst überall identifizieren können.

Sich mit dem, was man tut, zu identifizieren, bedeutet mehr als eine Imagevariante. Wenn man sich zusätzlich mit denen identifizieren kann, die mit einem etwas tun, führt das zum Gleichklang!

Es wäre allerdings ein Fehler, die unterschiedlichen Lebensräume (privat, und gesellschaftlich) gleichsetzen zu wollen, auch wenn sie sich in der längerfristigen Sichtweise ergänzen. Es ist wichtig, inwieweit man sich im Rahmen seiner Eigenverantwortung mit ihnen identifiziert und interessante Aufgaben als herausfordernd und fördernd ansieht.

Über die starke Bindung von Berufs- und Privatwelt hinaus beeinflussen Staat und Öffentlichkeit die Interessen und Befindlichkeiten der Bürger (Unternehmer und Beschäftigte). Um eine stärkere emotionale Bindung zu schaffen, bedarf es auch hier einer zumindest gefühlten Zustimmung,

Allerdings liegen häufig Welten zwischen den Interessen der Menschen verschiedener Lebensräume. Aus dieser Verschiedenheit lassen sich unterschiedliche Identitätssegmente ableiten. Wer von der Arbeit leben muss, hat andere Interessen als der Wohlhabende. Beim Vermögen gibt es keine breite Mittelschicht.

Aus Sicht der Bürger sind persönliche Sicherheit, politische Stabilität, Wohlstand, Fairness, Gerechtigkeit, Freiheit, Nähe und Sympathie, Eigenverantwortung, positive Zustimmung zu Eigenaktivitäten usw. Wünsche, die bei Erfüllung auch Sinnbilder unterschiedlicher Identitäten eines Menschen werden - seiner Individualität, seiner Unternehmenssolidarität und seiner Einbindung in die Gesellschaft. Beispielsweise denken nicht wenige Menschen in Deutschland über die

Abschaffung geschichtlich begründeter Privilegien (Beamtenprivilegien oder Entlohnung kirchlicher Würdenträger durch den Staat) nach. Handelt es sich dabei nicht aus heutiger Sicht um überholte schichtenspezifische Fassadenwelten?

Dagegen ist aus Sicht von Unternehmern Einheitlichkeit und damit einhergehende Identität erstrebenswert

Aus Sicht des Staates verkörpern Integration und Integrität die Identität seiner Bürger.

Damit stellt sich die Frage, wieweit und in welcher Zahl Menschen aus allen Lebensräumen „an einem Strang" ziehen und ein einheitliches Erscheinungsbild verkörpern können? Je besser das gelingt, desto stärker kann den individuellen und gemeinnützigen Werten und Normen[6] entsprochen und möglichen Konfliktsituationen vorgebeugt werden.

Es darf nicht unerwähnt bleiben, dass das Pendel der beschriebenen Wirkungsketten in seine Umkehrung schwenkt, sobald sich die Lebenssituation ins Negative (Misserfolge, keine Anerkennung, ständige Existenzängste, verlorenes Selbstvertrauen, mangelnder Respekt usw.) wendet. Wer mit Ängsten lebt, der neigt dazu, sich in die Selbstisolation zu begeben und nichts Neues zu planen.

B.6 Das Phänomen „Macht"

Macht auf sich alleine gestellt macht keinen Sinn, sondern nur im Umgang mit Menschen - sei es innerhalb der Familie, in einem Team oder einer Gruppe, in Unternehmen oder innerhalb der Gemeinschaft

---

6 siehe auch F. „Im Spannungsfeld wechselwirksamer Lebenssituationen"

eines Volkes. Macht und Rangstreben stecken in der Natur nicht nur des Menschen. Macht braucht Alphatiere!

Wer in die Geschichte schaut, der wird feststellen, dass es keine Kultur gibt, in der es nicht irgendwie geartete Führungsgestalten gibt. Andernfalls würde jeder machen, was er im Extremfall will. Es würde Chaos herrschen. Das allgegenwärtige Instrument von Macht ist Hierarchie. Hierarchie ist sozusagen ein kulturelles Grundgesetz.

Wer Macht hat, nimmt Einfluss und versucht im Sinne seiner Ziele und Interessen Entwicklungen zu steuern und nach Möglichkeit durchzusetzen - also letztlich zu bestimmen. Macht haben knüpft immer an Rahmenbedingungen an, die Macht ermöglichen - auch wenn man sie sich einfach stiehlt. Das bedeutet, Macht über Andere ausüben zu können - im privaten, im unternehmerischen und im gesellschaftlichen Leben. Macht hat den Drang, sich zu erhalten. Andererseits läuft einkonservierte Macht Gefahr, aus Blindheit von Realitätsverlusten überrollt zu werden. Auf das Shareholder-Value Debakel in der Führung von Unternehmen sei an dieser Stelle hingewiesen.[7]

Wenn Macht Sinn machen soll, muss sie finalisiert werden, Allerdings ändern sich viele Menschen, die (plötzlich) Macht haben, weil sie mit Macht nicht wirklich umgehen können! Ein vielleicht seltenes Beispiel sei erwähnt, weil es in einem gesellschaftspolitisch relevanten Bereich vorgefallen ist, in dem man es so nicht vermutet hätte.

Einer der beliebtesten Würdenträger der katholischen Kirche wünschte sich als Nachfolger einen seiner Weihbischöfe. Diesem Wunsch wurde vom Wahlgremium - dem Domkapitel - nach dem Motto „Wir haben die Macht und so führen wir sie auch aus" nicht entsprochen. Wenn die Kirche ihre von der Beliebtheit der Allgemeinheit geschätzten

---

7 D.5.1.2 „Das Shareholder-Value Debake"

Persönlichkeiten für alle sichtbar so vorführend übergeht, darf sie sich nicht wundern, dass ihr „Marktwert" bröckelt.

Welch' ultrakonservative Kräfte, deren Vertreter noch im vergangenen Jahrhundert mit der Teufelsaustreibung liebäugelten, müssen die Wahlszenerie als Fremdkörper dominieren - und auf ihre Art zu einem Realitätsverlust mit weitreichendem Imageschaden führen? Macht entblößt und verliert sich im Laufe der Zeit.

Da man als Außenstehender keine Informationen über die Zusammensetzung dieses Wahlgremiums ermitteln kann, würde Aufklärung die Fassade sichtbar machen.

Wie sich doch die Bilder im Umgang mit Macht in allen Lebensbereichen gleichen!

B.7 Der rationale Schleier als Kalkül

Was immer Menschen unternehmen, dahinter verbirgt sich eine Absicht - ein Ziel. Folgerichtig ist, dass Ziele eine wichtige Rolle spielen und dazu eine irgendwie geartete Vorgehensweise gehört: Das Ganze spielt sich systematisch rational ab. Zumindest wollen wir das gerne glauben bzw. wird es uns in gewisser Weise vorgelebt.

Wenn wir behaupten, unser Denken und Handeln sei systematisch und rational, dann bringen wir damit zum Ausdruck, dass unser Handeln von der Vernunft bestimmt ist - also logisch, rational plausibel und überzeugend ist. Häufig genug erleben wir in Familien, im Unternehmensalltag und in der Politik, dass es nicht so ist, da es weder systematisch noch rational zugeht. (Vieles ist im Großen und Ganzen Betrachtungssache. Es liegt oft im Auge des Betrachters.) Die Betrachtungsweise erfolgt individuell. Geht man vom gleichen Ausgangspunkt aus, jedoch mit verschiedenen Betrachtungsansichten, werden zum Schluss meist unterschiedliche bzw. unterschiedlich weit gedachte Endpunkte herauskommen, je nachdem wie weit einzelne Szenarien individuell durchgespielt werden.

Allerdings muss, was für den Einen vernünftig ist, für einen anderen noch lange nicht vernünftig sein. Demzufolge gibt es verschiedene Formen der Vernunft. Hinter diesen verschiedenen Rationalitäten stehen in der Regel Werte und unterschiedliche Lebenserfahrungen, die zu ganz bestimmten Interessen führen und von daher auch in sehr starkem Maße unser Handeln beeinflussen. Die Frage ist also, was für eine Vernunft jeweils dahintersteckt. Es gibt die ökonomische Vorstellung von Vernunft oder die soziale, die ökologische und technologische Rationalität usw.

Im Schatten rationalen Denkens und Handelns laufen unterschiedliche Verhaltensketten ab. Wer rational handelt. der begründet sich sachrational. Wer beispielsweise ökonomisch rational handelt, der handelt ausschließlich nach ökonomischen Kriterien im Sinne von Aufwand und Ertrag (Nutzen-Kostenbetrachtungen). Jede Handlung wird nach Nutzen bewertet. Was rational-ökonomisch denkenden und handelnden Menschen nichts bringt, das machen sie auch nicht, da sie keinen eigenen Nutzen darin erkennen!

Dennoch gibt es genügend Situationen, in denen man nicht in der Lage ist, die Dinge rational folgerichtig zu analysieren und entsprechend zu handeln. Emotionen überlagern häufig die Vernunft. Je deutlicher wir unsere Emotionen erleben und verstehen, desto mehr lieben wir, was ist. Andererseits lösen Emotionen - obwohl emotionales Handeln ursprünglicher und intensiver und damit begründeter erscheint - oftmals auch Beschränkungen im täglichen Miteinander aus.

Als Ausweg aus diesem Zwiespalt wird meist scheinbar rational argumentiert. Es überwiegt dann doch der rationale Aspekt, hinter dem sich die Wahrheit besser verstecken lässt. Rational überzogenes Verhalten wirkt im Zwischenmenschlichen perfekt gekünstelt, weil Echtheit (Ehrlichkeit und Offenheit) fehlt. Facetten der Rationalität können somit auch negative Schatten hinterlassen. Gleiches trifft auf Menschen zu, die sogar ihr emotionales Verhalten zu perfektionieren versuchen. Das Schlimmste ist falsch verstandener und übertriebener Perfektionismus. Perfektionisten entwickeln sich zu Automatenmenschen!

Einen weiteren Schatten wirft die unterschiedliche inhaltliche Ausrichtung rationalen Selbstverständnisses auf. Wer rationales Handeln als vorbildhaft und wegweisend empfindet, der sollte ehrlicherweise berücksichtigen, wo sein Rationalitätskern beheimatet ist. Die Differenziertheit verschiedener Blickwinkel erzeugt Interpretationen, die sich in die allgemeine Ratio einschleichen. Der Ökonom wird sich mit seiner ökonomischen Rationalität identifizieren, Techniker, Ökologen sowie Physiker und Chemiker werden ihre Sichtweise von Rationalität hervorheben wie auch Mediziner die Ihrige usw. Rationale Kalküle sind Facetten, die in der Regel zu ganz bestimmten Werten führen und von daher auch in starkem Maße das Handeln beeinflussen. Beispielsweise gilt die Automobilindustrie als Schmutzfink der Nation. Sie fühlt sich von der Ökologie gepackt und hat logischerweise Angst vor schärferen Restriktionen und Gesetzen.

Werte produzieren Interessen und Interessen produzieren Aktivitäten. Dabei kommt es zu Konflikten oder auch zu Kompromissen zwischen diesen verschiedenen Rationalitäten. Auf der Suche nach Kompromissen muss man immer Ansichten und Einsichten mitnehmen. Zu Kompromissen gehört, dass man einander zuhören kann, die Position Andersdenkender versteht und nachvollziehen kann. Kompromisse sind sichtbares Zeichen für erreichte Erfolge, ohne dass es Sieger gibt. Kompromisse werden bevorzugt als Fassaden für erfolgreich geführte Verhandlungen genutzt, obwohl die eigentlichen Ziele nicht durchsetzbar waren.

Trotz aller aufgezeigten Nuancen kann die soziale Rationalität Brückenbauer für alle Aspekte des Handelns sein.

B.7.1 Mangelnde Entscheidungsbereitschaft und -sicherheit

Sachdienliche Unsicherheiten und mangelnde Erfahrung sind häufig Ursache für Menschen, sich vor Entscheidungen zu drücken. Man weiß nicht, was richtig ist, und entscheidet lieber, sich gar nicht zu entscheiden, bevor man hinterher angegriffen wird. Damit ist das Gegenteil dessen erreicht, was man ursprünglich mit Entscheidungen erreichen will.

Sehr schnell flüchten wir in Vergleiche und müssen Vernunft und Gefühle für Entscheidungen mit meist offenem Ausgang zusammenfügen. In Problemsituationen sollte der Kopf der entscheidende Faktor bleiben! So wichtig Emotionen sind, sie können auch sehr hinderlich sein.

Misserfolge entstehen weniger aus Fehlentscheidungen, sondern vielmehr aus fehlenden Entscheidungen. Die Aufschieberitis verhindert, dass man sich für etwas entscheidet. Meistens haben dann bereits Andere etwas entschieden.

Entscheidungsblockaden lähmen Menschen - sie fühlen sich selbst ausgeliefert und entscheiden erst gar nicht, weil sie bevorzugen, zu fliehen. Nicht selten hofft man auf Änderungen gegenwärtiger Rahmenbedingungen und damit auf günstigere Situationsmerkmale. Entscheidungen vor sich herzuschieben, verzögert den Willen und die Bereitschaft zur Lösung anstehender Aufgaben. Es erhöht den persönlichen Entscheidungsdruck. Problemlösungen ohne wahren Grund verschieben zu wollen ist Zeitverschwendung und bringt meist nichts. Der Vorteil getroffener Entscheidungen ist, dass es zu spät ist, danach zu fragen, wie man es denn gerne gehabt hätte. Nichts ist schlimmer als entscheidungsunfähig zu wirken! Je mehr Zeit man sich lässt, desto mehr Zeit wird vertrödelt. Wer die Dinge nicht beim Namen nennt, kann ihnen auch nicht begegnen und damit fertig werden bzw. eine Eigenanalyse durchführen. Wenn man endlich eine Lösung herbeiführen will, ist darauf zu achten, nur die Probleme zu lösen, „wo man sich wirklich - und zwar zu 100% sicher ist, dass etwas so ist, wie man denkt"![8] (nicht zu 90%) Dies allerdings ist in der Realität - insbesondere in zwischenmenschlichen Beziehungen - schwer durchführbar.

Wer keine Entscheidungen herbeiführt, der hinterlässt den Eindruck von mangelnder Durchsetzungsfähigkeit oder Gleichgültigkeit. Vertrauen und Zustimmung gibt es nur, wenn Entscheidungen fallen und auch durchgesetzt werden!

B.7.2 Problemlösungsprozesse als Problemfall

Kommunikation ist Dreh und Angelpunkt für Jedermann. Gespräche und Diskussionen mit Dritten spielen eine besondere Rolle. (evtl. auch Gespräche, Diskussionen und Konflikte, die man im Inneren mit sich selber führt.) Dabei sind befürchtete Wirkungen Hürden für unser persönliches Verhalten. Generelle Schlussfolgerungen bergen Probleme in sich und führen zu Unsicherheiten. Nicht selten verliert man auf der Suche nach Lösungen die Konzentration auf die eigentliche Problemstellung.

Wo immer Interaktionen stattfinden, können Probleme auftreten. Das ist Grund genug, sich stärker in die Situation seiner Gesprächspartner zu versetzen und sie möglichst unmittelbar in anstehende Diskussionen einzubinden, um ein besseres gegenseitiges Kommunikationsklima zu entwickeln und kompromissfähiger zu werden.

Oft jedoch ist es schwierig, den Faden nicht zu verlieren und in andere Bereiche, die nicht zwingend mit dem Inhalt eines Konfliktes, Gespräches etc. zusammenhängen, abzuschweifen und mit einfließen

---

8 Byron&Katie Torwalt „Lieben, was ist..."

zu lassen. Dabei werden nicht selten Informationen aus Neugier, fachlichem Interesse oder aus taktischem Kalkül voreilig zu eigenen Problemen. Man verirrt sich sozusagen in eine andere Identität, indem man sich insgeheim zu sehr mit der Situation und Sichtweise seines Gesprächspartners befasst. Spätestens jetzt entsteht die Gefahr, dass man das Problem Anderer zu lösen versucht. Man sollte jedoch bevorzugt seine eigenen Probleme und nicht die der Anderen lösen!

In Gesprächen wie beschrieben gehen häufig Zeit und Konzentration auf sich selbst verloren. Sofern damit einhergehende sich häufig wiederholende Inhalte nicht als persönliche Bereicherung empfunden werden, ist man versucht seine neu entstandene Abhängigkeit als Verlust zu ertragen. Man sollte nicht Teil der Probleme werden, sondern Teil der Lösungen sein und nur die Probleme zu lösen versuchen, von denen man überzeugt ist, dass man sie lösen kann. Die Fixierung auf Problemlösungen Anderer macht wenig Sinn und schürt im schlimmsten Fall weitere zwischenmenschliche Konflikte.

Probleme lassen sich selten im Sinne von „Entweder Oder", sondern eher im Sinne von „Sowohl als auch" lösen. Lösungen werden eher eine Kombination aus bestimmten Alternativen sein. Nur wenn man die Probleme seiner Gesprächspartner begreift und nicht zu seinen eigenen macht, kann man ernsthaft an Problemlösungen gehen. Durch Verdrängung oder Abschweifung wird kein Problem gelöst, sondern nur die Austragung verhindert.

Zur persönlichen Wende gehört auch, rational getroffene Entscheidungen durchzuziehen. Andernfalls blufft man sich und anderen eine Fassadenwelt vor, die nicht wirklich zu Problemlösungen beiträgt.

B.8 Chancengleichheit - Fassettenvielfalt mit Hürden

Forderungen nach Chancengleichheit sind ein jahrzehntelanger gesellschaftspolitischer Dauerbrenner. Nicht selten wird die Begrifflichkeit sehr unterschiedlich interpretiert und verstanden. Die breite Bevölkerung würde gerne Aspekte der Gleichheit einfordern. In Wirklichkeit jedoch kann es nur um die Möglichkeit gleicher Chancen gehen, weil es immer schon und auch weiterhin ein Oben und ein Unten, gescheite und weniger gescheite, arme und reiche Menschen, Gewinner und Verlierer gibt. Auch der Geschlechterunterschied spielt hier eine Rolle. Es gibt noch immer Normen und Zwänge, denen Frauen unterliegen. Die häufig symbolisch suggerierte Gleichberechtigung von Mann und Frau gibt es nicht. Frauen können Einiges besser als Männer und Männer können Einiges besser als Frauen.

Wir sind in unserer Verschiedenheit gleichwertig und müssen uns gegenseitig anerkennen. Insofern gehört die Berücksichtigung von Unterschieden zur Positionierung von Gleichheit und damit zugleich auch von Gerechtigkeit. Trotz aller präzise formulierten ideologischen Aspekte bestimmt Ungleichheit die Realität. Menschen sind nun einmal unterschiedlich und verhalten sich demzufolge auch sehr unterschiedlich, wenn es um eigene Interessen und Vorteile geht. Das ist der Kern, warum man gleiches Empfinden für Menschen auf gleicher Wellenlänge hat.

Auch spielt eine Rolle, was man vermeintlich in seinem Leben erreicht hat und vorweisen kann, egal ob in materiellen Dingen wie Haus, Auto, Urlaube etc. oder akademische Grade und zertifizierte Bildungsgänge, was man auf dem Papier vorweisen kann, Dass Ehe- oder Lebenspartner sich häufig selbst mit Erwähnung der Erfolge ihrer Partner ins Rampenlicht zu setzen versuchen, („Ich als Frau eines Zahnarztes" oder „Wissen sie nicht wer mein Mann/Frau ist") deutet auf die Wichtigkeit imagebegründeter Fassadenmerkmale hin. Ein solches Verhalten spiegelt ein reguläres nicht begründetes

Kräftemessen, um sich schlichtweg zu profilieren. Oft fehlt das umfassende Verständnis für das System, in dem wir leben, und das Wissen, dass ein Rad der Maschinerie ins andere greift.

Politisch fortgeschritten ist die Diskussion zur Gleichberechtigung der Geschlechter. Von einem ausgewogenen Verhältnis kann nicht gesprochen werden. Nicht ohne Grund versucht man Frauenquoten einzuführen. Ob eine zwangsweise Einführung tatsächlich zu einer Verbesserung führt, mag dahingestellt bleiben. Politisch angestrebte Quotenregelungen signalisieren zumindest einen Hauch Modernität. Bisher haben sich meistens qualitative und quantitative Probleme ergeben. ohne dass wirkliche Fortschritte erzielt wurden.

Ähnliche Erfahrungen macht man bei der Lohn- und Einkommensverteilung. Frauen hinken bei gleichen Arbeitserfordernissen hinter den Gehältern von Männern mit für Rentenansprüche entsprechenden Konsequenzen hinterher. Erschwerend kommt hinzu, dass typische Frauenberufe als Verkäuferinnen und Frisösen sowie vergleichbaren Arbeitsverhältnissen im Niedriglohnsektor nach ihrem Ausstieg aus dem Berufsleben eine Rente erhalten, mit der nur schwer auszukommen ist.

Nicht besser ergeht es alleinerziehenden Müttern, die (nur) halbtags gearbeitet haben, weil sie für die Kindererziehung zuständig waren. Gleiches trifft auf Geringqualifizierte zu, die bei niedrigen Löhnen meistens körperlich schwere Arbeiten ausüben mussten. Deren Lebenserwartungen sind im Alter niedriger als die der besserverdienenden Bevölkerungsschichten.

Sie alle fürchten Altersarmut! Unter den beschriebenen Aspekten fragen sich viele Betroffene, wie sozial die soziale Marktwirtschaft ist?

Aufgrund der zunehmenden Unruhe in der Bevölkerung fordern Politiker (nicht zuletzt aus wahltaktischen Überlegungen) eine

Anhebung des niedrigen Rentenniveaus der Betroffenen. Das wiederum wird von denjenigen als ungerecht empfunden, die auf das bestehende Rentensystem vertraut haben und ihre monatlichen Beiträge in die Rentenkasse abgeführt haben. Wer einzahlt, soll auch eine entsprechende Rente erhalten! Man müsse als Bürger schließlich noch an ordnungspolitische Prinzipien glauben und ihnen vertrauen können. Darüber hinaus sollte nicht verschwiegen werden, dass rentenbedingte Anhebungen für den Steuerzahler Kosten auf Dauer sind.

Gesellschaftspolitisch ist zu ergänzen, dass sich die persönlichen Chancen schlagartig reduzieren, wenn man nicht mehr zu den Gewinnern zählt und seinen privaten und/oder werthaltigen Bezug verliert. Persönliche Katastrophen sind die Folge und führen zum Psychiater, der meist nicht wirklich helfen kann. Oft ist den Menschen nicht einmal bewusst, ob ihre Situation auf alleiniges Verschulden zurückzuführen ist oder von außen hereinbrach? Man empfindet sich selbst plötzlich als Person in widersprüchliche Fassetten verstrickt und läuft Gefahr, den eigenen Maßstab zu verlieren. Diese Menschen fühlen sich allein gelassen, entwertet und als Versager, denen man ihre Würde genommen hat.

Mit ökonomischen Sachzwängen - seien es sich verschlechternde Marktaussichten oder Gewinnsteigerungsmanie einzelner Manager - werden Kostensenkungsprogramme als unausweichlich verkündet und aufgelegt - meist ohne die Mitarbeiter frühzeitig genug darüber zu informieren. Man senkt den Personalbestand mit der Folge, dass das reduzierte Personal mit zusätzlichen Belastungen fertig werden muss oder Gefahr läuft, herausgeschmissen zu werden. Neben dem Gefühl der Mitarbeiter, überrumpelt worden zu sein, klagt nicht nur die Kundschaft von Handelsketten über mangelnde Kundennähe. Auch bei Kunden entsteht der Eindruck, Mitarbeiter bis an ihre Grenzen trotz aller offiziellen Beteuerungen zur Unternehmensphilosophie auszunutzen. Es soll sogar Handelsketten geben, die die Institution eines Betriebsrats abgelehnt haben.

Schließlich fördert auch der Staat im Rahmen der Gesetzgebung eine steuerliche Spaltung, indem er Gewinne aus Kapitalvermögen (Aktien) wesentlich niedriger versteuert als die Einkommen von Normalverdienern. Der Reichtum bündelt sich dort, wo sowieso schon Abgrenzungen vorhanden sind. Reichtum gesellt sich zu Reichtum!

B.9 Feindbildetiketten

Selbstverständlichkeiten und Gewohnheiten sind nicht selten Ursache für Enttäuschungen. Aus ihnen erwachsen Allergien, die über emotionale Überspitzungen Aversionen entstehen lassen und letztendlich zu Feindbildern eskalieren können. Man implantiert sozusagen eine ausschließlich negative Meinung und Haltung als Betonklotz in sein Alltagsverhalten!

Im privaten Bereich sind es oftmals beziehungsbezogene Abnutzungsrituale wie Schwiegermütter- und Partnersyndrome oder sogar erniedrigende Handlungen. Im beruflichen Umfeld ist es überwiegend ungerecht und degradierend empfundenes Hierarchieverhalten, während in der Gesellschaft klischeehafte Vorurteile Feindbilder entstehen lassen.[9] [10]

Feindbilder entstehen durch übertrieben erlebte und empfundene Differenzierungen. Sie führen zu einem polarisierenden Klima und stellen Menschen in die Ecke. Ursprünglich angenommene

---

9 Ute Frevert „Die Politik der Demütigung: Schauplätze von Macht und Ohnmacht“

10 Siehe auch B.10 „Wenn Anonymität als Maske missbraucht wird“

Selbstverständlichkeiten verändern sich im Laufe der Zeit und können über sich entwickelnde oder bereits vorhandene Fremdbildempfindungen[11] bis hin zu Feindbildern eskalieren.

Rassismus ist ein Etikett der Diskriminierung. Die Würde des Menschen, die offiziell als unantastbar erklärt wird, ist dennoch über Feindbildeffekte antastbar und führt in die Isolation.

B.10 Wenn Anonymität als Maske missbraucht wird

Menschen sind auf Beziehungsnetze zu ihrer In- und Außenwelt angewiesen. Dabei sind Offenheit und Anonymität kein Widerspruch, sondern spielen eine wichtige Rolle.

Anonymität bedeutet Abkehr von Aufmerksamkeit. Urheber von Handlungen und Aktivitäten sind nicht identifizierbar, so dass die Verantwortlichen auch nicht zur Rechenschaft herangezogen werden können. Anonymität hinterlässt Spuren der Ungewissheit, hinter denen sich leicht verstecken lässt. In Wahrheit verflüchtigt Anonymität den kommunikativen Wahrheitsgehalt von Botschaften. Wenn man immer wieder mit Lügen konfrontiert wird, wird irgendwann die Lüge zur Wahrheit. Der gesamte Spannungsbogen von Ignoranz über Täuschung bis hin zu Manipulation eröffnet bewusstem Fehlverhalten Tür und Tor. Aussagen und Behauptungen werden beispielsweise im Internet so häufig wiederholt, bis man sie glaubt. Darüber hinaus sind Internet Likes sehr einseitig ausgerichtet. Bei Google ist man immer im Problem und erhält keine Gegenmeinung, so dass man am Ende von der dargestellten Meinung überzeugt ist.

Auf mangelndem Grundvertrauen und insbesondere mangelndem Selbstvertrauen eröffnet der geschützte Raum der Anonymität ein

---

11 Vgl. C.3.2 „Im Sog familiärer Veränderung“

buntes Allerlei an Masken, um gefürchtete Imageverluste zu vermeiden. Man ängstigt sich, „entlarvt" zu werden. Nur relativ wenige Menschen spielen mit offenen Karten.

Bereits bei der Suche nach einer eigenen Meinung zu Dingen des Lebens, deren Zusammenhänge man nicht wirklich versteht, vertraut man sich einem Dritten an und wechselt von einer rein rationalen Entscheidungsfindung zu einer emotionalen. Über diesen Umweg findet man eine Meinung, die zur Eigenen wird. Wer von der Atomenergie nichts versteht, sucht einen auf diesem Gebiet anerkannten Experten, übernimmt dessen Aussagen und vertritt diese dann als seine persönliche Meinung.

Will man seine Meinung oder eine Entscheidung trotz mangelnder Rückendeckung (keine Unterstützung) durchboxen, sucht und nutzt man eine meist außenstehende kompetente Persönlichkeit als Eigenschutz mit gleichzeitig psychologischem Moment indirekter Verantwortungsabgabe. Man anonymisiert sich sozusagen selber durch Fremdreflektion; beispielsweise in Form neu aufgezogener Meinungsverbreitung durch Medien jeglicher Art.

Auch Manager handeln nach dem Motto: Können wir aufgrund kritischer oder mangelnder Mehrheiten unsere Ziele nicht durchsetzen, ersetzen wir auf dem Umweg über eine problemorientierte Objektivierung die Entscheidung und begründen sie als objektiv gerechtfertigt. Beispiele sind die Einbeziehung von Beratungsgesellschaften oder von bekannten Persönlichkeiten, die für ihre Expertise bekannt sind. Manch ein Vorgesetzter nutzt seine Kenntnisse von oder über solche Fachgrößen als Beweismittel zur Durchsetzung eigener Interessen gegenüber kritischen Stimmen in den eigenen Reihen.

Menschen nutzen weltweit das Smartphone als ihr inzwischen wichtigstes Kommunikationsmittel. Es nimmt einen breiten Zeitraum in Anspruch und entwickelt sich für die Mehrheit zu ihrer überwiegend einzigen Informationsquelle mit der Folge, dass diese Art der Kommunikation als normal angesehen und zum Meinungsbildner wird.. Man hat sich längst daran gewöhnt.

Auf der Grundlage der freien Meinungsäußerung werden im Internet u.a. Meinungen verbreitet, die anstands- und respektlos sind. Auf Online-Plattformen kann jeder alles behaupten - auch den letzten Blödsinn. Fake-News sind solche Beispiele. Smartphone, E-Mail etc. dienen als Fassade, weil ihre Absender keinen direkten Kontakt zu ihren Empfängern haben und Meinungsäußerungen (im Zweifel auch Notlügen) nicht klassifizieren und anmerken müssen.

Redner nutzen aus der Anonymität heraus das Internet als Positionsfläche. Digitale Macht ist häufig mit Verrohung der Sprache und verbalen Angriffen verbunden. Fake-News und menschenfeindliche Kommentare sind inzwischen Usus geworden. Je öfter solche „Botschaften" gesendet werden, desto eher werden sie als der Wahrheit entsprechend angesehen, Damit wächst die Gefahr anonymer öffentlicher Manipulationen. Bei sich häufenden Wiederholungen glaubt man schließlich daran.

Online-Bedrohungen werden meist anonym ausgestrahlt, enthemmen die Kommentierenden zur Androhung von Gewalt und führen schließlich zu Polarisierungen und Radikalisierungen in Teilen der Gesellschaft. Langfristig wird die Euphorie für neue Medien das Kommunikationsverhalten und damit die Kritikfähigkeit insbesondere junger Menschen beeinflussen und verändern.

Die Würde des Menschen darf in den sozialen Netzwerken nicht fallen gelassen werden!

B.11 Kultur als Identitätsträger

Unter Kultur versteht man im allgemeinen Sprachgebrauch die am häufigsten vertretenen Werte und Überzeugungen, die sich im Laufe der Geschichte entwickelt haben. Ziele, Regeln, Gesetze und Konzepte machen die jeweils vorherrschende Kultur aus. Sie hängt davon ab, mit welcher Ausprägung ihrer Werte, Normen usw. sich die davon betroffenen Menschen identifizieren. In Diskussionen und Gesprächen zwischen Menschen trifft immer eine Vielfalt von Identitäten zusammen. Merkmale gleicher Identitäten sind das Spiegelbild von Kulturen und führen zu Solidarisierung.

Kultur berücksichtigt sozusagen automatisch alle konkreten Situationen. Hinter jedem Oberbegriff von Kultur verbirgt sich stets auch ein ganzes Kulturenbündel. Kultur ist ein vielschichtiger Begriff, der als Oberbegriff und als Subkulturen aus Entwicklungen der Vergangenheit oder der Gegenwart vorgegeben ist und heute eine wichtige Rolle spielt.

Man unterscheidet die Kultur des Abendlandes von der des Orients, typische Volkskulturen, die politische Kultur eines Landes, die inhabergeführte Unternehmenskultur von der von Konzernen und Individualkulturen (jeder Mensch bringt seine ihm eigene Kultur - Adel oder breite Bevölkerung - ein). Gegebenenfalls sind auch Umgangsformen Bestandteil dessen, was als Subkultur ihre eigene Gesetzmäßigkeit entwickeln kann. Aus solchen Subkulturen leiten sich wiederum weitere Kulturspezifika bis hin zur „Diskussionskultur" ab. Sie alle müssen in irgendeiner Form zusammenfinden, koordiniert und integriert werden.

Somit hat Kultur einerseits eine stabilisierende gegen Veränderung gerichtete Wirkung. Andererseits kann sie aber auch unter einem Deckmantel bewusst als Antihaltung (meist populistisch national) gegen bestehende Riten und Normen missbraucht und instrumentalisiert werden mit der Folge, dass sich daraus eine Blockadehaltung und damit einhergehend eine Blockadekultur etablieren kann. Blockadekulturen können vernünftige veränderungsfähige Entwicklungen verhindern.

Beispielsweise können aufkeimende Wertekonflikte (Nationalismus statt Patriotismus, Rechtsstaat versus Sozialstaat, Gemeinwohl versus Gewinnorientierung, Wachstum und Verteilung usw.) emotionalisierte Massenbewegungen verursachen und Reaktionen hervorrufen, die einen neuen kulturellen Hintergrund erzeugen und bewusst zur Durchsetzung eigennütziger Interessen missbraucht werden. Religion als Fassade zur Begründung und Durchsetzung politischer Machtansprüche zu gebrauchen, ist ein solches Beispiel. Ein weiteres Beispiel ist die „Amerika First-Politik" des ehemaligen amerikanischen Präsidenten Donald Trump.

Andererseits forcieren kulturelle Defizite sich verändernde Perspektiven. Beispiels-weise brauchen wir für Zustimmung und Umgang mit Wartelisten in weniger beachteten Lebenssituationen ein neues kulturelles Selbstverständnis - sozusagen eine neue Kultur, die die Hilfe zur Organspende für schwerkranke Menschen in den Mittelpunkt stellt.

Unabhängig von Interessenlagen bewirkt Kulturignoranz folgenschwere Konsequenzen, weil die sich an die jeweilige Kernkultur andoggenden Subkulturen mehr als das beinhalten, was man ausschließlich sachlich und zielbezogen abhandeln kann. Es handelt sich nicht nur um rationales Handeln. Die Wirklichkeit einer Kultur gibt es nicht ohne Wechselbeziehung zu emotionalen Strömungen und deren Subkulturen.

Neue Kernkulturen entwickeln sich immer auf der Grundlage von Subkulturen und deren weitläufigen Ablegern bis hin zu Lebens- und Verhaltensgewohnheiten. Auch Umgangsformen sind Bestandteil dessen, was als Subkultur ihre eigene Gesetzmäßigkeit entwickelt.

Wichtig ist, zu erkennen, dass Kultur sowohl Aushängeschild eines frei entwickelten Wertesystems (offene Gesellschaftsformen) als auch Spiegelbild bewusst indoktrinierter Verhaltensweisen (insbesondere geschlossene autoritäre Systeme) sein kann.

Kultur als Erfolgsfaktor meint, dass sie von Menschen akzeptiert ist und deshalb dazu führt, freiwillig Gesetze und Normen zu respektieren. Letzteres trifft nur zu, wenn man eine Kultur hat, in der Flexibilität und Lernfähigkeit eine relativ große Rolle spielen. „Das geht nicht" oder „Das haben wir noch nie gemacht" sind dagegen typische Blockadekulturen. Sie können vernünftige veränderungsfähige Entwicklungen verhindern.

Was immer Politiker initiieren, sie sollten auf keinen Fall kulturelle Beharrungswiderstände unterschätzen, noch emotionale Masseneuphorie überschätzen. Letztere kann sich sehr schnell ändern. Sowohl Stabilität als auch Instabilität können kulturunterstützt sein.

B.12 Wenn Ethik als Fassadenbluff verkommt

Ethik beschreibt Normen und Werte als Maßstab für moralisches Entscheiden und Handeln. Die Ethik hält die Menschen zusammen. Allerdings schwindet das allmählich, weil der Mensch in seinem Naturell auch bösartig ist. Ethischer Bluff besteht darin, dass man Werte, Normen, definierte Regeln und Gesetze für seinen eigenen Vorteil fehlinterpretiert und als Normalität deklariert. Die Tragweite dieser Problematik verdeutlichte der Soziologe Max Weber[12] mit seiner Unterscheidung zwischen Gesinnungs- und Verantwortungsethik.

---

12 Max Weber „Politik als Beruf" Vortrag vor dem Freistudentischen Bund Landesverband München" im Januar 1919

Die gegenwärtigen Auseinandersetzungen zu Flüchtlings- und Klimapolitik orientieren sich einerseits an moralischen Werten und Absichten (Gesinnungsethik), während sich die Verantwortungsethik mit möglichen Folgen auseinandersetzt. Dieses Spannungsfeld beherrscht die heutige gesellschaftspolitische Szenerie.

Die Einstellung zu Arbeit spiegelt ein weiteres ethisches Problemfeld. In freien Ländern gibt es in normalen Zeiten genügend Arbeit. Leider wollen allerdings immer weniger Menschen wirklich arbeiten. Der größte Feind der sozialen Marktwirtschaft ist Missbrauch durch fehlgesteuerte Bürger, die sich häufig als Scharlatane entpuppen. Beispiele sind in Schwierigkeiten geratene Unternehmen, die Gesetze zu ihren Gunsten ausnutzen, obwohl sie selber in ihren Bilanzen enorme Gewinne ausweisen bzw. auswiesen.

Ethisch begründete Argumente sind für jeden sich an Werten orientierenden Menschen nachvollziehbar. Das Handeln von Menschen und insbesondere von Entscheidungsträgern ist nicht ethikfrei.

Ruheansprüche von Vorständen und Topmanagern werden oft mit Vertragsunterschrift aus den Unternehmen herausgezogen und auf Versicherungsunternehmen übertragen. Damit sind diese Ansprüche nicht mehr in der Masse der Konzerne mit der Folge, dass das Ruhegeld von Vorständen vollkommen abgesichert ist, selbst wenn das Unternehmen in Insolvenz gehen würde. Somit wird die kleinste Anzahl aller Beschäftigten gegenüber allen übrigen Berufstätigen unverhältnismäßig bevorzugt.

Schnell werden aus derartigen Praktiken gesellschaftspolitische Erwartungen abgeleitet. Bei Durchsetzung gesellschaftspolitischer, unternehmerischer und persönlicher Ziele werden häufig Werte, die allgemeingültig sein sollten, übersehen oder sogar bewusst missachtet. Moralisch berechtigten Forderungen wird nicht immer entsprochen.

Nicht ganz konfliktfrei sind sogar kirchliche Begründungslinien. Wenn auch unausgesprochen, diente das im 12. Jahrhundert unter Papst Innozenz beschlossene Zölibat neben allen ethisch-moralischen Argumenten dem Erhalt kirchlicher Besitztümer. Priester, die Kinder haben, haben auch Erben, was sicher zu Streitigkeiten geführt hätte. Vergleichbar werden heutzutage (im 20. Jahrhundert) zur Absicherung von Besitzständen in Deutschland Gehälter kirchlicher Würdenträger von der Gemeinschaft der Bürger eingefordert.

Wenn es um eigene Interessen und Vorteile geht, werden ethische Ideale übersehen und zum Fremdwort. Will man wirtschaftlich überleben, muss man schnell zur richtigen Zeit am richtigen Ort sein. In solchen Situationen zeigen wir uns nach außen tolerant, sind es aber nicht wirklich. Die Bereitschaft, andere Meinungen oder Empfindungen zu tolerieren, nimmt ab. Oftmals entsteht zwischen Ethik und Business eine Situation, in der die Moral zu wünschen übriglässt. Übereifrige Verfolgung und Durchsetzung eigener Interessen scheint in der Mehrheit der Fälle als legitim angesehen zu werden. Darüber hinaus kann die Mehrheit der Gesellschaft nicht wirklich miteinander kommunizieren, insbesondere wenn in Streitgesprächen der gegenseitige Respekt verloren geht;

Wie tief müssen Menschen bereits gesunken sein,

- wenn Manipulation und Kostendiktat die alleinigen ökonomischen „Handlungszwänge" sind und emotionale Disharmonie auslösen;
- wenn Staaten die religiöse Gesinnung ihrer Bevölkerung missbrauchen und als gesetzeskonform auf das Alltagsgeschehen übertragen, indem mit Gewalt und Macht ganze Bevölkerungsschichten zur Umerziehung einkaserniert werden (China) und Unterdrückung oder Ausgrenzung als legitimierte Normalität gewürdigt und propagiert wird.

Unrecht, Willkür, Zwang und Verrat schüchtern Menschen ein und zwängen ihnen Parolen der Partei auf!

- wenn Unternehmen sich weigern, für afrikanische Länder dringend benötigte Medikamente zu entwickeln oder bereit zu stellen, weil deren Bürger die Preise nicht bezahlen können;
- wenn Chefs sich auf den Erfolgen ihrer Mitarbeiter positionieren und sich von deren Misserfolgen distanzieren;
- wenn es Solidarität allenfalls in Krisensituationen und dann nur unter Gleichgesinnten gibt und Ausgewogenheit an unterschiedlichen Interessen scheitert;
- wenn sich Hasskriminalität im Internet durchsetzt und zur Verrohung der Gesellschaft beiträgt;
- wenn Gerichte schamlose Pöbeleien und Herabwürdigungen, Androhungen, Anfeindungen und Übergriffe aller Art - insbesondere gegenüber Frauen - als der Meinungsfreiheit entsprechend gesetzeskonform (Berlin) beurteilen;
- wenn Professoren Drogen in ihren Laboren herstellen und eigennützig zu vermarkten versuchen (USA);
- wenn Eigennutz allgemeingültige Wertvorstellungen bricht;
- wenn Absprachen nicht eingehalten werden;
- wenn kirchliche Würdenträger sich an Kindern und Nonnen vergehen.

Diese beispielhaft aufgezählten „Fallgruben" müssten geahndet werden können!

Im Widerspruch zur beschriebenen Realität wäre es wünschenswert, wenn aus ethischen Wertvorstellungen gesellschaftspolitische Erwartungen abgeleitet werden könnten, denen sich Menschen, Unternehmen wie auch die Gesellschaft als Ganzes verpflichtet fühlen.

Jedes Handeln wird unmittelbar von einem Wertehintergrund gesteuert. Die Frage bleibt, ob immer ethischen Ansprüchen und Erwartungen entsprochen wird? Das Spannungsfeld zwischen ethischen Idealen und egoistischem Realismus wird deutlich, wo gesellschaftliche Gepflogenheiten und daraus abzuleitende Glaubwürdigkeitsverluste und Fehlverhalten (z.B. Machtkonstellationen) erkennbar werden.

Je ausgereifter eine Volkswirtschaft ist, desto gravierender werden Auseinandersetzungen. Je unterdrückter und korrupter eine Gesellschaft ist, desto stärker wird der Schleier über die Verpflichtung gegenüber der Würde jedes Menschen gelegt.

Der soziale Frieden erfordert, dass Menschen fair behandelt und ihre Rechte berücksichtigt werden. Die Widersprüchlichkeit im Umgang mit ethisch-moralischen Werten bestätigt sich in der Realität darin, dass Werteorientierung und Interessenorientierung keine in die gleiche Richtung weisenden Perspektiven sind und der Markt häufig nicht wirklich nach ethischen Grundsätzen funktioniert.

Ethik sollte einen höheren Stellenwert als kurzfristige ökonomische Handlungszwänge haben. Was sind Menschenleben wert, wenn es keine Werte mehr gibt? Was verbindet Menschen, wenn es Werte nicht mehr gibt? Was ist das Leben noch wert, wenn wir nicht mehr an menschliches Miteinander und Umgang in gegenseitigem Respekt glauben? Chaotische Verhältnisse würden uns beherrschen!

Je stärker Menschen ethisch versagen, desto mehr geraten sie aus dem Gleichgewicht. Deshalb ist es wichtig - unabhängig von der jeweiligen Situation, in der man sich befindet - klären zu können, was angemessen bzw. machbar ist. Es lässt sich praktisch nicht vermeiden, dass dabei auch ein hohes Maß an Emotionen (Vertrauen und Misstrauen, Zustimmung und Ablehnung, Sympathie und Antipathie) erzeugt wird.

Offiziell erklären sich alle (Verursacher wie auch Opfer) dialogbereit; müssten aber dann auch aus ihrer jeweiligen Protestwelle herauskommen. Das gelingt leider immer dann sehr selten, wenn das jeweilige Ego dominiert und Maßstäbe für Ethik und Moral verlorengehen.

B.13 Wenn Fassadenwelten zu Betrugsmanövern mutieren

Der Missbrauch von Fassaden reicht von Notlügen über verbale Ausschweifungen bis hin zu grob fahrlässiger folgenschwerer Ausnutzung von Situationen und Menschen. Negative Erscheinungsformen dieses unwürdigen diskriminierenden Verhaltens sind als Wahrheit verkündete Fake-news, Ausnutzen persönlicher Defizite und/oder Ängste als Vortäuschen falscher Erwartungen beispielsweise im Gewand von Heiratsschwindlern oder sogar Unternehmern bzw. deren Manager, die ihre Kunden betrügen.

Es ist im Versicherungsgewerbe durchaus Usus, im Schadensfall,- wenn möglich - die Vertragsregulierung aufgrund mangelnder Kenntnisse ihrer Vertragsnehmer zu manipulieren. Auf Unfälle mit vertraglich lebenslang abgesicherten Gesundheitsschäden sei verwiesen. Im Schadensfall bietet man dem Versicherungsnehmer einen ihm heute hoch erscheinenden Pauschalbetrag (z.B. Euro 80 000) an bei Auflösung des bestehenden Vertragsverhältnisses. Für Raffinessen nicht empfängliche Versicherungsnehmer empfinden meistens unterbreitete Angebote als besondere Geste, ohne sich bewusst zu machen, wie teuer der ursprüngliche Vertrag bei entsprechender Dauer (Lebenserwartung) für die Versicherung gekommen wäre. Das anscheinende Zuckerle wird zu einem Zuckerle für das Versicherungsunternehmen!

Hinter vorgehaltener Hand wird nicht ausgeschlossen, dass Mitarbeiter, die den Unternehmen höhere Beträge ersparen, besonders hervorgehoben werden!

C Persönliche Alltagserfahrungen

Die Geburt alleine ist nicht bestimmend für das Wohl und die Entwicklung von Menschen. Dennoch verfolgt die Klassenzugehörigkeit die meisten Menschen ihr ganzes Leben. Weil jedoch die soziale Herkunft eine besondere Rolle spielt, ist es ein Glücksspiel, in welche soziale Schicht, in welches Bildungsmilieu, in welches Land man hineingeboren wird. Dies hat nichts mit dem Charakter eines Menschen zu tun, sondern vielmehr mit den Möglichkeiten, sich auch intellektuell zu entwickeln. Wer dann noch in der Welt mit Liebe empfangen und nicht als „Sexunfall" ertragen wird, dem stand das Glück zur Seite. Wichtig ist, wie man angenommen wird und dass man ohne Angst erzogen wird. Wer eine solche Kindheit und Erziehung genießen durfte, den begünstigt der Zufall - ihm werden sich sehr wahrscheinlich Chancen eröffnen, sein Leben zufrieden gestalten und erleben zu können!

Von Kindheit aufwärts erleben die meisten Menschen jedoch Ängste durch Anpassungszwänge im Elternhaus oder während der Schul- und Ausbildungszeit. Eingebürgerte Gewohnheiten, Riten und Sitten werden „aufgezwungen". Aus solchen Erlebnissen heraus entwickelt sich ein die Persönlichkeit bestimmendes Verhalten. Die Welt, aus der wir kommen., und die Welt, die wir täglich erleben, wirft sowohl positive als auch negative Schatten auf unser Leben. Trotz vieler auf Außenwirkung „erzwungener Rollenspiele" vollzieht sich häufig eine ganz andere Wirklichkeit, als die äußere Performance erwarten lässt. Die Welt ist nicht selten das Gegenteil von dem, was man sich ersehnt hat. Was kann nicht alles Alltägliche alltäglich geschehen?

Die meisten Menschen erleben Ängste und entwickeln daraus ein sie bestimmendes Anpassungsverhalten. Aus Angst, sein Gesicht zu verlieren, zeigt man sich in einer meist überschönten Sichtweise oder flüchtet in seine eigene Selbstisolation. Die Angst, nicht anerkannt und wertgeschätzt zu werden, führt schließlich dazu, „dass man sich auf Leistung, Status und materielle Dinge konzentriert"13

Es gibt Menschen, die hoch anerkennungsbedürftig sind und ein vollkommen anderes Anspruchsniveau als der sogenannte „normale Bürger" hat. Ihre Jagd nach Anerkennung wird immer größer. Dazu zählen nicht nur das Einkommen oder der erreichte Wohlstand, sondern auch die internen und externen Statusbewertungen. Wer im Schatten steht, der möchte aus diesem Schatten herausspringen. Viele treibt ihr unbedingter Wille nach Anerkennung und Akzeptanz. Wertschätzung ist ein wunderbares Erlebnis.

Wer sich nicht zu den „beneidenswerten Erfolgreichen" zählt, der möchte auch so sein und strebt demzufolge danach, es ihnen gleich zu tun. Viele entwickeln dabei einen (vielleicht verborgenen) unbändigen Versuch, dazu gehören, anerkannt und möglichst noch beneidet werden zu wollen! Als „Möchtegern" lebt man hinter den Dingen her und muss immer wieder in Richtung Mitte rücken.

Im Folgenden werden Spannweite und Dynamik möglicher Alltagsgewohnheiten und Alltagsempfindlichkeiten beschrieben.

C.1 Menschen sind selten mit sich im Reinen.

Jeder möchte in seinem Innersten selbstbestimmt leben. Es ist jedoch schwierig, diesen Weg anzustreben und gleichzeitig von innerer

---

13 Prof. Dr. Reinhard Haller „Das Wunder der Wertschätzung, Gräfe und Unzer Verlag 2019

Unruhe getrieben, in Stress zu leben und mit Erfolgsdruck fertig werden zu müssen. Der Erste sein zu wollen, Karriere und Familie in Einklang bringen zu wollen und anerkannt zu sein; für's Alter abgesichert zu sein usw. ständig neu (z.B. technischer Fortschritt) herausgefordert zu werden, sind Prioritäten, die sich mit der Situation verändern und uns hindern, wirklich mit uns selbst zu sein! Nicht umsonst jagt man erst mit der Gesundheit hinterm Geld hinterher, um im Alter mit dem Geld hinter der Gesundheit herzuhinken.

All das in Einklang zu bringen, gestaltet sich als äußert schwierig. Menschen brauchen eine Perspektive, an die sie glauben können! Erfolg im Beruf und ein harmonisches Familienleben sind in vielen Fällen nicht kombinierbar. Eines wird immer auf der Strecke bleiben. Deshalb sollten diese Aspekte in unserer heutigen Gesellschaft neu durchdacht werden. Die alten Modelle, wonach der Mann ,,Karriere" macht, die Frau am heimischen Herd steht und sich um die Kinder kümmert, sind längst überholt. Männer sehen sich heute eher von der oft auch weiblichen Überlegenheit bedroht. Dies mag wohl in ihren Urwurzeln liegen.

Innere Zufriedenheit und Harmonie haben Seltenheitswert. Nicht wenige Menschen erleben täglich Einsamkeit (oft auch weil sie verheiratet sind) und innere Leere, die sie bewusst verschweigen. Solche Situationen gab es schon immer und wird es auch weiterhin geben. Jeder muss damit fertig werden.

Einsamkeit empfinden wir insbesondere, wenn

- Kinder erstmalig für längere Zeit ihr Elternhaus verlassen und in ihrer neu erlebten Wirklichkeit positive wie auch negative Erfahrungen sammeln.
- Eltern nicht mehr vertraulich miteinander umgehen können,
- ein Arbeitsplatzwechsel ansteht oder
- gesundheitliche Probleme bewältigt werden müssen usw. usw.

Da der Wandel die einzig wirkliche Konstante zu sein scheint, leiden Menschen an der Furcht, mit den sich häufenden Veränderungen nicht fertig werden zu können und bäumen sich dagegen auf.

Um aus dieser Misere herauszukommen, braucht man Hilfe und Unterstützung. Das wiederum setzt voraus, dass man sich anvertrauen kann. Obwohl man gerne vorgibt, einen erfreulichen Bekanntenkreis zu haben, tun viele sich dennoch schwer, sich diesen Menschen mit persönlich schwerwiegenden Problemen anzuvertrauen. Aber nur wer sich öffnen kann, hat die Chance, aufgefangen zu werden! Fassaden schränken uns ein: Die meisten Menschen befürchten, dass ihr Ruf in der Öffentlichkeit leidet. Als Antwort darauf, eigene Schutzwälle (Fassaden) zu errichten, bedeutet, dem Irrglauben zu erliegen , Probleme mit Bluff lösen zu können. Zum Aufräumen von Problemen gehört jedoch mehr - nämlich die Chance, darüber reden zu können. Das setzt Respekt vor dem Umgang miteinander voraus! Bluff statt Hilfestellung ist keine Lösung.

Meinungen und Haltungen entstehen aus vielerlei Umständen. Das ist einer der Gründe, warum viele Menschen den Eindruck hinterlassen, als befänden sie sich in einem emotionalen Irrgarten. Sie wissen nicht, wohin mit sich selbst. Anzeichen solcher Befindlichkeiten werden erkennbar, wenn sie

- Schwierigkeiten zeigen, sich im Restaurant zu Fremden an den Tisch zu setzen,
- Kommunikationsängste zeigen,
- sich nicht für selbst kleine Fehler entschuldigen können,
- stundenlang oder tageweise alleine vor dem Computer hocken und sich von Gesprächen abschotten,
- ihr ständiger Begleiter das Smartphone ist - auch wenn Familienmitglieder oder Freunde zugegen sind usw.

Bei allem Wohlwollen gegenüber technischen Entwicklungen darf nicht übersehen werden, dass „man das Leben nicht durch ein Tablett ersetzen kann".[14]

Wer andererseits allein sein kann und nicht unbedingt Menschen um sich braucht, der wiederum kommt mit sich und seiner Einsamkeit besser zurecht. Einsamkeit kann also auch positiv empfunden werden. Jeder braucht sein Rückzugsgebiet. Die Zeit mit sich selbst kann ein erhabenes Gefühl erzeugen; setzt aber eine bewusste Auseinandersetzung mit sich selbst und seiner Situation voraus.

Um zufrieden und glücklich zu sein, muss jeder für sich selbst herausfinden. was er wirklich will und ob er auf Augenhöhe unabhängig von Parteien, Positionen oder Images usw. miteinander kommunizieren kann.

Erkennbar positiv gelebte und erlebte Körpersprache ist ein wichtiges Merkmal der Persönlichkeitswirkung. Menschen mit schillerndem Erscheinungsbild sind die Ausnahme. Souveränität strahlt derjenige aus, der über Expertise verfügt, gleichzeitig mit seinem Naturell (Sprache, Gestik, Mimik usw.) herüberkommt und angenommen wird.

Das ist den meisten Menschen nicht bewusst, weil sie zu sehr an der Oberflächlichkeit ihres meist optischen ersten Eindrucks festhalten. Mimik, Haltung und Gestik dagegen initialisieren Sympathie, Nähe, Zutrauen und ein Gefühl von Geborgenheit.

Wer Menschen gewinnen will, der muss seine Stärken und Schwächen kennen. Die Stärken spricht man sich vielleicht noch zu, während man Schwächen zu übergehen versucht. Im günstigsten Fall ist sogar eine eigene Verletztheit zeigend keine Schwäche, sondern eine Chance, sich

---

14 Paolo Coelho, Österreichischer Rundfunk am 25.09.2018

öffnen - und auf seine Gesprächspartner vertrauensfördernd wirken zu können.

Will man sich nicht Täuschungen und Schlössern hingeben, sind Selbstwahrnehmung und Selbstwirksamkeit von besonderer Bedeutung. Selbstwahrnehmung bedeutet, sich über seine eigenen Stärken und Schwächen Gedanken zu machen. Bei der Selbstwirksamkeit handelt es sich um die Überzeugung, dass das eigene Handeln in Ordnung geht. Selbstwahrnehmung und Selbstwirksamkeit sind Grundlage für Motivation und Authentizität, weil sie Stimmungen und Emotionen auch über das Heute hinaus ermöglichen.

Die beschriebenen Situationen können ursächlich zurückgeführt werden auf Erziehung oder auf Erfahrungen. Bereits als Kleinkind (obwohl Kleinkinder ihre Mütter und Väter beherrschen) sind es die Eltern, die mehr oder weniger über Zwang den Verlauf der Dinge bestimmen. Auch im Kindesalter wird man daran gewöhnt, sich anpassen zu müssen. Das setzt sich fort in Schul- und Ausbildungszeit und schließlich im Alltag. Ursächlich dafür werden meist zweckbestimmte Verhaltens-weisen als Selbstverständlichkeit für allgemein übliche Fassaden deklariert.

Trotz aller „Ups and Downs" sollte man den Mut haben, sich etwas vorzunehmen, was scheinbar unerreichbar ist (das können die meisten Menschen nicht). Die wichtigste Voraussetzung dafür ist die Fähigkeit, träumen zu können. Warum sollte man seiner Phantasie nicht freien Lauf lassen? Sie ermöglicht freies Denken, ist unbegrenzt und die sinnvollste Voraussetzung für Zufriedenheit und Kreativität. Synergien sind immer dann besonders wertvoll, wenn zuvor zunächst unüberbrückbar erscheinende Barrieren überwunden werden. Auch das fällt den meisten Menschen schwer, weil sie ihr erlerntes Ordnungsraster daran hindert.

Kommt man schließlich zu einem entscheidungsreifen Ergebnis und/oder anstehenden Aktivitäten, sollte man sich zur eigenen Rückkopplung und Beruhigung die Frage „Was würde ich tun, wenn ich keine Angst hätte" stellen, um sich das Problem nochmals voll zu vergegenwärtigen. Derartige Überprüfungen sind selten, obwohl man sich gerne überzeugend positioniert und präsentiert.

Häufig unterschätzen Menschen ihren Selbstüberschätzungstrieb. Haben sie in ihrer Rolle als Besserwisser Erfolg, zeigen sie sich unerträglich und arrogant. Sie werden so von ihren Mitmenschen empfunden und ertragen. Dabei verkennen sie, dass sie a la longue ihrem eigenen Erwartungsdruck kaum standhalten können, sich mit ihrer Arroganz selbst entblößen und ihre Unsicherheit zeigen. Zwar wollen sie diesen Widerspruch nicht wahrhaben; müssen aber erkennen, dass man sie allenfalls als Minderheit duldet.

Fast jeder glaubt und spielt sich vor, mit Konflikten richtig umgehen zu können. Dagegen spricht die Tatsache, dass Konflikte sich immer dann besonders aufbauschen, wenn Menschen nur oder überwiegend (das Glas ist halb leer) das Negative hervorheben und sich in ihre emotionale Dynamik hineinsteigern. Nur wenn die an Konflikten Beteiligten bereit sind, positiv einen Lösungsweg suchen zu wollen, wächst Konsensbereitschaft. Konsens bedeutet immer Aufgabe oder Teilaufgabe von Standpunkten wegen nicht zu überwindender Rahmenbedingungen und damit Rücksichtnahme auf gegebene Machtverhältnisse, denen man sich beugen muss. Auch davon sind die meisten Menschen weit entfernt. Allerdings ist zu viel Kompromissbereitschaft auch nicht dienlich, da sie den Konsenswilligen schwächt.

Gibt es Meinungsverschiedenheit, sollte man abwägen, wie viel Prozent man sich einig ist und wie viel nicht. Normalerweise ist zu erwarten, dass der Einstimmigkeitsanteil überwiegt (70% bis 80%) und der Unstimmigkeitsanteil wesentlich geringer sein dürfte. Bei

Wahrnehmung derartiger Ergebnisse werden selbst die aggressivsten Leute normal oder überdenken zumindest ihre bisherige Haltung. Das ist Grund genug dafür, dass man sich auf das konzentrieren sollte, was den Kontrahenten gemeinsam ist! Leider tun sich Menschen mit der Umsetzung dieser Empfehlung schwer. Es siegt häufig Sturheit über Vernunft.

Zufallserlebnisse (Augenblicke) spielen eine besondere Rolle für das Gefühlsleben. Intensiv erlebte positive Situationen erzeugen Bindungseffekte, die Blockaden gegenüber bisherigen Verhaltensweisen auflösen können. Umgekehrt haften negative Erlebnisse erheblich schwerer nach. Wer solche Erlebnisse beiseite zu schieben versucht, den verfolgt der erlebte Zufall weit über den Tag hinaus, weil Skepsis statt Zuversicht bestimmend wirken!!

Will man mit sich selbst ins Reine kommen, muss man mutig, engagiert, konsequent und durchgängig an sich und seinem Ziel arbeiten! Auch das fällt vielen Menschen schwer.

Jeder möchte sich in schwierigen Situationen jemandem anvertrauen können - also auch in situativer Einsamkeit. Wer aufgefangen wird, der erfährt das größte Geschenk. Allerdings ist dieses Geschenk nur wenigen vergönnt.

Entscheidend für das Überleben mit sich selbst ist die Fähigkeit, seine Wünsche und den Willen zur Umsetzung nicht aufzugeben. Jeder sollte seine für ihn typischen Stärken annehmen und darüber positiv denken. Den Glauben an sich selbst sollte man trotz der vielen verwirrenden Fassaden nicht verlieren. Erfolgreich ist derjenige, der sich selbst und auch andere Menschen kognitiv und emotional mitnehmen kann.

Wer allerdings alles, was er erreichen wollte, erreicht hat, für den kann es stinklangweilig werden. „Glaubt man, man sei schon wer, dann hat man aufgehört, etwas zu werden"[15]

Kein Mensch ist vollkommen perspektivlos. Irgendwo gibt es immer ein Schlupfloch aus der Miesere!

C.2 Macht, Gier und Neid

Jeder wird schon einmal versucht haben zu beschreiben, was für ihn Glück bedeutet. Darüber nachzudenken zeigt, wie schwer es ist, zu definieren, was unsere wahren Bedürfnisse sind, obwohl wir uns alle nach dem Glück sehnen. In schnelllebiger Zeit wird es immer schwieriger, ,,Glück" für sich selber zu definieren.

Der Grad der eigenen Zufriedenheit hängt häufig am seidenen Faden von Vergleichen mit anderen Menschen. Selten vergleicht man sich mit Menschen, denen es schlechter geht; häufiger dagegen mit jenen, denen es besser geht als einem selber und sehr schnell entsteht Neid. Dabei wird leider übersehen, dass solche Vergleiche oft zum Einstieg in die eigene Unzufriedenheit führen.

Wer sich nicht zu den Siegern zählt, der neigt dazu, Menschen, denen es besser geht, vorzuwerfen, sie seien egoistisch oder gierig - allein aus purem Neid. Derartige Vorwürfe lassen sich in den meisten Fällen mit dem Hinweis entschärfen, dass letztendlich jeder egoistisch ist. Wird dieses Verständnis rücksichtslos überschritten, konterkarieren Macht, Gier und Neid die Legitimität menschlichen Handelns. Diese modernen Hofnarren versuchen, durch reinen Egoismus ihre eigene Situation zu verbessern. Für sie gibt es kein Genug! Profitgier und Größenwahn sind für die von Gier Getriebenen Energieausgleich. Es

---

15 Zitat Erik Frenzel Skikombinierer bei der Olympiade 2018

sind Sinnbilder für menschliches Fehlverhalten gegenüber der Gemeinschaft. Sie wollen ihren Ehrgeiz stillen. Wer nicht Halt machen kann, wird durch narzisstische Persönlichkeitsstörungen blind und krank. Auf beschämende menschenunwürdige Arbeitsbedingungen in Großschlachthöfen, deren Inhaber Millionäre - wenn nicht sogar Milliardäre sind - sei hingewiesen.

Wer Macht und Einfluss hat, wird wegen seiner Privilegien beneidet. Wen Expertise und Persönlichkeit ausmachen, der erfährt ein höheres Ansehen als Menschen, denen das nicht gegeben ist. Wer über Wissen und besondere Fähigkeiten verfügt, der wird beneidet vom Unwissenden: wer mit sich im Reinen ist und Zufriedenheit ausstrahlt, der wird beneidet vom Unzufriedenen usw.. Neid und Eifersüchteleien finden überall dort statt, wo die Dinge ihren Lauf nehmen und Menschen in ihren Erwartungen anspruchsvoller geworden sind. Meistens versucht immer einer innerhalb seines privaten und/oder beruflichen Umfeldes die Oberhand zu gewinnen, um sich selbstdarstellerisch zu profilieren.

Der Wert eines Menschen wird häufig über dessen volkswirtschaftliche Produktivität definiert. Menschen sind umso attraktiver, je weniger sie kosten. Profitgier stempelt Menschen regelrecht ab. Der Kreislauf der Gier nimmt seinen Lauf. Gier verlangt nach immer mehr! Auslöser ist das blinde Streben nach Macht, Gewinnsucht und Eigennutz. Man ist plötzlich getrieben von der Gier, von einem gesteigerten Ehrgeiz, etwas werden zu wollen und unbedingt Karriere machen zu wollen! Man entwickelt schließlich einen unbändigen Appetit, nie genug zu haben und möchte mit aller Kraft in dieses "Andere" hineinschlüpfen. Insofern ist Gier Auslöser für Neid. Neid wird letztendlich zur höchsten Form der Anerkennung! Falscher Ehrgeiz kann zum Verhängnis werden, wenn Menschen rücksichtslos den eigenen Vorteil verfolgen.

Nicht selten ist die Einkommensverteilung in Unternehmen Anlass für heftige Diskussionen. Insbesondere Gehälter von Spitzenmanagern werden als ungerecht empfunden und feuern Neiddebatten an. Damit schließt sich der Kreis: „Macht verursacht Gier und Gier befeuert Neid". Dabei wird gerne übersehen, dass auch Spitzengehälter das Ergebnis von Verhandlungen und Marktprozessen sind. Formaljuristisch mag das stimmen. Was nicht stimmt, ist das Verhalten.

Wenn Topmanager der Großindustrie in unternehmensbedrohenden Krisen nicht bereit sind, zumindest auf einen Teil ihrer vertraglich fixierten millionenschweren Erfolgsprämien zu verzichten, aber gleichzeitig Einbußen für ihre Mitarbeiter prognostizieren, dann ist dieses Verhalten gegenüber der Belegschaft und auch gegenüber ihren eigenen Führungskräften nicht nur instinktlos, sondern auch unverantwortlich. Diese Spezies Mensch ist egoistisch, weil sie es aus der Blindheit ihres Selbstverständnisses glaubt, sein zu müssen. Aber auch für Teile des Unternehmertums gilt: Wenn die Raffgier menschliches Handeln bestimmt, schlägt das Schicksal irgendwann zurück. Diese bis in die Gesellschaft hineinwirkende Erfahrung musste die Weltbevölkerung am Beispiel der Corona-Pandemie durchleben (Folgen aus kostensenkendem Produktions-Outsourcing lebensnotwendiger Produkte - Schutzausrüstungen und Arzneien für Krankenhäuser und Altenheime - ins Ausland).

Ein weiteres sinngemäßes Beispiel offenbart das Selbstverständnis von und gegenüber Spitzenmanager, die mit goldenen Handschlägen (Renten in Millionenhöhe) in ihren Ruhestand verabschiedet werden, obwohl sie bereits während ihrer aktiven Zeit jährlich solche Beträge „kassiert" haben.

Wollen sich Menschen - meist aus begüterten Gesellschaftskreisen - Vorteile verschaffen und stoßen dabei auf Widerstände, trifft man sich in bekannten Kurorten mit Gleichgesinnten. Ziel sind Absprachen über Tauschgeschäfte zum Schein als Fassade der Normalität für Rechtmäßigkeit. Eingeweihte wissen darüber; wollen oder können nicht einschreiten.

Macht an sich ist weder positiv noch negativ, wird aber von der breiten Bevölkerung eher negativ eingeschätzt. Im Englischen spricht man von Power (z.B. Mannpower). was im Deutschen mit „Macht" übersetzt wird.

Menschen, die Macht und Einfluss haben, werden wegen der damit verbundenen Freiheiten und Vergünstigungen beneidet. Andererseits werden selbst unsere tiefsten menschlichen Beziehungen durch den Willen zur Macht bestimmt. Liebe bedeutet - auch wenn man es sich nicht eingestehen möchte - Macht haben. Man möchte, dass „Sie oder „Er", die wir lieben, sich mit uns identifizieren. Auch das heißt Macht einfordern und ausüben. Korrekter wäre es, Macht im Sinne von Power zu verstehen und zu interpretieren. In diesem Sinne heißt Macht die Kraft haben, Gestalten und Lenken zu können.

Insofern macht es Sinn, auch über Macht und Liebe als neutrale Begriffe nachzudenken. Ist Liebe ohne Macht lieblos und Macht ohne Liebe machtlos?

Der wohl älteste Konflikt der Menschheit ist nichts Anderes als ein Neid- und Eifersuchtsdrama. Die Brüder Kain und Abel gerieten in Streit. „Kain erschlug seinen Bruder Abel mit der Mistgabel" ist ein biblisches Gleichnis für die Bosheit der Menschen. Die Ursache für diesen Brudermord lag in der mangelnden Befriedigung des wohl elementarsten menschlichen Bedürfnisses, dem Streben nach Anerkennung.

Menschen, die außerhalb des Einflussbereiches und Umfeldes führender Leute leben, sind diejenigen, die häufig von sich glauben, sie seien nicht wirklich mit einbezogen. Das kann eine einzelne Person sein; es kann aber auch ein ganzes Volk sein. Beide reagieren entsprechend entfremdend: Es sind Menschen oder Gruppierungen, die glauben, nicht genügend anerkannt und unterstützt zu werden.

Macht, Gier und Neid fühlen sich wie Gleichgesinnte sympathisch zueinander gezogen. Wenn die Gier einsetzt, ist das oft der Beginn vom Untergang.

C.3 Beziehungskonflikte

Das Bedürfnis des Menschen heißt Beziehung. Die Streubreite reicht von sehr engen (Ehe, Familie) bis hin zu sehr offen ausgerichteten rationalen u/o emotionalen Gemeinsamkeiten.

Überall dort, wo zwischen Menschen Interaktionen stattfinden, können Probleme auftreten. Fühlt sich eine der beteiligten Personen unfair, herabgesetzt oder erniedrigt behandelt, spricht man von Beziehungskonflikten. Sie sind umso heftiger, je stärker eine Beziehung erlebt und empfunden wird. Wer immer nur die eigene Meinung sieht, dessen Vertrauen und Chance auf Lösung seiner Konflikte schwindet.

Auch wenn Ehen aus Liebe und Zuneigung geschlossen werden, entwickeln sich oftmals Selbstverständlichkeiten, die für einen der Partner anfangs so nicht vorstellbar waren. Derartige Erfahrungen sind durchaus auch für lockerere Partnerschaften vorstellbar. Man muss sich eingestehen, dass im Laufe der Jahre in fast jeder Beziehung Veränderungen (Perspektivwechsel) stattfinden, deren früher tolerierte Besonderheiten plötzlich als belastend empfunden werden.

Je mutiger man ist, sich in Problemsituationen offen und ehrlich selbst zu hinterfragen, umso stärker sieht man sich plötzlich in einem Lichte, wie man sich bisher noch nicht sehen wollte. Manchmal wird man sich sogar selber sympathischer als man sich vorgekommen ist.

C.3.1 Nähe und Distanz - ein Karussell der Gefühle

Zwischenmenschliche Empfindungen und Regungen sind unterschiedlich stark ausgeprägt - besonders stark in Patchwork Familien oder familienähnlichen Gebilden als Lebensgemeinschaften und Individuen untereinander.

Glück hat viele Gesichter. Um wirklich glücklich zu sein, um glücklich zu werden, hat viel damit zu tun, wie man mit Nähe und Distanz umgeht. Gefühle sind das Leben bestimmende Botschaften. Sympathie und Antipathie, Erwartungen und Enttäuschungen, Frohsinn und Kummer sind Pole unserer Erlebniswelten, denen keiner entkommen kann und die sich häufig zu Fassaden hochstilisieren.

Die Dosierung von Nähe und Distanz beeinflusst die individuelle Gemütskurve eines jeden Menschen. Sie kann Glück und Zufriedenheit hervorrufen; sie kann aber auch zu folgenschweren Konflikten führen.

Die Art, wie jemand auf einen anderen Menschen wirkt, erzeugt Energie und Nähe oder aber Distanziertheit. Was man aus seiner jeweiligen Sicht in aktuelle Situationen hineininterpretiert, wird häufig überinterpretiert, indem man etwas unterstellt, was so nicht immer der Realität entspricht. Hoffnungen und Erwartungen sind plötzlich sich selbst erzeugende Illusionen - der wohl grösste Irrtum, der Menschen unterlaufen kann! Trotz anfänglich guten Willens ist oft ein friedvolles Miteinander nicht möglich. Freude und Enttäuschung liegen eng beisammen. Hinter erwünschten Vorstellungen lauert nicht selten eine düstere Realität. Illusionen enden meistens im Desaster.

Die Dualität von Nähe und Distanz ist individuelles Mitfühlen. Es geht um die Balance zwischen Gefühlen und Rationalität[16], zwischen Frustration und Hoffnung usw. und spielt in allen

---

16 Siehe C.3.7.1 „Zur Interdependenz zwischen Emotion und Vernunft“

zwischenmenschlichen Lebenssituationen eine besondere Rolle. Maßgebend für Wirkungseffekte ist die Betroffenheitsperspektive der jeweils beteiligten Personen:

Lösen Nähe und Distanz zwischen Personen gleiche Amplituden aus, spielen deren Ausschläge keine Rolle. Wenn beide Seiten Nähe suchen, dann ist das in Ordnung. Wenn beide Seiten Distanz signalisieren, ist das auch einvernehmlich und nicht kompliziert. Konflikte werden nicht entstehen, weil man sich einig ist. Nähe trifft auf Nähe bzw. Distanz auf Distanz.

Wenn jedoch der Wunsch nach Nähe auf Distanz trifft, dann ist das zumindest für den nähesuchenden Menschen ein Schock und endet meist im Chaos. Mit zunehmender Intensität solcher gegenläufigen Empfindungen entwickelt sich ein Spannungsbogen zwischenmenschlicher Missverständnisse über Enttäuschungen bis hin zu Konflikten. Persönliche Einstellungen und Erwartungen verhärten sich und werden mit überbietendem Eifer verfolgt.

Insbesondere Begegnungen selbstbewusster sich meist überschätzender Damen und Herren der gehobenen Mittel- und Oberschicht, die Aufmerksamkeit und den Wunsch, mehr voneinander zu erfahren, aufkommen lassen, entwickeln sich häufig entgegen ihren ursprünglichen Erwartungen.

Fassaden vieler Vorbilder, Wegweiser und Ratgeber werden Blendwerk, wenn es um die Durchsetzung ihrer eigenen Sichtweise geht und ihr „Ego" durchbricht. Insbesondere zur privilegierten Schicht zählende Menschen nehmen als selbstverständlich in Anspruch, das Recht auf ihrer Seite zu haben. Imagewirksame Fassaden decken als reinigender Gewissensbeweis Widersprüchlichkeiten auf, die menschliche Gemeinheiten erblicken lassen. Was ist Wahrheit, was ist Lüge, wenn Gereiztheit mit Rechtfertigungsversuchen das Verhalten bestimmt? Die Wahrheit ist häufig, was nützlich ist. Der Kampf um Wahrheit verlangt ein Minimum an gegenseitigem Respekt, will man nicht Verletzungsdramen (Wissenschaftler nennen das „tiefsitzende energetische Blockaden") provozieren oder sich selbst zufügen.

Für jedermann nachvollziehbar dürfte der unterschiedliche Umgang von Frauen und Männern mit Problemsituationen sein:

In Momenten, in denen Männer mit rational begründeten Argumenten hinter ihren Zielen hinterherlaufen, fühlen sich Frauen bedroht und nehmen eine Abwehrhaltung ein. Während Frauen einer Konfrontation aus dem Weg zu gehen versuchen, neigen Männer dazu, Konflikte anzusprechen und sie in (teils zermürbenden) Gesprächen auszudiskutieren.

Die Vielfalt weiblicher Reaktionen wirkt nahezu täglich auf ihr Nahe- und Distanzverhalten:

- Frauen sind häufig physisch und psychisch der heimliche Chef im Hintergrund und bestimmen, wo es langgeht. Sie leben voll in Harmonie mit sich selbst und durchleben ihre „versteckten Dominanzgefühle" sehr intensiv.
- Dennoch fühlen sich Damen häufig gefangen in ihrer eigenen Vergangenheit. Ihr Verhalten lässt sich zurückführen auf vergangenheitsgeprägte Verarbeitung vergleichbarer Situationen, von denen sie sich nicht wirklich lösen können und die sie in aktuellen Situationen einholen und überwältigen.
- Je abgehobener sie sich jedoch zeigen, desto widersprüchlicher ist die Dressur ihrer Etikette und Korrektness zu ihrem Erscheinungsbild in der Öffentlichkeit. Wie durchsichtig werden Menschen, wenn sie ihre Masken vergessen.
- Aus Unsicherheit u/o. verletzter Eitelkeit verschanzen sich Frauen privilegierter Schichten hinter milieubedingter Abgehobenheit als Prestigeangelegenheit mit Inszenierungscharakter. Sie kaschieren ihre Unsicherheit

durch scheinbar selbstbewusstes Auftreten und durchleben ihr meist durchsichtiges Rollenklischee als Wertesystem.

- Geht es um Rechtfertigung eigener Interessen, zeigen sie sich ultraselbstbewusst. Worin sie sich üblicherweise abheben und beim gemeinen Volk anprangern, ziehen sie selbst als Verhaltensmaskerade verbissen durch.
- Teils verdrehte Tatsachen stellen in Auseinandersetzungen die Realität in Zweifel und leugnen sie.
- In Konfliktsituationen nutzt die Mehrheit der Frauen ihre starrköpfige Hartnäckigkeit als radikales Stilmittel, das nicht erkennen lässt, wieviel Wahrheit in Lüge bzw. wieviel Lüge in Wahrheit steckt.
- Ängste steigern emotionale Anfälligkeiten und eskalieren unerwartet und blitzschnell zu Gefühlsexplosionen. Dabei schrecken sie nicht zurück, natürliche Grenzen zu ignorieren und eine kalt inszenierte Aggressivität in Haltung und Sprache an den Tag zu legen. Weibliche Akteure emotionaler Attacken leiden meist selbst unter ihrem mahnenden schlechten Gewissen und bereuen emotionale Ausbrüche im Nachhinein!
- Frauen fehlt häufig die Bereitschaft, kritische Situationen auch aus Sicht des jeweils anderen sehen zu wollen.
- Sosehr sich Frauen im Stillen über ihre Attraktivität und Begehrlichkeit freuen, sosehr fürchten sie als Lockvogel männlicher Begierde deplatziert zu werden Auch wenn attraktive Damen rein objektiv keine unmittelbare Schuld trifft (Sie nehmen nicht wirklich gewollt von einem Besitz), sind sie dennoch häufig die Ursache für verheerende und verzehrende Folgen!
- Frauen ignorieren Frauen, die nicht zu ihrem Umfeld passen, und übersehen sie bewusst.

- Frauen sind feinfühliger als Männer und nicht so machtbesessen.

Mit Ausnahme von Hysteriker und Choleriker sind Männer gleichbleibender und sachrationaler oder bilden sich das ein. Ihr emotionales Repertoire ist nicht so breit gefächert wie beim weiblichen Geschlecht.

- Männer wollen „Chef im Ring" sein. In ihren Dominanzkämpfen verhalten sie sich überwiegend vernunftbetont, wollen Probleme ausdiskutieren und bevorzugen, Dauerstress durch analytische Überzeugungsarbeit zu erzeugen. Dabei quälen sie sich durch die Zeit hindurch in der Hoffnung, dass ihre Argumente am Ende erfolgreich sind.
- Mit sich verändernden und für sie widersprüchlichen Situationen können sie nur schwer umgehen.
- Männer neigen dazu, Ängste und Unsicherheiten durch Vortäuschen scheinbarer Objektivität zu verbergen. Als Verlierer bezeichnen sie Menschen, die zu früh aufgeben.
- Als Gewinner hinterlassen sie ihre Verlierer häufig in einem schlechten Zustand. Je erfolgreicher sie sind, desto eher verlieren sie sich in arrogantes Distanzgehabe.
- Männer verfolgen häufiger als Frauen ihre Erfolgsgeschichten und sind stets auf der Suche nach Anerkennung.
- Es fällt ihnen schwer, sich im Umgang mit ihren Gefühlen selbstkritisch wahrzunehmen.
- Im Rausch des Erfolges priorisieren sie ihre jeweilige (meist berufliche) Erlebniswelt und vernachlässigen dabei alles andere.

Die beschriebenen geschlechtsspezifischen Merkmale werden häufig vom jeweils anderen Geschlecht als störend und sogar lästig empfunden. Der gravierende Unterschied zwischen frauenspezifischem und männerspezifischem Verhalten ergibt sich aus ihrem ureigenen Naturell:

Frauen sind extrem abhängig von emotionalen Stimmungen, denen sie sich ergeben. Sie gehen Konfrontationen aus dem Weg und bestimmen ihr Verhalten in Form typisch weiblicher Empfindsamkeiten. Für sie ist „Distanz erzeugen" eine jederzeit probate „Überlebens- bzw. „Risikominderungsstrategie". Dabei wirkt ihr äußeres Erscheinungsbild relativ sprunghaft - heute so und morgen anders und übermorgen wiederum anders, um sich auf diese Weise möglichst unbewusst Auseinandersetzungen zu entziehen. Frauen meiden im Innersten ihres Herzens ausufernde Auseinandersetzungen und ziehen sich zurück, solange die Situation für sie unerträglich ist.

Für Männer ist wenig verständlich, wenn Frauen nicht verstehen (wollen), wie sie denken und handeln. Umgekehrt stürzt für Frauen die Welt ein, wenn Männer nicht so reagieren (können) wie sie hoffen. Im jeweiligen Abwägen von Nähe und Distanz gehen Hoffnung und Angst Hand in Hand.

Situationen begreifen, bedeutet immer auch eine gewisse Nähe. Die Aussicht auf „Gar Nichts" ist ein tragisches Gefühl und frustriert. Meistens schmerzt die Kälte und Distanz des Schweigens.

Für Männer wie auch für Frauen ist Hoffnung oftmals eine Flucht, indem man sich etwas vormacht und vergisst, was die Wirklichkeit ist. Ihr Weltbild wackelt, wenn sie nicht verstehen, warum der/die jeweils andere nicht so „tickt" wie er/sie selbst. Frauen und Männer wünschen sich in ihrem Innersten gegenseitiges Verständnis.

Trotz aller Unterschiede rufen beide Geschlechter bei auftretenden Problemen einen vergleichbaren Automatismus als Verhaltensmuster ab. Sie verfolgen mit kaum zu überbietender Hartnäckigkeit ihre Interessen. Sobald eine Situation ausufert oder als lästig empfunden wird, überwältigen Emotionen (Gefühle) das Geschehen. Faszinierend ist, wie Gefühle Gedanken fallen lassen können. Gefühle sind nicht von Jetzt auf Gleich auswechselbar. Es braucht häufig lange, bis man Verantwortung für seine eingetretene Situation übernehmen kann.

In Konflikten sollte man sich bewusst machen, was man sich Alles bei Missachtung möglicher Lösungen einander entsagt. Niemand muss sich für seine Gefühle entschuldigen! Das Verbindende sollte über dem Trennenden stehen.

Obwohl Frauen und Männer in Auseinandersetzungen häufig sehr raubeinig miteinander umgehen, sollte doch die Macht ihrer Gedanken nicht über die Realität hinausschießen und Einsicht das vorherrschende Maß aller Dinge sein. Rückblickend ist man immer schlauer. Jeder macht Fehler, die er so nie wiederholen wird! Deshalb gehört zur Bewältigung kritischer Situationen auch Mut, Fehler einzugestehen.

Zur Lösung von Konflikten sollte immer die persönliche Bereitschaft aller Beteiligten und deren Fähigkeit beitragen, die Situation auch mit den Augen und Gefühlen des jeweils anderen sehen zu können und sehen zu wollen.

Letztendlich kann man einen Rückblick immer auch nutzen, um künftig schlauer zu sein! „Das Ganze ist mehr (wert) als die Summe seiner Teile".[17]

Verschätze Dich nicht in Deinen Einschätzungen. Man kann Menschen nicht beurteilen, wenn man sie nicht versteht. Auch nach Enttäuschungen sollte man sich nicht gänzlich entfremden. „Zuversicht ist eine Spielart der Hoffnung."[18] Wir könnten uns glücklich schätzen, wenn persönliche Konflikte Gespräche nicht vereiteln würden.

---

17 Aristoteles

18 Paul Weiland, Superintendent der evangelischen Kirche in Österreich

Rechtzeitig miteinander über anstehende Probleme sprechen ist eine Chance, keine Fessel!

C.3.2 Im Sog familiärer Wechselbäder

Frisch vermählte Ehepaare empfinden ihr Glück als die selbstverständlichste Sache der Welt. Jeder kennt die Erwartungen, die mit der Ehe als klassisches Familienbild (Mann, Frau, Kinder) oder partnerschaftlichen Beziehung verbunden sind.

Je glücklicher die Umstände sind, desto herausfordernder wird das Anspruchsniveau. Der Wunsch nach mehr entwickelt schließlich seine eigene Dynamik und verursacht „in the long run" bei Nichterfüllung Unzufriedenheit und Ärgernisse. Niemand kommt an der Erfahrung vorbei, dass Glück aus Unterbrechungen besteht. Auch Leidenschaft ist kurz.

Wenn sich Ehepartner nicht in Gleichklang entwickeln, geistig auseinanderdriften und einseitige Abhängigkeiten sich verstärken, geraten Beziehungen in ständige Bewegung. Routine schleicht sich ein und wird zum Stein des Anstoßes. Je eintöniger der Tagesablauf sich gestaltet, umso größer wird der Ruf nach Abwechslung und Suche nach einem Ausweg. Jeden Tag denselben Dingen nachgehen zu müssen, wird als belastende Gewohnheit empfunden. Andererseits erzeugen Veränderungen im Leben auch Ängste. Enttäuschungen bis hin zu gegenseitig empfundenen Schuldzuweisungen sind nicht selten und nehmen ihren Lauf.

Daraus folgt, dass man auf sein Beziehungsverhältnis jeden Tag aufs Neue zu reflektieren versuchen sollte. Eine Beziehung muss immer den Umständen entsprechend definiert werden. Man sollte sich häufiger verabreden. Allerdings haben sich im Laufe der Jahre viele Ehepaare auseinandergelebt.

C.3.2.1 Perspektivenwechsel

Weltweit ist Familie der Inbegriff für Geborgenheit, Zusammenhalt und Verantwortung. Die Gestaltungshoheit liegt bei den Ehepartnern, deren Zusammenspiel entscheidend ist für Erfolg und Zukunftsperspektiven. Entscheidungen fallen auf der Grundlage gegenseitigen Vertrauens und Verständnisses, ohne dass vorherrschende eigensinnige Erwartungshaltungen eine bestimmende Rolle spielen.

Im Laufe der Zeit jedoch verschieben sich nicht selten die Perspektiven. Als Jungvermählte übersieht man Dinge, die man vorher so nicht gesehen hat und die in späteren Jahren als störend empfunden werden. Wer lang genug verheiratet ist, der weiß, dass es immer Meinungsverschiedenheiten gibt. Gewöhnungsprozesse und Anfälligkeiten schleichen sich ein.

Im Laufe der Zeit muss jeder mit für ihn unterschiedlichen teils widersprüchlichen Rollen fertig werden. Erwartungen und Ansprüche verändern sich. Anfängliche Faszination verliert sich in Anpassungen als normative Selbstverständlichkeit, was zu Unzufriedenheit und Entfremdung führen kann. Manch eine Partnerschaft entwickelt sich aus ihren anfänglich gegenseitig übernommenen Verantwortlichkeiten (z.B. Arbeitsteilung) zu nebeneinander einherlaufenden „Parallelgesellschaften". Nicht jeder kann damit umgehen.

Ist das Feuer vorbei und die Glut erloschen, wandelt eine in ihren Anfängen empfundene Wahrheit (wir lieben uns) in eine neue situationsgebundene Wahrheit (Anpassungszwänge, Kindererziehung, usw.) mit sich teilweise ändernder Identität.

Was in diesem Zeitfenster zunächst als normale Äußerung gedacht ist, empfindet der Partner plötzlich als taktlos. Hat man in den ersten Ehejahren arteigene Besonderheiten aus gegenseitiger Rücksichtname übersehen, so werden sie in späteren Jahren als störend wahrgenommen und erzeugen nicht gewohnte gegenläufige Empfindungen.

Diesen Wandel kann man bei Wochenendeinkäufen vieler verheirateter Paare auf Großmärkten beobachten. Gesten, Mimik und geraunte Kurzkommentare insbesondere von Ehemännern verraten ein Stimmungsbild, das sich bis in eingewöhnte Bockigkeiten steigern kann. Je älter sie sind, desto unangenehmer wirken sie auf Fremde.

Man darf natürlich nicht übersehen, dass es auch positive Beispiele gibt. Sie scheinen jedoch die Minderheit zu sein.

Insbesondere die mit den Jahren eingefahrenen Selbstverständlichkeiten entwickeln sich zu Alltagsritualen, die zur Gewohnheit werden bzw. Gewohnheiten, die zur Selbstverständlichkeit werden (es kommt auf den Blickwinkel an). Sie rufen kaum noch besondere Aufmerksamkeit und Anerkennung hervor. Das in ersten Ehejahren meist geliebte gemeinsame Frühstück wird zur Selbstverständlichkeit. Statt sich für dessen Beibehaltung bei seiner Frau zu bedanken, bedankt man sich später bei seiner Sekretärin für deren frischen Kaffee. Damit muss der/die daheim gebliebene Partner/in fertig werden und es aushalten.

Wiederholen sich vergleichbare Geschehnisse, nimmt man sie zunächst schweigend zur Kenntnis und wartet ab, bis sich Enttäuschungen breit machen und zu Allergien ausarten. Auf diese Weise bildet sich eine Entfremdungsspirale, die stetig wächst. Sogar „Notlügen" schleichen sich ein. Man driftet in die persönliche Isolation ab, bis schließlich das Fass überlauft. Der gefühlte Einstieg in den gedanklichen Ausstieg hat begonnen.[19]

---

19 Siehe auch C.3.3 „Wenn Eintönigkeit zur Gewohnheit wird“

Spätestens jetzt werden anfänglich verdeckte Mentalitäten sichtbar und eröffnen zerstörerischem Verhalten Tür und Tor.

Erkennbare Symptome

- Gegenseitiges aus dem Weg gehen
- Krisengeschüttelte Mimik und Gestik
- Gesprochene Worte wirken wie das rote Tuch
- Schlechtreden gegenüber Außenstehenden
- Ausufernde Schrei gebärden
- Hang zu Handgreiflichkeiten
- usw.

deuten auf den wahren Zustand einer Beziehung hin! Obwohl viele Jahre verheiratet fühlen sich die davon betroffenen Partner (meist Ehefrauen, aber auch zunehmend Ehemänner) einsam und müssen häufig feststellen, dass sie relativ schnell austauschbar sind.

Wenn jeder seine Aufgaben und Tagesabläufe nur noch akribisch nach Plan (nach Soll) verfolgt und „abwickelt", bestimmen ritualisierte Gewohnheiten und sich ändernde subjektive Empfindlichkeiten den Alltag.

Je häufiger sich solche Situationen wiederholen, umso wichtiger wird es, mit sich selbst zu sein - alleine damit fertig zu werden. Viel hängt davon ab, ob die Erschütterung aus Enttäuschungen groß genug ist, daraus Lerneffekte abzuleiten. Um die Wirklichkeit ertragen zu können, muss man versuchen, die Dinge auszublenden, Man braucht eine Perspektive - einen Weg aus dem Konflikt

Es ist erstaunlich wie viele Menschen noch nicht auf der Höhe der Zeit sind. Man muss sich eingestehen, dass im Laufe eines Lebens

Perspektivenwechsel erfolgen, und akzeptieren, dass sich auch im zwischenmenschlichen Bereich viele Dinge verschieben.

C.3.2.2 In Geiselhaft von Dominanzfallen

Dominanz bedeutet Bestimmtheit über Situationen und Entscheidungen erlangen. Meistens ist einer der Ehepartner federführend und wird als Bestimmer und Entscheider wahrgenommen und anerkannt. Diese Einflussnahme erfolgt vielleicht ungewollt. aber dennoch sehr geschichtsträchtig. Viele Menschen leben anscheinend immer noch in einer männerorientierten Kulturwelt. Dabei geht es immer auch um den Umgang mit Gefühlen und wie sie ausgedrückt werden. Sich dabei selbstkritisch wahrzunehmen, wäre des Rätsels Lösung; ist es aber keineswegs.

Nicht wenige Partner (meist Frauen) empfinden das Sichtbarmachen ihres Verhaltens als beherrschenden Einfluss und gewollte Fremdbestimmung. Sie wollen „endlich wieder selbstbestimmt handeln können"!

Vom aus ihrem Verständnis abhängigen bzw. abgehängten Partner aufkommende Abwehrreaktionen laufen oft ins Leere. Spannungen steigen und münden in Enttäuschungen, Wut und Aggressivität.

Es ist für Jedermann nachvollziehbar, was passiert, wenn das Verhalten beider Partner vom jeweils anderen Partner als dominant empfunden und beschrieben wird. Wann genau eine Beziehung zu bröckeln beginnt und wo der Beginn fortschreitender Entfremdung liegt, merkt man selten. Unüberhörbare Anzeichen sind wiedergabengetreue Äußerungen meist von Frauen gegenüber ihren Freundinnen oder Ehemännern, dass mit ihm nichts los sei, er nur seinem Beruf nachgehe und sie selbst zu kurz komme.

Ausgangspunkt und Anlass sind häufig von außen erkennbaren und eingewöhnten Gepflogenheiten. Insbesondere die von einem der Ehepartner beruflich ausgelöste Aufmerksamkeit (Lob, Anerkennung und Respekt) erzeugt zunächst Stolz, bleibt jedoch nicht ohne Wirkung auf die Beziehungsqualität und sorgt bei weiterer Profilierung für aufkeimende Unruhe. Anerkennung und Image eines aufmerksamkeitsgewinnenden Ehepartners erhöht dessen Wunsch, mehr davon zu bekommen, weshalb er oder sie sich vielleicht sogar unbemerkt zu profilieren beginnt, d.h. weiter „abzuheben". Es wäre noch nicht einmal schlimm, wenn er seine Partnerin geistig und mental „mitnehmen" würde. Das aber wird meistens im Rausch des persönlichen Erfolges vergessen!

Was passiert nicht Alles, wenn traditionelle Vorstellungen ins Beziehungsgeflecht der Geschlechter geraten? Auch heute noch unterliegt das Verhalten gegenüber Frauen solchen Gewohnheiten. Typische Situationen können nicht besser beschrieben werden als in dem 1949 erschienenen Buch "Das andere Geschlecht" von Simone de Beauvoir[20], in dem sie sich mit gesellschaftlichen Machtstrukturen auseinandersetzt: „Man wird nicht als Frau geboren, man wird dazu gemacht"!

Bedenklich ist auch, wenn „Herren der Schöpfung" die Gleichberechtigung von Frauen als Einbuße ihrer Männlichkeit und Stärke ansehen? Machomäßige sich in ihrem Selbstverständnis verletzt fühlende Männer entfliehen ihrem Frust durch „Machtergreifung". Wird das tägliche Praxis, mündet Leidenschaft in vielen Fällen alkoholisiert in Gewalt, um den Verlust männlicher Vormachtstellung auszugleichen.

Widerfährt Frauen in der Ehe Gewalt, ertragen sie dies zunächst meist stillschweigend, bis die Situation eskaliert und in eine Trennung -

---

20 Simone de Beauvoir „Das andere Geschlecht übersetzt von Ute Aumüller und Grete Osterwald; Rowohlt 1.8.2000

meistens mit Ortswechsel verbunden - einmündet. Vom anfänglichen Glück bleibt nicht mehr als bestenfalls Erinnerung übrig. Plötzlich wird Anonymität großgeschrieben. Man führt ein anderes Leben mit allen Fragwürdigkeiten, um die Vergangenheit zu überwinden.

Aufgrund solcher oder ähnlicher Vorkommnisse wird das Klischee „Heiraten und Familie gründen" nicht mehr als vorbildhafte Zweckgemeinschaft angesehen. Wenn junge Menschen ohne sich ankündigende Schwangerschaft stolz ihre Heiratsabsichten verkünden, hört man bereits vereinzelt Kommentare, „wie man nur so blind sein kann?"

„Zwischenfälle" wie beschrieben werden häufig als unerträglich empfunden. Der Versuch, verlorene Harmonie doch noch zurückgewinnen zu wollen. hat meistens sich selbst verstärkende Negativeffekte zur Folge. Der Wahn sich neu entdeckender Partner eröffnet ungeahnte Fassaden von Irrwegen.

Trotz aller subjektiven Verblendungen führt konstantes Dominanzverhalten a la longue über atmosphärische Störungen und Verstimmungen bis hin zu Kränkungen und Entfremdung. Sich verletzt fühlende Partner reagieren mit drastischen verbalen und auch nonverbalen Reaktionen, die dann wiederum vom „Initiator des Geschehens als dominant empfunden werden. Der Kampf „Vertrauen gegen Dominanz" nimmt seinen Lauf! Aufgestaute Allergien führen zu gegenseitiger Abneigung. Nach vielen gemeinsam erlebten Jahren fühlt man sich nicht einmal mehr verpflichtet, seinem früheren Weggefährten in Notsituationen zu helfen und beizustehen.

Ritualisierte Alltagsdominanz nimmt Beziehungen in Geiselhaft. Ursprüngliche Ideale münden durch emotionale Vernachlässigungen in einen Dominanzkollaps! Ob man es mag oder nicht - die Geschlechter ringen immer noch um Dominanz.

Nichtsdestotrotz sollte man nicht übersehen, dass Dominanz in vertretbarem Rahmen an sich nichts Negatives ist. Es kommt immer auf die Dosis an.

Will man nicht in ein psychisches Tief verfallen, muss man den Mut aufbringen, in einem frühen Stadium dialogfähig zu sein und die Dinge nicht schleifen zu lassen. Nur eine frühzeitige Aussprache kann Eisbrecher werden und eine sich anbahnende negative Entwicklung verhindern!

C.3.3 Wenn Eintönigkeit zur Gewohnheit wird.

Jeder hat sicher schon seine Erfahrungen mit langweilig wiederkehrenden Aufgaben, Arbeiten oder Tagesabläufen gemacht, ohne auch nur einen Hauch von Abwechslung empfunden zu haben. Welche Auswirkungen kann das auf das Gefühlsleben haben? Es gibt Menschen. die unter Eintönigkeit leiden und andere, die Eintönigkeit bevorzugen.

Übertragen auf einfach gestrickte Menschen mag Eintönigkeit von Segen sein. weil sie für die Erledigung ihrer anfallenden Aufgaben keine Ängste ausstehen müssen. etwas falsch zu machen. Es wiederholt sich alles. so dass der Erfolg der zu erbringenden Leistungen garantiert erscheint.

Umgekehrt ist Eintönigkeit für viele Menschen Ausgangspunkt für Unzufriedenheit und Missklängen. Es ist kein Geheimnis, dass Hausfrauentätigkeit nicht entsprechend anerkannt wird. Würden sie in einem Arbeitsverhältnis ihre „Arbeit" anbieten, bekämen sie die Anerkennung, die sie im privaten Leben meist selten erfahren. Die Bereitschaft von Eheleuten oder Lebenspartnern, die zu Beginn ihrer Beziehung derlei Arbeiten übernahmen, ebbt mit den Jahren ab. Das eigentliche Problem ist mangelnde Anerkennung und Wertschätzung der Person (eigentlich eine Selbstverständlichkeit für Alltagsabläufe).

Stress durch Eintönigkeit ist das Ergebnis aus Langeweile, täglich stumm wiederholender Aufgaben oder Arbeitsabläufen und fehlender Abwechslung durch neue Eindrücke. Man fühlt sich vereinsamt, ausgegrenzt und ausgehöhlt. Die Monotonie des Alltags demontiert zwischenmenschliche Beziehungen und geht häufig zu Lasten von Frauen - egal, was sie unternehmen. Alles wird selbstverständlich. Kein Mensch wird dadurch glücklicher - Grund genug, aus dieser Opferrolle heraus in den Beruf zurückzukehren oder das Wagnis einer Selbständigkeit einzugehen.

Die Eintönigkeitsdramaturgie widerspiegelt sich auch an extremer werdenden Veränderungen von Hobbies und Freizeitaktivitäten, um sich selbst wieder zu spüren, einen „Kick" zu erleben und eingefahrene Tagesabläufe besser in den Griff zu bekommen.

Schließlich liefert die Sucht vieler Menschen nach Prestige, Anerkennung usw. ein weiteres Bild von Eintönigkeit. Beispielsweise laufen komplexanfällige Menschen im Sog ihrer persönlichen Anerkennungsoffensiven sehnsuchtgetrieben hinter imagefördernden Einladungen hinterher. Im Zweifel laden sie sich aufdringlich selbst ein, nehmen an Sektempfängen teil und erfreuen sich, an stets nach gleichem Muster ablaufenden Small-Talk-Prestigeveranstaltungen teilzunehmen. Sie schweben im Glauben, etwas Besonderes zu sein bzw. von der Normalität abgehoben zu sein. Man ist plötzlich Wer und gehört dazu. Ihr unbändiger Wille führt dazu, dass auch sie trotz ihrer glorifizierenden Selbstüberschätzung ein doch sehr eintöniges Leben führen. Auch Profilneurotiker leben von der Gewohnheit „It's always the same procedure."

Nicht weit davon entfernt verhalten sich sichtbar wohlhabend liierte Damen bei zufälligen eigentlich nichtssagenden Treffen im Discounterladen, wenn sie sich für ihren Biereinkauf mit der Bemerkung entschuldigen, sie selber tränken kein Bier und würden ihren Einkauf für jemand anderen tätigen. Auch Abgehobenheit wird zur Gewohnheit! „The same procedure as everywhere."

„Ewige" Wiederholungen des gleichen Sachverhaltes sind langweilig. Die Traurigkeit aus überkommenen Gewohnheiten mündet in der Selbstaufgabe, sobald derlei Situationen tagtäglich heruntergeschluckt oder als gegeben hingenommen werden und Vieles unausgesprochen bleibt!

Obwohl sich Menschen in der Mehrzahl auf ihr Rentnerleben freuen, ist der Ausstieg aus dem Berufsleben für viele mit Problemen behaftet. Man kommt mit der neu gewonnenen Freiheit und Freizeit relativ schlecht zurecht. Nicht nur private Umstellungen wie Umgang mit dem Ehepartner rufen Konflikte hervor. Der gravierende soziale Einschnitt ist die empfundene Bedeutungslosigkeit und der Mangel an aktiven Tagesstrukturen - auch das kann eintönig sein. „The same procedure as everywhere."

Eintönigkeit und Langeweile können nur durch gelebte Aktivität überwunden werden.

C.3.4 Wir sind verletzlicher, als wir glauben

Nahezu jeder Mensch wünscht sich ein harmonisches Umfeld. Allerdings ängstigt man sich und befürchtet, in die Defensive zu geraten, sobald man für andere durchsichtig wird. Insbesondere harmoniefreudige Menschen geraten in die Defensive, weil sie durch Offenlegung ihrer Gefühle Souveränität und Respekt verlieren können. Man wird sehr schnell belächelt, als Weichei beschrieben und schließlich als lästig abgestuft, ohne die wahren Gründe zu erfahren. Das kränkt und beleidigt zugleich.

Gefühle gehören zu den großartigsten Eigenschaften. Sie können Freude, Heiterkeit, Herzlichkeit und Zuneigung erzeugen. Dagegen führt Hitzigkeit im Umgang mit anderen Meinungen oder andersempfindenden Menschen zu Ruppigkeiten, Verärgerungen, Wut bis hin zu Hass usw. Darüber und wie man selbst damit umgeht, macht man sich kaum Gedanken.

Wir führen zu viele Monologe nebeneinander und zu wenig Dialoge (man hört noch nicht einmal zu) miteinander. Der Egotrip: „Wenn jeder an sich denkt, ist an alle gedacht" ist die schlimmste Denke in Teufels Gewand. Abnehmendes Mitempfinden und Missachtung erzeugen Hilflosigkeit und Einsamkeit.

Ob man es will oder nicht, Verletzungen gehören zum Alltag. Wenn allerdings Hoffnungslosigkeit und Hilflosigkeit sich paaren, steht man am Rand eines Vulkans.

Verletzungen gehören zum Alltag. Die Suche nach Problemlösungen entdeckt häufig erst das echte Problem.

C.3.5 Selbstisolation - Versteckspiel aus Verzweiflung

Jeder hat sich sicher schon einmal belogen, betrogen und gedemütigt gefühlt. Normalerweise reagiert man darauf, sich gegen mögliche weitere Situationen zu verschließen und nur noch auf sich selbst zu konzentrieren.

Die tiefsten Wunden sind Beziehungswunden. Angst und Verzweiflung brauchen ihr Ventil. Man zieht sich zurück, um nicht erneut Schmerzen ertragen zu müssen. Angst vor Verwundbarkeit sperrt Menschen ein.

Wer sich aus Hilflosigkeit, Hoffnungslosigkeit und Niedergeschlagenheit enttäuscht auf der Verliererstraße wähnt, neigt dazu, sich abzusondern oder in die Einsamkeit zu fliehen. Man beugt sich seinem Schicksal, ist in sich gekehrt und kapselt sich ab.

Selbstinszenierte Abschirmmanöver entwickeln sich aus emotionalen Momenten - aus persönlichen Kränkungen, aus Erlebnissen und Erfahrungen, die Verängstigungen und Bedrängnisse hervorgerufen haben. Schattenrisse aus vergangenen Tagen werden wach und führen schlimmstenfalls in eine Starre gegenüber allen neuen Situationen, die auch nur andeutungsweise derartige Erinnerungen wachrufen!

Die meisten Menschen werden damit nicht fertig und flüchten in die Isolation, weil sie die eigentliche Ursache für ihr Dilemma auf sich selbst zurückführen und sich dafür auch noch verantwortlich fühlen. Wegen befürchteter Erwartungen schleicht sich Unsicherheit hinsichtlich ihrer eigenen Zukunft ein.

Als Reaktion wird eine zum Grundsatz gewordene Abwehrhaltung als Fassade angelegt. Was man durch diese Haltung möglicherweise versäumt, wird erst gar nicht bedacht.

Wer in seiner Verzweiflung verharrt, kommt nie darüber hinweg. Der Rest ist dann nur noch Frust und Dauerstress. Kein Mensch hält das auf Dauer durch.

Je häufiger und intensiver Verletzungen empfunden werden; desto stärker nehmen die davon betroffenen Menschen ihre Opferrolle ein. Sie geraten in die vollständige Isolation, an der sie nichts ändern zu können glauben. Der schlimmste Fall einer solchen Entwicklung ist Verbitterung. Wer sich ohnehin zu den Verlierern zählt. wird das Gefühl nicht mehr los, unzufrieden sein zu müssen, um ungewollt seine eigene Isolierung zu initiieren. Engstirnigkeit ist ihr Ausweg. Die gewohnte Welt bricht zusammen.

Verletzte und verbitterte Menschen legen jede Begegnung und jeden Gedankenaustausch mit anderen Menschen als ritualisierte Enttäuschung aus. Sie sind nur schwer für andere erreichbar und verschließen sich gegen Ratschläge jeder Art. Nach Untersuchungen von Prof. Dr. Michael Linden[21] geht es ihnen auch um ihren eigenen Stolz. Menschen, die helfen wollen, werden zu Gegnern, die verdächtigt werden, die Verletzung klein reden zu wollen.

Aus Stimmungen wie beschrieben kommen Menschen selten heraus und lassen sich vom Wunsch nach Aus- und Absonderung leiten. Diese Art von Lösung des eigenen Problems wird häufig als bequemer Ausweg empfunden. Bequemlichkeit und Abwehr machen noch kränker als man ohnehin schon ist.

Allerdings muss nicht jede Enttäuschung dazu führen. Zu einem erheblichen Teil jedoch führt Fluchtverhalten in die Isolation, die Menschen gefangen hält. „Verzweiflung als Reaktion ist der Weg zur Niederlage ..." (Nelson Mandela)

Menschen, die die Isolation suchen, glauben nicht mehr wirklich an sich. Ihr eingeschlagener Weg ist die ablenkende Fassade einer persönlichen Krisensituation. Wer seine Eigenverantwortung aufgibt, der gibt sich für etwas aus, was er eigentlich gar nicht ist. Ein solcher psychologischer Wahnsinn führt letztendlich dazu, dass sich Starrsinn verschlimmert und Verfolgungswahn die Oberhand gewinnt. Die schlimmste Selbst- und Fremdverletzung ist „Wegschleichen"! Der eigentliche Selbstbetrug besteht darin, dass die gelebte Fassade als Selbstschutz genutzt wird und die oder der Betroffene sich in ihrer/seiner eigenen Sturheit verfängt!

Durch Verdrängung wird kein Problem gelöst. Nur wenn es gelingt, den inneren Schweinehund zu überwinden, eröffnet sich die Chance für ein wiederkehrendes normales und hoffentlich schöneres Leben. Man muss eine offene und ehrliche Lösung finden.

---

21 Professor für Psychiatrie und Psychotherapie an der Freien Universität Berlin; YouTube „Verbitterung: Die Unfähigkeit zu vergeben“

C.3.6 Lügen - Fassaden für Verschleierungen

„Lügen haben kurze Beine" sagt ein bekanntes deutsches Sprichwort. Doch häufig halten sie lange durch und dienen der Durchsetzung verfolgter Interessen.

Lügen sind aufgesetzte Fassaden. Sie verblenden oder verzerren die wahre Situation, indem man in verschiedenen Situationen unterschiedliche Gesichter zeigt. Sicherheit oder Verunsicherung sind Ursache, wie man auf Dinge des Alltags reagiert oder selbst versucht, Sicherheit und Wahrheit vorzugaukeln. Für manche Menschen scheint die Lüge amüsanter zu sein als die Wahrheit[22]. Wer mit Bischofs Chalupka beschriebenen Situationen nicht zurechtkommt, der wird in Ausreden, Halbwahrheiten oder Lügen flüchten. Die Wahrheit versinkt dann im Verborgenen und kann nicht er- oder getragen werden. Zwischen Lüge und Wahrheit kann kaum noch unterschieden werden. Wie viel Wahrheit steckt in Lüge und wie viel Lüge steckt in Wahrheit? Man frisiert Tatsachen. Wertschätzung und Respekt gehen verloren. Es gibt plötzlich viele Wahrheiten! Ist derjenige, der die Wahrheit verschweigt, bereits ein Lügner?

Lügen sind nicht nur Selbstschutz, sondern können auch als rücksichtnehmende Fassade gegenüber Personen angedacht sein, um sie nicht zu verletzen. Notlügen sind erlaubt, wenn man glaubt, dass Menschen die Wahrheit nicht ertragen können. Diese Haltung nimmt man in ehrlicher Absicht gegenüber alten und kranken Menschen als „barmherziges Lügen" ein. Dann sind Notlügen fast schon ein Muss.

---

22 Michael Chalupka, Bischof der evangelisch-lutherischen Kirche in Österreich „Ist die Lüge amüsanter als die Wahrheit in OE1 Sendereihe vom 11.05 -16,05 2020

Lügen werden aber häufiger auch zu narzisstischen Selbstdarstellungen heran-gezogen, um sich selber ins bessere Licht zu rücken.

Aus ökonomischer Sicht muss man zwischen Aufwand und Ertrag abwägen, wieweit Expertise und Souveränität der Akteure der Wirklichkeit entsprechen oder als Marketing-Fassade Eindruck erwecken sollen? Mit Verschleierungstaktiken in Akquisitionsanbahnungen versucht man, sich Vorteile gegenüber der Konkurrenz zu verschaffen. Oftmals sollen einkalkulierte „Schnellschüsse" Wirkung erzeugen. Verärgerungen der Kundschaft bei der praktischen Umsetzung abgeschlossener Verträge führen häufig zu Problemen, die anfänglich (bewusst) übersehen werden und Geld kosten. Derartige Überlegungen werden nicht selten bereits in interne Kalkulationen zu Vertragsanbahnungen einkalkuliert. Das größte Problem für Unternehmen wie auch deren Kundschaft sind die verharmlost dargestellten Implementierungen.

C.3.7 Auf Denkfehlern beruhende Trugschlüsse

Es liegt im Wesen des Menschen, anerkannt werden zu wollen. Fühlt man sich benachteiligt, sucht man nach Ausgleich. Wächst in diesen Prozessen der Drang nach Bedeutung, Einfluss, Wertschätzung und Respektierung, wachsen auch Ehrgeiz und Egoismus. Profilierungswünsche steigern sich. Ist der angestrebte Status schließlich erreicht, wird dieser Menschentyp umgetrieben von der Sucht nach immer mehr[23] - ohne Rücksicht auf Verluste. Der Preis für diese „Sehnsucht" ist die ständige Furcht, „entlarvt" zu werden.

---

23 Siehe auch C.2 „Macht, Gier und Neid"

C.3.7.1 Zur Interdependenz zwischen Emotion und Vernunft

Die Vorstellung, Menschen würden stets logisch denken und handeln, ist ein Irrtum. Alles sei logisch, plausibel und überzeugend, sei von der Vernunft bestimmt, ist falsch. Was für einen Menschen vernünftig ist, muss aus Sicht eines anderen noch lange nicht vernünftig sein.

Neben allen verschieden definierten Rationalitäten (z.B. Ökonomie, Technologie, Medizin, Ökologie usw.) gibt es gefühlsmäßige Befindlichkeiten, die selten rational begründet werden können. Unser „vernünftiges Handeln" beschränkt sich lediglich auf erlernte Teilsegmente. Gefühle kommen unbewusst zustande. Emotionen finden nicht im Kopf statt. Sie sind Sprache des Körpers und können ungewollte Irritationen auslösen. Gegen Gefühle kann man schlecht Fakten setzen. Der Verstand steht still, wenn Gefühle überwiegen.

Typische Mechanismen, die in uns wohnen, können auf die Formel gebracht werden: „Magst Du mich, mag ich Dich". Alle lebenden Systeme haben die Tendenz, sich anzugleichen. Menschen mögen Menschen, die so sind, wie sie selbst. Menschen, die sich nicht in anderer Gefühlslage versetzen können, tun nicht gut. Man meidet sie.

Emotionale Reaktionen entspringen persönlichen aus dem Unterbewusstsein hervorgerufenen Erlebnissen. Misserfolge und Erfolge sind Orte der Erfahrung. Was wir machen oder wie wir handeln, es kommt aus dem Unterbewusstsein, es liefert Informationen über unsere Gefühle und bestimmt unser Bewusstsein.[24]

Bewusst können wir nur wenige Dinge parallel ausführen. Das Unterbewusstsein dagegen hat eine viel größere Speicherkapazität. Es vergleicht und zaubert Dinge hervor, die uns besonders wirksam

24 Bruce Lipton „Wie Erfahrungen unsere Gene steuern"

Freude oder Ärger bereiten und sich entsprechend in uns eingenistet haben.

Obwohl wir unser Handeln rational zu begründen versuchen, sind wir trotz allen erlernten Wissens und aller angeeigneten Fertigkeiten (z.B. Beruf) in unserer Kernsubstanz kein Vernunftwesen. Demzufolge gibt es keine Entscheidung ohne Emotion! Das Unterbewusstsein liefert Informationen über unsere Gefühle. Über diesen Filtermechanismus werden alle Aktivitäten emotional gesteuert. Beispielsweise erfolgt der größte Teil unserer Kommunikation nonverbal über Gestik und Mimik.

Das größte Abenteuer sind Gefühle, die logische Gesetzmäßigkeiten außer Kraft setzen können! Es gibt viele Dinge, die man nicht lernen kann. Man bringt sie einfach mit! Wollen wir Menschen helfen, müssen wir Gefühle einsetzen. Allerdings ist es häufig auch der Kopf, der auf die Bremse drückt.

Was macht es uns als Mensch so schwer, Gefühle zu zeigen? Wer Gefühle preisgibt, der begibt sich in Abhängigkeit und befürchtet Angreifbarkeit. In einer sich rational definierenden Welt erhoffter Unantastbarkeit bestimmen Vorsicht und Distanziertheit das Miteinander von Menschen; es sei denn Gefühle überwältigen die Vernunft oder werden bewusst als Mittel zur Durchsetzung von Interessen benutzt.

Menschen mit überstarkem „Ego" neigen dazu, in Problemsituationen trotz ihres rationalen Selbstverständnisses emotional überzureagieren. Sprachliche Robustheit und Arroganz sind äußere Kennzeichen und Beweise für ihren vorherrschenden Umgang mit Menschen. Nicht wenige Manager sind von sich sosehr überzeugt, dass es ihnen leichtfällt, sich hinter der Maske ihrer Eitelkeit und Arroganz zu verstecken.

Auch sie sollten nicht übersehen, dass emotionale Übertreibungen und Auswüchse verräterische Signale sind. Emotionale Wutattacken sind der größte charakterliche Verräter und offenbaren Selbstschwäche. Wer glaubt, sich lautstark und diffamierend äußern zu müssen, der gibt sehr viel von sich selbst preis. Worte gehen mit dem Charakter einher! Was man daraus erfährt, lässt sich aus Sicht des jeweiligen Empfängers solcher Botschaften beantworten.[25]

Deshalb sollte jeder bei emotionalen Übertreibungen überlegen, warum sein Gesprächspartner sich so verhält, wie er sich verhält? Wem es gelingt, sich nicht „anstecken" zu lassen, der erlebt die beste, weil ehrlichste Informationsquelle über sein Gegenüber. Man erfährt sehr viel über deren Gemütslage, die häufig aus persönlich verdrängter Unzufriedenheit entsteht.

Lautstarkes Vorpreschen ist entweder Suche nach Anerkennung oder dient dem Verbergen eigener Probleme. Faktisch ist es „Selbstschwächung". Vortäuschen falscher Tatsachen führt unausweichlich zur Verschlechterung bestehender Beziehungen. Im bewussten Vertuschen von Tatsachen unterscheiden sich Menschen nicht wesentlich.

Je seltener wir in Worst-Case-Szenarien denken (was schwer genug ist) und stattdessen Konflikte als Herausforderung und nicht immer nur als Problem wahrnehmen, desto leichter wird es, Lösungen anzustreben und zu finden. Aus dem Wissen, dass das Unterbewusstsein (es schürt die Übertreibung sowohl im Positiven wie auch im Negativen) eine gewichtigere Rolle als unsere bewusstseinsorientierte Denke spielt, lassen sich energetische Empfehlungen für unser Verhalten als bestimmender Denkanstoß ableiten: Denk positiv und stimme Dich ein über erinnerungswerte Vergleiche, die das Unterbewusstsein als Unterstützung für das eigene Handeln und Reagieren liefert. Dahinter verbirgt sich sozusagen als

---

25 Paul Ekman, Psychologie Professor University of California, San Francisco „Gefühle lesen"

dogmatischer Denkanstoß „Negatives Denken führt zu negativen Ergebnissen"; „Positives Denken führt zu positiven Ergebnissen!"

Wenn beispielsweise Tennisspielern bei ihren ersten Aufschlag Fehler unterlaufen und sie anschließend nur noch damit beschäftigt sind, beim zweiten Aufschlag keinen Fehler zu machen, dann ist die Wahrscheinlichkeit sehr hoch, dass es schiefläuft. Besser läuft es, wenn man sich nicht am Problem fest nagt, sondern das Ganze als Herausforderung annimmt. Durch Einbinden eigener Gedanken und Erfahrungen kann es gelingen, in künftigen Problemsituationen vom Unterbewusstsein profitieren zu können.

Wäre dieses Konstrukt wirklich so einfach, würden die meisten Menschen in Zufriedenheit und Harmonie leben. Allerdings kann niemand seine emotionale Wirklichkeit (emotionalen Gene), für die er selber nicht verantwortlich gemacht werden kann, leugnen. Wir müssen damit leben! Wer den Wasserstand im Glas kontinuierlich als „halb leer" oder als „halb voll" beschreibt, der definiert damit seinen Endzustand!

Hinter jeder Handlung steht also immer eine emotionale Entscheidung. Liebe, Lust, Verlangen, Neid, Nähe, Sympathie, Vertrautheit, Geborgenheit, Freude, Angst, Wut usw. sind das bewusstwerdende gefühlsmäßige Regulativ situativer Erlebnisse. Man kann sie nicht auf Kommando abrufen - sie sind einfach da. Wir können die Rationalität ausschalten, nicht aber die Emotion. Deshalb sind Menschen, die auf ihr Bauchgefühl hören, näher bei sich selbst. Sie hören auf sich und werfen häufig unbewusst die Realität über Bord.

Einerseits koppeln wir uns von der Rationalität ab; andererseits beschreiben wir sie als Begründungsbeleg für unsere Emotionalität. Wut ist beispielsweise ein Befreiungsschlag, der nicht wirklich befreit, sondern zur Belastung wird.

Dennoch sind „Ratio und Emotio" keine Gegensätze, sondern ergänzen sich. Die meisten Menschen zeigen sich in ihrem Erscheinungsbild entweder stärker gefühls- oder stärker vernunftbetont. Die richtige Mischung fällt der Mehrheit schwer. Konsequenzen aus Erfahrungen in unseren Erlebniswelten verdeutlichen die interdependente Wirksamkeit beider Merkmale. Je stärker man sein Leben aus dem Gefühl heraus gestaltet, umso authentischer ist man! Andererseits führt die Macht der Gedanken dazu, dass die Energie dahin geht, wohin man denkt.

Wie kontrovers menschliche Reaktionen verlaufen können, zeigt ein Klassentreffen älterer Herren in ihrem Gymnasium. In der Turnhalle erinnerten sie sich an ihren Turnunterricht und fragten, wer bereit sei, sich am Seil hoch zu rangeln. Einer erhob seine Hand. Ihm wurde bestätigt, er sei immer schon der Sportlichste gewesen. Auf die anschließende Frage, wer bereit sei, wenn er dafür Euro 10.000,00 bekäme, haben gleich mehrere ihre Hände gehoben. Es ist schon erstaunlich, wie schnell extrinsische Anreize vernunftbetonte Schranken überwinden! Auch die Tatsache, dass sich die meisten Menschen mehr Nähe wünschen als sie erhalten, ist Beleg für die Wirkungskraft und Bedeutung von Emotionen!

C.3.7.2 Rollenerwartungen - Konfliktfallen

Eine Rolle im privaten, beruflichen und öffentlichen Leben zu haben bedeutet, dass eine bestimmte Erwartung an eine Person und ihre Aufgabe (z.B. Mutter- und Vaterrolle oder eine bestimmte Position in Unternehmen und Erwartungen an politisch verantwortliche Repräsentanten) gestellt wird. Da Menschen ohne Einbettung in die Gesellschaft überlebensfähig sind, bekleidet der gleiche Mensch gleichzeitig verschiedene Rollen. Dabei geht es meistens um widersprüchliche Situationen und deren Interessenverschiebungen. Es kommen sich häufig die Elternrolle in Form der Verantwortung für die

Kinder und die Rollenerwartungen der Ehepartner untereinander oder die des Familienumfeldes in die Quere. Wird man angenommen und anerkannt oder ist man Außenseiter?

Auf das Berufsleben übertragen durchleben Familienernährer häufig Rollendifferenzierungen und müssen damit einhergehende Probleme als Konsenslösung meistern. Zweigstellen- und Abteilungsleiter (mittleres Management) sind ihren eigenen Vorgesetzten verpflichtet und tragen gleichzeitig Verantwortung für ihre Mitarbeiter. Daraus entsteht die Gefahr, dass es - gleichgültig auf welcher Seite man sich befindet - immer differenzierte Erwartungen gibt, die man entweder nicht erkennt oder Angst davor hat und deshalb die Augen verschließt. Immer unterliegen Vorgesetzte den gleichen Sach- und Führungszwängen wie ihre Mitarbeiter ihnen gegenüber. Letztendlich gibt es stets vergleichbare Probleme - allerdings auf unterschiedlichen Niveaus. Mit der Anzahl der Erlebniswelten (z.B. privat, beruflich und gesellschaftlich) wachsen die Probleme, die jedermann zu bewältigen hat.

So wie man sich über Menschen beschwert, so klagen diese auch über einen selber. Wenn man ehrlich ist, klagt man nicht über einen Menschen persönlich, sondern im Prinzip über die Probleme unterschiedlicher Ebenen. Es wird immer Situationen geben, in denen Menschen sich in unterschiedlichen Rollenerwartungen viel problematischer sehen als es nach außen sichtbar wird.

C.3.7.3 Im Zwiespalt der Selbstoptimierung

Menschen brauchen Erfolge und suchen nach Mitteln und Wegen, ihr Leben besser gestalten zu können.

Selbstoptimierung ist ein gängiger Schlüssel auf diesem Weg. Man konzentriert sich auf seine Interessen und Vorteile. Solange

Selbstoptimierung ausschließlich auf gesundheitliche Fitness, fachliche und persönliche Akzeptanz ausgerichtet ist, spielt die Intensität ihrer Handhabe für die Außenwelt keine Rolle. Ganz anders verhält es sich, wenn man ohne Rücksicht auf sein Umfeld handelt.

Weil Menschen dazu neigen, ihren Lebenssinn in Allem zu suchen, was verunsichert, erdrückt der Wunsch, erfolgreich und anerkannt sein zu müssen. Anpassung erscheint zweckmäßig, weil sich in einer Massengesellschaft alle gleich anpassen. Man profitiert, wenn man sich anpasst.

Je sicherer und erfolgreicher sich jedoch Menschen nach ihren ersten Optimierungsbemühungen einschätzen, umso starrsinniger werden sie ihr Verhalten in ihre Tagesabläufe übertragen und als persönliches Erkennungsmuster perfektionieren. Es dauert selten lange, bis sich Menschen ausschließlich mit sich selbst befassen und ihrem Selbstoptimierungswahn erliegen,

Dabei überschätzen sie sich häufig und laufen Gefahr, sich zu isolieren, weil sich mit Ausnahme Ihresgleichen kaum jemand mit ihnen identifizieren wird. Übertriebene Selbstoptimierungsaktivitäten kehren meist als Bumerang zurück.

Vorstellungen von einer getakteten Ordnung sind alles andere als selbstverständlich. Der Umgang mit andersempfindenden und andersdenkenden Menschen muss zum Element einer Wende zu Offenheit und Selbstachtung werden.

Dazu gehört die Fähigkeit, sich an seiner Lebensrealität orientieren zu können und eigene Vorurteile bzw. Verurteilungen aufzuheben. Starrsinn und Sturheit sind Vorboten einer Selbstoptimierung, die Menschen nicht nur gegenüber Außenstehenden, sondern auch in der Selbsteinschätzung weniger attraktiv erscheinen lassen. Davon sollte man sich nicht leiten lassen!

Auch ist es für die Entwicklung zur Persönlichkeit nicht förderlich, wenn man blindlings und kritiklos alle Gewohnheiten und Ansagen (beispielsweise der Elterngeneration) übernimmt. Eigenständiges Handeln sollte schon möglich sein. Allerdings muss das das Umfeld bzw. die Gesellschaft zulassen!

Wir müssen uns selbst und miteinander ermutigen, mit Veränderungen umgehen zu können. Man muss mehr Mut haben, zu gewinnen als Angst zu verlieren und sollte sich nicht einreden lassen, dass man etwas nicht kann, was man eigentlich will. Das erfordert, sich selbst zu überprüfen, wieweit man Allergien gegenüber Menschen u/o. Situationen hat und wieweit diese Allergien und Einstellungen das Verhältnis (die Verhältnismäßigkeit) positiv oder störend beeinflussen?

Es lebt sich besser, wenn man sich selbst vertraut und Selbstliebe empfinden kann! Beides ist immens schwierig, aber machbar. Man sollte auch in kritischen Situationen tolerieren, was ist und ehrlich zu sich selbst sein. Die Realität kann man doch nicht ändern! Die Erfahrung lehrt, dass man einer verpassten Chance, einer verlorenen Hoffnung und einer abgelehnten Freundschaft nicht hinterherlaufen soll!

Eine konsequente Anwendung zur Selbstfindung würde bedeuten, dass jeder an sich denkt und demzufolge an alle gedacht ist - eine Moral, die durch überzogene Vorteilsuche ins Chaos führen würde.

Dennoch muss man sich eingestehen, dass Selbstoptimierung in Maßen tolerabel ist, wohingegen ausufernde Übertreibungen zum Bazillus gegen sich selbst reifen.

C.4 Zusammenfassung

Aus den gesammelten Erfahrungen ableiten zu wollen, dass es immer wie beschrieben verlaufen muss, wäre ein Fehler. Es gehört nun einmal zum Alltagsverhalten, auf viele Dinge oberflächlich oder gar nicht zu reagieren - auch dort, wo die Wahrheit wichtig wäre.

Mangelnde Selbstsicherheit und mangelndes Vertrauen sind Gründe, warum sich Menschen zurückziehen und verschließen. Die Mehrheit duckt spätestens bei Meinungsverschiedenheiten ab und zeigt nur selten ihr wahres Gesicht. Man will sich nicht in die Karten schauen lassen und vertuscht oder verschleiert die Wahrheit, indem man in verschiedenen Situationen unterschiedliche Gesichter zeigt. Was hinter verschlossenen Fassaden abläuft, macht Beziehungen anfällig für Misstöne.

Die Frage, wie Konflikte gelöst werden können, hängt von der Bereitschaft und der gegenseitigen positiven Einstellung der Konfliktparteien ab. Perspektivwechsel (sich in die Rolle des Anderen versetzen) vornehmen und Gespräche mit den Betroffenen führen zu können, entschärft die Situation. Setzt man sich an einen Tisch, ändern sich die Bilder im Kopf!

„Halt haben" und „Haltung zeigen" ist besser als Sicherheit. Es ist falsch zu glauben, man sei der jeweils einzig Betroffene. Probleme privater Empfindlichkeiten ähneln sich sosehr, dass man keine Angst haben muss, mit anderen darüber zu sprechen. Allerdings eine auf Ängste ausgerichtete Erziehung und erlebte Erfahrungen sprechen oftmals dagegen.

Dilemmata seines eigenen Handelns kann man nur lösen, wenn man seine eigene Wahrnehmung kritisch hinterfragt. Je größer die in sich gekehrte Offenheit ist, desto besser kann man in seine eigene Zukunft schauen.

Niemand sollte sich einbilden, die rühmliche Ausnahme der beschriebenen Lebenssituationen zu sein. In den meisten Fällen ist es erlebter Alltag. Es mag hilfreich sein, sein Selbstbild nicht nur negativ einzuschätzen.

D Unternehmenswirklichkeiten

Das Management eines Unternehmens bestimmt und formt die Unternehmenswirklichkeit durch Lenken und Gestalten komplexer Ziele und Aufgabenstellungen.

Unternehmensmanagement umfasst alle Aktionen, die auf Unternehmensziele ausgerichtet sind. Dahinter stecken Personal-, Organisations- und Führungsintensives. Das „Management symbolisiert eine in der Unternehmenshierarchie dominierende Rolle. Es erhöht mit seinen Führungskräften durch gruppenorientierte Führung den Entscheidungs-, Kontroll- und Tätigkeitsspielraum seiner Mitarbeiter. Modernes Management verfolgt die Idee, Mitarbeiter sich selbst organisieren zu lassen und ermutigt sie zum Einbringen in bestimmtes Handeln bzw. leitet sie zum selbständigen Arbeiten an. Sachbearbeiter führen nicht mehr nur ihre eigentliche Aufgabe aus und überlassen die Entscheidungen, die dazu gehören, ihren Gruppenleitern.

Generell muss man davon ausgehen, dass es in Unternehmen gegenläufige Interessen gibt, die geprüft und zusammengeführt werden müssen.

Unternehmen haben das Interesse, dass Mitarbeiter möglichst maximale Leistungen bringen, immer auch einen aktuellen Stand ihres Fachwissens haben und dem Unternehmen treu bleiben. Die wichtigsten Interessen der Mitarbeiter(innen) sind interessante Aufgaben, möglichst gut zu verdienen und Aufstiegschancen.

Damit stellt sich die Frage, wie man diese unterschiedlichen facettenartigen Ziele in Einklang bringen kann. Einerseits ist maximale Leistung nicht erreichbar und andererseits kann auch nicht unendlich viel Gehalt gezahlt werden. Man kann diese Situation als Konflikt ansehen und mehr oder weniger hierarchisch austragen und lösen oder als Partnerschaft auffangen, indem beide Seiten (Mitarbeiter und

Unternehmen) versuchen, ihre Interessen in Einklang zu bringen. Manager u/o. Führungskräfte vor Ort übernehmen normalerweise in Einstellungsgesprächen die Verantwortung und müssen sie dann auch managen.

Wer selbstverantwortlich arbeitet und einen Handlungsspielraum hat, muss sich irgendwie selber „managen" und entscheiden, wie er mit diesem Handlungsspielraum umgeht und wie weit jeder Einzelne seine Kompetenzen einschätzt. Diese von der Unternehmensspitze und ihren Managern bewusst eingefädelte Selbstführung bzw. Selbststeuerung ist ein wesentlicher Gesichtspunkt für die Führungspraxis. Nebeneffekte sind die Selbststeuerungsfähigkeit von Mitarbeitern und die Voraussetzung dafür, miteinander in Führungskontakt treten zu können.

Als Folge davon sollte jeder „gescheite Mitarbeiter" in seiner Verantwortung an Ort und Stelle die Kompetenz haben, zu entscheiden, zu planen, zu organisieren und zu kontrollieren. Unter diesem Aspekt ist jeder sich selbst organisierende Mitarbeiter im Rahmen seiner Aufgabenstellung sein eigener „Manager". Dieser Koordinationsaspekt wird häufig übersehen.

„Managen" ist also eine Aufgabe, die nicht nur von dem dafür vorgesehenen entscheidungsbefugten Spitzenpersonen erfüllt wird, sondern von allen dazu fähigen Menschen, die in einem Unternehmen tätig sind. Allerdings werden diese Fähigkeiten in vielen Fällen nicht „abgerufen". Dieses vielfältige „tote Kapital" schlummert noch in vielen Unternehmen!

Der unternehmerische Alltag ist geprägt von zielgerichtetem Führen von Menschen durch Lenken und Gestalten auf unterschiedlichen Unternehmensebenen. Unter dem Mantel erfolgversprechender Strategien ist unternehmerisches Management stets auf Veränderung im Sinne von Verbesserung der jeweiligen Situation ausgerichtet.

Veränderungen können nicht nur durch ausschließliche Kostenreduzierungen erfolgreich vollzogen werden. Das erfordert mehr. Durch Konzentration der vorhandenen Kräfte müssen Ziele wie Kostenvorteile, Flexibilität, Problemlösungsgeschwindigkeit und Marktstärke stets verfolgt werden. Es ist davon auszugehen, dass sich die Änderungsgeschwindigkeit ständig erhöht.

Wieweit dabei taktische und/oder strategische Entscheidungen durchschaubar und nachvollziehbar sind oder hinter Fassaden vernebeln, mag dahingestellt sein. Wenn Unternehmen sich ungern in die Karten schauen lassen, kann man von Fassadenmanagement sprechen. Was Unternehmensspitzen predigen wird häufig im Unternehmensalltag vergessen. Sie selber trinken Wein und verteilen Wasser nach unten.

Die Vorstellung, Fassadeneffekte seien nur dem Topmanagement oder deren hauptverantwortlichen Managern vorbehalten, ist falsch.

Wer selbstverantwortlich arbeitet und einen Handlungsspielraum hat, muss sich irgendwie selber entscheiden, wie er mit diesem Handlungsspielraum umgeht. Fassadenmanagement beschränkt sich nicht nur auf die Manager, sondern ist auf allen Unternehmensebenen möglich und üblich. Welche Rolle dabei Bluff spielt, hängt vom Selbstverständnis der Unternehmensinhaber, der Vorgesetzten und deren Mitarbeiter ab. Größere Wirkungseffekte können sicher die mit Verantwortung und entsprechenden Freiräumen ausgestatteten Führungskräfte erzielen.

Alle aufzuzeigenden Aspekte müssen keine Fassaden sein. Sie können jedoch durch Menschenhand zu Fassaden entarten!

D.1 Stimmungsbilder aus der Unternehmenswelt

„Bilder" vermitteln assoziativen Zugang zu Interpretationsspielräumen auf der Suche nach Orientierung. Damit sind sie Hilfen für anstehende Entscheidungen und deren Umsetzungen in die Praxis.

Unternehmen sind erfolgreich, wenn es gelingt, Unternehmer, Manager und Mitarbeiter wie auch Innen- und Außenwelt als ihre bestimmenden „Identitätsmerkmale" in Einklang zu bringen. Je stärker Identität mit Image- und Erfolgsdruck konfrontiert wird, desto häufiger stellen sich Selbstzweifel ein. Selbstzweifel sind keine Krankheit. Man muss aber darauf achten, dass aus ständigem Bewusstmachen keine Krankheit wird!

„Selbstausbeutung" als Problem wird meist im Nachhinein wahrgenommen, wohingegen das Gefühl der „Fremdausbeutung" (als Unternehmensinhaber, deren Manager und Vorgesetzten, Mitarbeiter, Kollegen, Kunden usw.) im Unternehmensalltag unmittelbar aus der jeweiligen Situation heraus empfunden wird. Selbstzweifel können zu unterschiedlichen Zeiten und in unterschiedlicher Stärke auftreten.

Da die Herausforderungen beim Managen von Unternehmen groß sind, müssen Motivation, Identifikation und Kooperation gestärkt werden. Dazu braucht man ein allseits gegenseitiges positives Bild. Weil die Bedeutung (nicht die Wertschätzung) der Arbeit selbst für den Einzelnen steigt, wird es für Menschen immer wichtiger, dass sie anspruchsvolle, sinnvolle und interessante Aufgaben haben.

Arbeitsprozesse erfordern unterschiedliche Einflussnahmen, die Anreize für Qualität, Leistungsmotivation und Sozialverhalten bieten. Fühlen sich Mitarbeiter ungerecht behandelt, ist das meistens darauf zurückzuführen, dass die Leistungsmotivation „im Getriebe" nicht beachteter Sonderfaktoren versandet. Daraus folgen unterschiedliche Wirkungen auf Loyalität, Akzeptanz, Identifikation und Kooperationsbereitschaft. Normalerweise schweißt die Sozialfunktion der Verbundenheit Menschen zusammen. Wirkungsketten wie beschrieben erschweren es, Anreize jeweils nur aus einem Blickwinkel anbieten zu können.

Auch wird das Leistungsvermögen von Mitarbeitern nicht immer optimal genutzt. Man kann auf Dauer nicht gegen die Fähigkeiten und Bedürfnisse seiner Mitarbeiter arbeiten und gleichzeitig Leistung realisieren wollen.

Unabhängig, welche Aufgaben oder Arbeiten auszuführen sind, Wechselwirkungen zwischen Qualifikation und Motivation dürfen auf keinen Fall übersehen werden. Bei der Qualifikation geht es um Fähigkeiten innerhalb eines Arbeitsgebietes, bei der Motivation dagegen um die Bereitschaft, Leistung zu erbringen.

Die Vorstellung, dass Big Bosse stets logisch denken und handeln, ist ein Irrtum[26]. Sie vergewissern und rückversichern sich wie es jeder normale Mensch auch tun würde - nur eben auf einem höheren Konzentrationsniveau.

Mitarbeiter können mehr Leistung erbringen und mit ihrer Arbeit wachsen, wenn man ihre Handlungsmöglichkeiten oder Handlungsbedingungen verbessert. Das Wichtigste überhaupt ist die Chance, die jemand bekommt, um Leistung erbringen zu können. Andernfalls entsteht Frust. Häufigstes Beispiel geben Mitarbeiter, die nicht ihren Fähigkeiten entsprechend eingesetzt werden. Ihre ursprünglich vorhandene Motivation sinkt - ihre Identifizierung mit der Arbeit geht verloren, die eigentlich mögliche Leistung wird nicht erbracht!

Nicht selten versuchen Vorstände und Manager, ihre Meinungen und Interessen durchzusetzen, ohne an die Wirkungen auf ihre eigentlichen

---

[26] Siehe C.3.7.1 „Zur Interdependenz zwischen Emotion und Vernunft“

Gesprächspartner (Mitarbeiter) zu denken. Die Leistungsmotivation kann allerdings noch so stark sein - eine Erfolgsgarantie ist sie nicht!

Abschließend sei darauf hingewiesen, dass erhebliche Abhängigkeiten zwischen dem Staat als Gesetzgeber und seinen Bürgern bestehen. Allein schon durch das Steuermonopol werden Handlungsspielräume von Arbeitgebern, Arbeitnehmern und Staatsbediensteten beeinflusst.[27]

D.2 Identitäts- und Authentizitätsoptionen

Jeder, der kommuniziert, verfolgt bewusst oder unbewusst Ziele, die seine privaten, beruflichen und gesellschaftlichen Interessen betreffen oder wechselwirksam zwischen seinen Erlebniswelten liegend geäußert werden. Die Intensität dieser Aktivitätengesamtheit ist verantwortlich für den persönlichen Erfolg oder Misserfolg. Mitentscheidend für zufriedenstellende Ergebnisse sind Lernbereitschaft und Lernfähigkeit der involvierten Menschen.

D.2.1 Lernprozesse als Identitätsmechanismen

Lernen heißt Aufnehmen und Speichern von Inhalten, Fertigkeiten und Gefühlen. Dabei spielen Verknüpfungen eine wichtige Rolle, weil sie Aufmerksamkeit fördern und Motivation und Identifikation begünstigen. Das geschieht durch Lernprozesse, die keine Entscheidungsprozesse sind, sondern diesen vorausgehen. Hintergründig finden in jeder Kommunikation sowohl beim Sender als auch beim Empfänger Lernprozesse statt. Wer optimal kommunizieren will, der sollte situationsbedingt argumentieren und handeln.

---

[27] Siehe E. „Gesellschaftspolitische Perspektiven“

Folgerichtiges Denken ist nicht ausschließlich lineares Denken. Linear sich aufbauende Abläufe spielen in ihrer Gänze wie auch einzeln für die praktische Umsetzung eine geringere Rolle als Transformationsarbeit, die geleistet werden muss. Lineare und wechselseitige Denkschemata werden am Beispiel von Lernprozessen beschrieben.

D.2.1.1 Lineare Denk- und Lernverknüpfungen

Klassisch herkömmliches Denken ist analytisch (linear: starr) einseitig ausgerichtet. Typisch sind lineare Denkstrukturen und Abhängigkeiten („Wenn, dann...Abläufe").

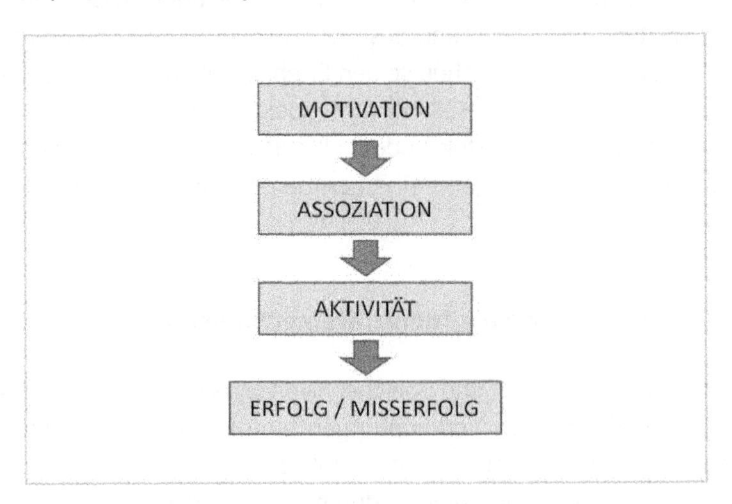

Abbildung 2: Lineare Prozessfaktoren

Die allein lineare Denkausrichtung (Motivation > Assoziation > Aktivität > usw.) reicht nicht aus, um Identität zu erzeugen. Häufig bereiten sich Menschen in einem rational linearen systematischen Sinne vor. So scherzhaft es klingen mag, auf diese Weise lassen sich auch Affen trainieren!

Das ist ein Kernproblem vieler Manager, wenn sie reaktiv handeln. Reaktiv heißt, dass sie erst dann anfangen, etwas zu ändern, wenn das Kind in den Brunnen gefallen ist. Sie bauen nicht Problemlösungskompetenzen vorausschauend auf, sondern warten, bis irgendetwas kracht.

D.2.1.2 Interdependente Faktorverknüpfungen

Man ist solange in klassische Denkstrukturen eingebunden, bis man feststellt, dass es sich im normalen Leben überwiegend um Netzwerkverbindungen handelt - also um ein Denken in Kreisläufen und Wechselbeziehungen.

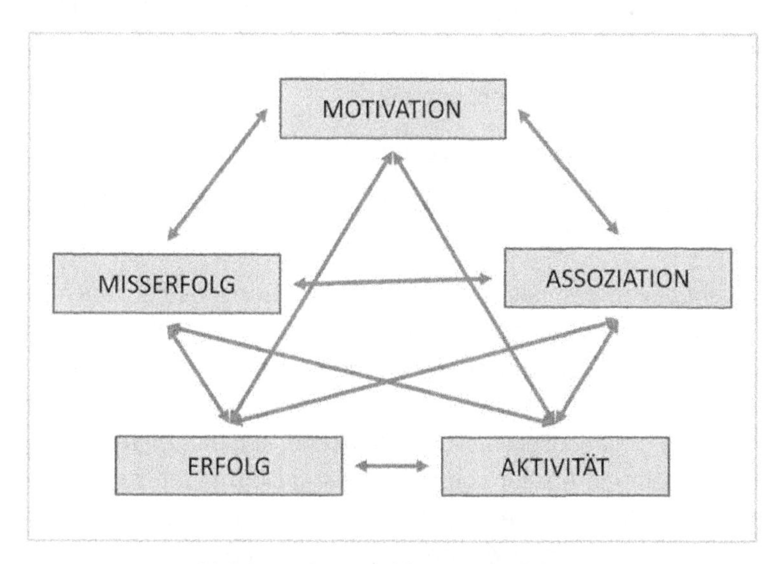

Abbildung 3: Variable Prozessfaktoren

Mit zunehmender Frequentierung und Nutzung unterschiedlicher Lernkomponenten nimmt die Langzeitwirkung zu. Es entstehen

Situationen, die Identität und Authentizität stiften. Dazu sind wechselseitige Faktorkombinationen zwischen den jeweiligen Komponenten. (im Beispiel Motivation < > Aktivität oder Assoziation < > Erfolg oder Erfolg > < Motivation usw.) notwendig. Will man erfolgswirksam lernen, muss in Vernetzungen gedacht werden. Solche prozesshaften Betrachtungen sind nicht nur auf Unternehmensführung beschränkt, sondern ganz allgemein im Geschäfts- und Privatleben immer bedeutsamer.

D.2.1.3 Konsequenzen für Organisation und Management

Um Auswirkungen linearer und interdependenter Wirkungsketten auf das Unternehmensmanagement aufzeigen und implementieren zu können, werden

1. Gesamtzusammenhänge und
2. Ursache-Wirkungs-Beziehungen

hinterfragt. Das Wissen darüber schützt vor Kommunikationsfallen und stärkt das Persönlichkeitsprofil.

Man geht davon aus, dass Netzwerke nicht linear verlaufen, auch nicht mehr linear gesteuert werden können und nicht mehr voll beherrschbar sind. Daraus ist abzuleiten, dass auch Entwicklung nicht kontinuierlich verläuft, sondern Brüche aufweist. Wer Erfolge erzielen möchte, der muss transformationsbewusst handeln und kommunizieren können. Dahinter steht die Abkehr von rein linearem Denken hin zu einer eher vernetzten Denke. Die wahren Wirkungszusammenhänge sind Wechselwirkungen der jeweiligen Prozessfaktoren.

Die beschriebenen Verknüpfungsparameter können auf die Vielfalt der Unternehmensszenerie übertragen werden. Es spricht für Kreativität, wenn Menschen ihre Kommunikation assoziativ durch erlebte oder erlebnisgerichtete Bilder (Sprache) anreichern können. Das weckt Aufmerksamkeit und dient einer besseren Verständigung mit höherem Behaltenswert (Langzeitwirkung).

Darüber hinaus muss erkannt werden, dass die klassische Managementdenke analytisch angelegt ist. Die entsprechenden Empfehlungen an Unternehmensleitungen lauten: Zunächst die Unternehmensphilosophie definieren, dann Ziele und Strategien, die zu diesen Zielen führen, festlegen, um anschließend nach und nach alles Weitere (z.B. Personal, die Art der Führung usw.) anzupassen. Das ist klassisch hierarchisches Denken.

In der Zwischenzeit wird dieser rein lineare Ableitungszusammenhang (oben die Philosophie, unten die Handlungen) im modernen Management nicht mehr priorisiert. Man betrachtet Prozesse eher aus Sicht und im Sinne von Netzwerken. Ein Netzwerk besteht im Unterschied zur Hierarchie aus wechselwirksamen Verknüpfungen, weshalb in Unternehmen weniger lineare Zusammenhänge gelebt und umgesetzt werden.

Beispielsweise besteht zwischen Leistung und Zufriedenheit kein linearer Zusammenhang, sondern eine Wechselwirkung. Erhöht man die Leistung, erhöht man auch die Zufriedenheit und schafft damit wieder bessere Voraussetzungen für die nächste Leistungsperiode oder umgekehrt.

Aus Kenntnis solcher Zusammenhänge sollte jeder verantwortliche Manager überlegen, was bei plötzlich entschiedenen Maßnahmen (z.B. Kostenreduzierungsprogramme oder Produktveränderungen) in der Belegschaft passiert. Seine Entscheidungen mögen kurzfristig positive Ergebnisse bringen. Sie haben aber häufig langfristig zur Folge, dass die Sozialstruktur eines Unternehmens zerbricht und sich Motivationsdefizite aufbauschen, die wiederum auf die Leistung zurückführen. Man unterschätzt die Reformwirkung von Veränderungen. Wenn man nicht alle Auswirkungen geplanter

Maßnahmen bedenkt, reduzieren sich im Kern logisch begründete Argumente zu Fassadenfehlleitungen.

Interdependenz ist ein Aspekt des Denkens in Netzwerken - also nicht mehr nur reines „Wenn/Dann-Denken", sondern Wechselwirkungen in allen Unternehmensaktivitäten berücksichtigen und einkalkulieren.

Der zweite Aspekt ist im Vergleich zur Hierarchie zu sehen und für das Managen von Unternehmen unheimlich wichtig. Es gibt keine Hierarchie per se mehr. In einem Netzwerk bilden sich zwar Hierarchien, aber sie verändern sich immer wieder - und zwar in Abhängigkeit von den zu lösenden Problemen.

Wollen Unternehmen erfolgreich sein, müssen sie Hierarchien problemspezifisch organisieren, weil es unrealistisch ist, anzunehmen, dass eine einzige Hierarchie für alle Unternehmensprobleme die richtige Lösung ist. Unternehmen, die mit Hilfe ihrer Organisation dezentralisieren, verfolgen das Ziel, dass die meist noch vorherrschende pyramidenähnliche Hierarchie schwächer wird oder stark abnimmt. Modernes Management weicht von starren Hierarchiekonzepten ab.

Netzwerke sind nützlicher als Hierarchiebindungen. Sie verteilen sich situativ über das ganze Unternehmen. Unternehmen, die auf Pozessmanagement setzen, fokussieren sich auf Selbstorganisation und Delegation. Sie versuchen, ihre Alltagsorganisation flexibel zu gestalten. Dabei entsteht das Problem, dafür sorgen zu müssen, dass sinnvolle und zielgerichtete Hierarchien entstehen können. Ihre Organisationen zeichnen sich durch veränderliche Hierarchien und sich daraus ergebende Abhängigkeiten in Form von Wechselwirkungen zwischen Führungskräften und Mitarbeitern aus. Dabei ist wichtig, darauf zu achten, dass es innerhalb der Organisation weniger festgefahrene Hierarchien gibt. Aufgabe von Organisation ist es, zu zeigen, wie man Teams situativ entwickeln und Hierarchien aufbauen kann, die funktional sind und sich in Abhängigkeit zu den anstehenden

Problemen verändern. Man sucht sich immer wieder eine neue Hierarchie und damit neue Gruppenmitglieder und einen neuen Teamleiter.

Damit tun sich viele Führungskräfte schwer. Sie rechnen sich gewisse „Erbrechte" auf Führerschaft aus, wenn sie einmal ein Projekt geleitet haben, obwohl sie für die nächste rein fachliche Aufgabe nicht unbedingt die Qualifikation als Leiter haben. Auch sollte man nicht übersehen, dass hierarchiegewohnte Chefs befürchten, ihre eigenen Mitarbeiter oder Mitarbeiter anderer auf einer niedrigeren Hierarchieebene als sie selbst könnten plötzlich als Experten auftreten und das Sagen haben. Das ist ein fälschlicherweise häufig übersehener Grund, warum altbackene Führungskräfte mit ihrem Führungsanspruch, der aus der „Machthierarchie" abgeleitet wird, mit wechselnden Aufgabenhierarchien schwer zurechtkommen. Sie sind häufig nicht auf der Höhe der Zeit und wollen die Realität nicht wahrnehmen. Floatende Hierarchien beunruhigen ältere Vorgesetzte. Sie fühlen sich bloßgestellt. und rufen deshalb Widerstand hervor.

Mit zunehmender Bedeutung von Netzwerken verteilen sich Hierarchien über das ganze Unternehmen. Ganz ohne Hierarchie geht es auch nicht! Es gibt immer eine Hierarchie, aber es sind immer (auch bei flexiblen Projektorganisationen) neue Hierarchien zu neuen Aufgaben und Problemen.

Insofern spielt das Denken und Handeln in Netzstrukturen eine wichtige Rolle für die Bewusstseinsbildung von Führungskräften und Mitarbeitern. Das bestätigt sich u.a. darin, dass sehr häufig Probleme weder in Hierarchien noch in einzelnen Arbeitsgruppen gelöst werden können, sondern in Netzwerken, die sich quer durch das ganze Unternehmen spannen. Wenn im operativen Bereich Organisationsprozesse nicht netzwerkartig laufen, ist das Topmanagement in einer schlechten Position. Auch deshalb spielen Netzwerke eine unverzichtbare Rolle.

Wer Anerkennung und Erfolge erzielen möchte, der muss transformationsbewusst handeln und kommunizieren. Ausschließlich starre Hierarchien sind kaum noch überlebensfähig. Wechselnde Aufgabenhierarchien können herkömmliche Machtstrukturen ablösen. Dabei spielen Interaktionen, die überall im Unternehmen und zu jeder Zeit stattfinden, eine wichtige Rolle.

D.2.2 Taktik und Strategie

Strategisches Management ist eine langfristige Orientierung an Fähigkeiten oder Ressourcen eines Unternehmens in einem Drei- bis circa Fünf-Jahres-Zeitraum. Ziel ist, langfristig Wettbewerbsvorteile gegenüber der Konkurrenz zu erzielen. Welche Strategie (Verkaufsstrategien wie Qualitätsführerschaft, Kostenführerschaft oder Nischenführerschaft usw.) man verfolgt, Qualität und Preise sind fast immer Gründe für Kaufentscheidungen.

Meistens lässt sich nicht vermeiden, mit der Realisierung von Strategien grundsätzliche und als gravierend empfundene Veränderungen durchzusetzen (Big Bang). Allerdings scheitern die Bemühungen häufig an unternehmensintern kurzfristig maximierten Perspektiven (Fassaden).

Wer langfristig Unternehmen oder Unternehmenseinheiten steuert, der muss darauf achten, dass er später nicht bestraft wird!

Taktische Ausrichtungen sind kurzfristiger Natur. Sie spielen eine Rolle bei der Umsetzung getroffener Entscheidungen, die nach außen möglichst Situation-gerecht wirken sollen. Taktisch überlegt man, was situativ am besten ist, um ein Ziel zu erreichen. Letztendlich will man werbewirksamer sein als seine Mitbewerber.

Taktische Handlungen sind teils verschleiernde oftmals mit Raffinesse begleitete kurzfristige Reaktionen auf sich ändernde Marktgegebenheiten.

Strategie und Taktik verkörpern Fassaden, hinter denen man sein wahres Gesicht zeigen, aber auch verstecken kann: Zur erfolgreichen Umsetzung strategischer Entscheidungen bedarf es taktischer Geschmeidigkeit! Wer glaubwürdig sein will, der folge seinen Ankündigungen!

D.2.2.1 Taktisch-strategische Blockadehaltungen

Blockaden können gegen Etwas gerichtet sein. Sie können aber auch Teil einer bewusst eingesetzten Strategie sein.

Ein Kernübel unternehmerischen Handelns ist das Festhalten an überholten Strukturen auf Basis alteingewöhnter Verhaltensriten oder alter Verträge. Insbesondere staatliche Monopolunternehmen verharren in alten personellen Besitzständen und blockieren häufig notwendige Veränderungen. Altgediente Manager trüben Stimmungen ein und verursachen Millionenbeträge auf Kosten alter Zöpfe, die längst überholt sein sollten.

D.2.2.2 „Lean" - ein richtungsweisender Fassadenkult?

Alle anfänglichen Überlegungen zum Leanmanagement konzentrierten sich auf die Produktion in Unternehmen - im abgeschwächter Form auch auf andere Branchen.

Es war Ferdinand Piech, der in Deutschland VW Leanmanagement „verordnete". Er deklarierte Zeitvorteile als den wichtigsten kostensenkenden Wettbewerbsvorteil gegenüber Wettbewerbern in der Automobilbranche. Die Zeit ist im Verständnis der „Leanproduction" eine entscheidende Variable, weil sich Entwicklungszyklen und Produktionszyklen verkürzen.

Es dauerte nicht lange, bis Piech's strategische Überlegungen von der Mehrzahl deutscher Autobauer als richtungsweisend übernommen wurden. Kostensenkende Wettbewerbsvorteile wurden als Fassade für kurzfristige Gewinnausrichtung aufgerichtet, ohne den längerfristigen Flurschaden bei den Mitarbeitern zu berücksichtigen. Arbeitnehmer fürchteten den Abbau ihrer Arbeitsplätze.

Leanmanagement beschränkte sich nicht nur auf getaktete Fließbandfertigung, sondern sorgte für erhebliche Unruhe, weil die zunächst unternehmensinternen Produktionsabläufe durch außenstehende Zulieferbetriebe in die Produktionskette eingebunden wurden, so dass nur noch die Endfabrikation im Ursprungsunternehmen erfolgte.

Die ökonomischen Vorteile liegen auf der Hand. Als marktbeherrschende Großunternehmen wird man bei Zulieferern deren Einstandspreise stark beeinflussen können. Heute bezeichnet man derartige Strategien als Outsourcen.

Andererseits besteht die Gefahr, von globalen wirtschaftlichen und/oder politischen Veränderungen oder sich verschlechternden Situationen innerhalb der Wertschöpfungskette überrascht zu werden (siehe Coronapandemie). Weltpolitische Unsicherheit oder der Kollaps eines Zulieferers können zu Produktionsunterbrechungen bis hin zu Produktionsausfällen führen. Vielleicht möchte man dann gerne etwas zurückschrauben, obwohl man es doch nicht mehr kann.

D.3 Selfmanagement im Führungskollektiv

Vorstände verstehen sich in der Rolle als Entscheidungsträger. Sie und ihre Topmanager - insbesondere von Großkonzernen - suchen sich ihr eigenes Lebensmilieu und leben ihre Eigenart, die von ihrer jeweiligen Betrachtungsweise abhängt. Die Wertschätzung ihrer teils radikalen „Einzigartigkeit" wird anerkannt und auch als solche bewertet.

D.3.1 Milieu-Dominanz - ein weitverbreitetes Sicherheitspolster

Mit Ausnahme wirklicher Führungspersönlichkeiten halten sich die meisten Manager für geeignet und furchtlos gegenüber neuen Situationen. Sie sind überzeugt, zu den Privilegierten zu gehören, die gut mit Risiken umgehen können und ausschließlich erfolgsorientiert handeln. Auch sie streben danach, in einem besseren Licht zu stehen als es der Wirklichkeit entspricht.

Im „bewussten Vertuschen von Tatsachen" unterscheiden sich Menschen nicht wesentlich. Aus Angst, in ihren Gedanken und Handlungen durchschaut und angreifbar zu werden, spielen sie in Zweifelsfällen mit „verdeckten Karten". Auch wenn sie im kollegialen Innenverhältnis verbitterte Konkurrenten sind, werden sie dies nur selten nach außen tragen und zeigen.

Außenstehende dagegen, die nicht so sind wie sie selbst und nicht auf ihrer Wellenlänge liegen, werden als weniger erfolgreich angesehen und insgeheim ausgegrenzt. Man ist untereinander nach Innen gekehrt und will mit „Außenseitern" nicht viel zu tun haben. Auch das wird niemand öffentlich zugeben.

Manager, die sich so verhalten, unterliegen dem „Irrglauben", ihre Erfolge in erster Linie durch eigenes Können und eigene Anstrengungen erreicht zu haben. Das „Ego" der Alphatiere als

Platzhirsche ist groß. Gleiches trifft auf ihnen nahestehende Personengruppen zu. Sie alle zeichnen sich durch die Energie ihrer Kollektivhebel aus! Vorstände, die sich in Sicherheit wägen, benehmen sich häufig nicht so, wie sie sich benehmen sollten.

Obwohl Niemand als Manager geboren wird, treten Spitzenmanager (auch Spitzenpolitiker) häufig als eiskalt selbstverliebte Menschen auf, die vorzugeben versuchen, authentisch zu sein.

Sie sorgen dafür, dass es in ihrer selbst verordneten Welt im Sinne ihrer Interessen untereinander gut läuft. In ihrer Außenwirkung soll für alle sichtbar werden, dass sie anders (elitär) als die Anderen sind und sich demzufolge berechtigterweise abheben. Im Innercircle dagegen ist nahezu jedes Vorstandsmitglied darauf bedacht, sich gegenüber seinen Kollegen wie auch hausintern sichtbar zu „zeigen" und nach Möglichkeit zu profilieren. Ihr Innenverhältnis stimmt selten mit dem prognostizierten Außenverhältnis überein. Im Außenverhältnis versuchen sie den Eindruck zu vermitteln, untereinander an einem Strang zu ziehen und dass Alles in Ordnung sei.

Erfolg gewohnte Spitzenmanager sonnen sich gerne im Erfolg und sind häufig blind gegenüber sich verändernden Entwicklungen. Sie beginnen erst etwas zu ändern, wenn das Kind bereits in den Brunnen gefallen ist. Zuvor verschanzen sie sich hinter der Fassade vergangener Erfolge. Je stärker sie jedoch unter Druck geraten, umso rigider handeln viele. Opfer ist neben den betroffenen Mitarbeitern die mittlere Führungsriege, weil sie „aus Tradition" mit der Umsetzung getroffener Entscheidungen der strategischen Spitze beauftragt und verantwortlich gemacht wird.

Nicht nur Spitzenmanager tun sich schwer, Schwächen oder Fehler einzugestehen, weil das nicht zu ihrem Rollenverständnis passt. A la longue mündet das in eine Verhaltensspirale, in der sie immer stärker ihre Wichtigkeit zu betonen und hervorzuheben bemüht sind. Die soziale Ungerechtigkeit besteht in ihrem Selbstverständnis, dass

Spitzenkräfte keine Fehler machen, geschweige denn zeigen dürfen. Wenn dennoch etwas schief geht, erfinden sie Abwehrmechanismen, die die „Schuldigen herausfiltern".

Manager in ihrer Gesamtheit vergleichen sich untereinander u.a. an Markterfolgen, der Bedeutung ihrer Verantwortung und dem Aspekt der Zeiteffizienz. Das sind Hilfsargumente im Wettstreit ihrer Interessen für eine Fassade, die sie als wichtig erscheinen lässt.

Topmanager erleben sozusagen täglich ihr Machtgerangel und verstricken sich sehr schnell in ihr Selbstbild. Nicht wenige wollen ihren Ehrgeiz stillen. Die Gier nach Aufmerksamkeit bestimmt ihr Verhalten gegenüber sich selbst, ihrer Arbeit und ihren Mitarbeitern.

Alle beschriebenen Situationsmerkmale führen dazu, dass mit Macht ausgestattete Menschen erkennen müssen, eigentlich ständig auf der Flucht vor sich selbst zu sein. „Sie kommen wegen komplexer Alltagswirklichkeiten nicht wirklich zur Besinnung"[28].

D.3.2 Fassaden scheinbarer Objektivität

Wenn Transparenz nicht erkennbar ist bzw. nicht erkennbar werden soll, werden Kulissen mit überzogenen Erwartungen und möglichen Fehlentwicklungen aufgebauscht - Ziele werden zu fassadenförmigen Herausforderungen. Das ist ein Grund, warum man sich hinter Begründungslinien scheinbarer Objektivität verschanzt.

---

[28] Markus Lanz im Gespräch mit Thomas Middelhoff im ZDF am 21.08.2019

D.3.2.1 Mitarbeiterbeurteilungen

Beurteilungen von Menschen sind nie lupenrein objektiv, sondern immer auch subjektiv gefärbt. Das führt entweder zu Konflikten oder zu partnerschaftlichen Lösungen.

Beispielsweise werden Beurteilungen von Mitarbeitern relativ stark beeinflusst vom persönlichen Verhältnis zwischen Vorgesetzten und Mitarbeitern. Der einzige Weg, von subjektiven Einschätzungen durch Vorgesetzte wegzugehen, setzt auf Rückführungen zu Zielvereinbarungen. Die harten Ergebnisse werden als Vergleich zur Vorperiode ausgerechnet. Man zieht die Leistungsabhängigkeit aus dem direkten Vorgesetzten-/Mitarbeiter-Verhältnis heraus und trennt auf diese Weise das Feedbackverhalten von einer harten Übertragung der Leistung. Allerdings muss man sich dann auch darüber im Klaren sein, dass die Beurteilung rein auf Leistung abgestellt ist. Ausschließlich die Leistung bei der Beurteilung heranzuziehen, kann man als fair empfinden oder auch nicht.

Entweder reduziert man sich bei Beurteilungen auf die Basis des abgelaufenen Zeitraumes oder - und das wäre sinnvoller - man ergänzt Beurteilungen um Potentialeinschätzungen. Letzteres stellt Kompetenzprobleme an die Führungskräfte - einerseits eine vergangenheitsbezogene Leistungsbeurteilung und andererseits eine zukunftsorientierte Potenzialbeurteilung durchzuführen, die dann wahrscheinlich wieder auf die Leistungsbeurteilung reflektiert. Das Alles setzt analytische Fähigkeiten bei Vorgesetzten voraus, die durchaus oft auch als Fassade vorgegaukelt werden.

D.3.2.2 Kollektivmanöver als Entscheidungshilfe

Kollektivverhalten ist in allen Lebenssituationen möglich und bietet sich überall an, wo Menschen gemeinschaftliche Interessen verfolgen, insbesondere, wenn sich in Führungsetagen Einfluss und machtpolitische Interessen bündeln. Erscheint Konsens innerhalb der Führungsriege eines Unternehmens nicht erreichbar, sind ernsthafte Auseinandersetzungen innerhalb des Vorstandes nicht selten

Schwierig wird es, wenn Sitzungen in machtpolitische Auseinandersetzungen ausarten. Kann man sich nicht einigen, wird versucht, scheinbar objektiv ein Ergebnis zu erreichen. Man sucht und bedient sich der Autorität eines außenstehenden „objektiven Beraters". Mit solchen „scheinbar objektiven Helfern" werden bekannte Unternehmensberater, Wirtschaftsprüfungsgesellschaften oder anerkannte Professoren beauftragt. Um auf die Raffinesse dieses Vorgehens hinzuweisen, könnte auch von „subjektiver Objektivität" gesprochen werden

Bedauerlicherweise werden diese „Retter der Vernunft" selten mit der praktischen Umsetzung ihrer Analysen beauftragt, sondern lediglich mit der Erstellung eines Konzeptes, das dann von Mitarbeitern des überprüften Unternehmens umgesetzt werden muss. Das ist an sich schon ein Widerspruch. Hinzu kommt, dass auch solche Praktiken als Gewinn für das Unternehmen „verkauft" werden, deren Erfolg häufig von den davon betroffenen Mitarbeitern in Frage gestellt wird, weil die Vertragsanbahnung mit Beratern ausschließlich einseitig von oben erfolgt.

Bei Auswahl der Berater bzw. Coaches wird „naturbedingt" derjenige ausgewählt, der der Erwartungshaltung des Auftraggebers - also des Vorstandes oder seiner Vertrauten - am ehesten entspricht. Die objektiv wirkende Ausrichtung und Ermittlung eines Ergebnisses ist letztlich Mittel zum Zweck - und zwar zur Erreichung des vom Auftraggeber angestrebten Zieles. Es liegt nahe, dass zumindest die Aussicht auf ein erwünschtes Ergebnis ein wichtiger Entscheidungsfaktor für die Vergabe des Prüfauftrages ist. Der

Auftragnehmer wird sozusagen persönlich zugeordnet - als Hilfe zur Erringung einer Entscheidung.

Man versucht, Glaubwürdigkeit und Stimmigkeit mit dem Mantel der Wissenschaft - herbeizuführen und zu begründen, indem man sich des Tricks einer scheinbar objektiv ermittelten Entscheidungsfindung bedient, der sich dann alle zu unterwerfen haben - auch die, die gegenteiliger Meinung sind.

Bei Ermittlung ihrer Datenanalysen als Grundlage für anstehende Neuausrichtungen verkennen Beratungsgesellschaften häufig, welche Schäden ihre „jungen Wilden" - meist überzüchteten praxisfernen Akademiker mit brillanten akademischen Abschlüssen - durch ihr ausschließlich zielgerichtetes Verhalten anrichten. Durch den internen Erfolgsdruck und den Zwang, sich profilieren zu müssen, zeigen die operativ eingesetzten meist noch jungen Prüfer beim Recherchieren gegenüber den Mitarbeitern der zu prüfenden Unternehmen häufig menschenmissachtende Umgangsformen. Es scheint als hätten sie die Fähigkeit zum Verständnis und Mitgefühl für die betroffenen Mitarbeiter verloren, Meistens reduzieren sie sich auf blindes Agieren. Wenn langjährig erfahrene Mitarbeiter in Befragungen regelrecht überfahren und vorgeführt werden, lässt dieses Machtgehabe das Wissen, Fertigkeiten und Erfahrungen der Mitarbeiter zur Nebensache werden und zerstört deren bisher vorhandene Identität und Motivation.

Diese jungen Wilden verdienen zwar enorm, geraten aber selbst unter totalen Stress. In Wirklichkeit müssen sie sich versklavt vorkommen, weil sie jederzeit unerbittlich voll fit zur Stelle sein müssen - auch nachts, wenn sie aus dem Ausland angerufen werden.

Scheinbar objektiv herbeigeführte Lösungen für unternehmensinterne Auseinandersetzungen sind taktisch-strategische Machtmanöver. Vorstände, die Veränderungs- u/o. Reorganisationsstrategien durchführen wollen, taktieren in Zweifelsfällen wie beschrieben. Wollen sie dagegen Entscheidungen verhindern, werden sie

Erschöpfungsstrategien bevorzugen, indem sie Entscheidungen möglichst lange aussitzen und hinauszögern.

Derartige bewusst aufgetürmte Fassaden führen unausweichlich zur Verschlechterung bestehender zwischenmenschlicher Beziehungen in Unternehmen. Machthungrige Mitglieder in Führungsgremien begründen und verschanzen sich hinter dem Scheinargument, man müsse doch aus Angst vor dem Risiko einer nach Außen wirkenden Blamage, entscheidungsunfähig zu wirken, objektiv und nachvollziehbar eine Entscheidung herbeiführen. Um nicht aufgrund des täglich erlebten Erfolgsdruckes in Angst leben zu müssen und Imageverluste zu vermeiden, versuchen Vorstände mit aller Macht zu retten, was zu retten ist. Sie hoffen, befürchteten Entwicklungen entgegenwirken zu können und sich selbst als erfolgreich dazustehen.

Auf das Shareholder-Value Debakel[29] sei hingewiesen. Glaubwürdigkeit und Identität vieler Mitarbeiter mit ihrer Unternehmensführung gehen verloren, wenn Vorstände geradezu rücksichtslos Gewinnmaximierung betreiben und dafür als Anerkennung für Mitarbeiter nicht mehr nachvollziehbare Tantiemen einstreichen.

D.3.3 Gewöhnungsbedürftige Rituale

In Handwerk, Einzelhandel und Familienunternehmen arbeiten ca. 80% der Bevölkerung. Dennoch wird in Presse und Rundfunk überwiegend aus Großunternehmen und Großindustrie berichtet. Viele Spitzenmanager begreifen nicht oder wollen nicht begreifen, was sich im Mittelstand und an der Basis abspielt. Von den kleinen Leuten und den Mittelständlern kriegen sie kaum noch etwas mit.

---

[29] Siehe D.5.1.2

Wer seinen Beruf ernst nimmt, hat eine gewisse Ethik, Moral und Verantwortung. Dies trifft auf Mitarbeiterinnen und Mitarbeiter zu und sollte stärker Manager und Führungskräfte betreffen, weil sie die Initiatoren und Gestalter der Führungsarbeit sind. Die Vorstellung einer stets heilen Welt ist allerdings Utopie.

Entscheidender Hebel zum Erfolg ist Kommunikation. Sie umfasst die Innen- und Außenwelt von Unternehmen sowie deren jeweilige Verzahnungen.

In der Eintrittsphase neuer Mitarbeiter in ein Unternehmen entsteht häufig ein Spannungsaufbau zwischen Erwartungen und Ängsten seitens der Unternehmen und der neuen Mitarbeiter aufgrund ihres jeweiligen Anspruchsniveaus.

In Bewerbungs- und Einstellungsgesprächen werden Anforderungskriterien und Erwartungen besonders hervorgehoben. Einstiege neuer Mitarbeiter werden von hausspezifischen Einarbeitungsriten und Gewohnheiten bestimmt.

Zunächst werden meist „Löcher gestopft" mit der Folge, dass die Neuen entweder unter- oder überfordert werden, obwohl man insbesondere für die äußerst wichtige Einarbeitungsphase genügend Zeit verspricht. Vieles von dem, was man verspricht, wird nicht eingehalten. Einbindung in laufende Projektarbeiten, Kontakte weiterreichen oder Patenschaften außerhalb der direkten hierarchischen Linie sind selten. Die Wirklichkeit „überrollt" die Neuen mit Aufgaben, denen sie meist nicht gewachsen sind. Frust über nicht erfüllte Hoffnungen macht sich breit. Was häufig zu kurz kommt, ist die soziale Integration, damit der Neue schnell auch Kontakte kriegt und nicht gleich am Anfang isoliert ist.

Junge Mitarbeiter(innen) müssen nicht selten Arbeiten ausüben, für die sie überqualifiziert sind. Man verlangt dies mit dem freundlichen Argument, sie müssten Alles kennenlernen; mit dem weniger freundlichen Argument, man müsse sich in die Rituale des Hauses einfinden. „Sie müssen das Spiel so spielen, wie wir es wollen."

Liest man die vielversprechenden Stellenanzeigen, ahnt man schon, wie weit die dort aufgezeigten Erwartungen von der Realität entfernt sind. Umgekehrt gilt das auch für Bewerber, die sich von ihrer besten Seite zu verkaufen versuchen.

Weitaus besser und effizienter wäre es, Bewerbungsgespräche nicht in Bezug auf eine ausgeschriebene Stelle zu führen, sondern hinsichtlich der Frage nach dem bestmöglichen Einsatz im Unternehmen. Insofern ist Vieles Fassade, was sich so selbstverständlich anhört!

Manager und Führungskräfte stehen unter enormen Leistungsdruck oder werden mit Aufgaben zugeschüttet mit der Folge, ständiger Kritik ausgesetzt zu werden. *Es ist ihre Aufgabe, Bedingungen zu schaffen, unter denen Mitarbeiter möglichst gerne Leistungen erbringen und gleichzeitig wirtschaftliche Erfolge erzielt werden.*

Von Mitarbeitern wird gefordert, dass sie optimale Leistungen im Rahmen ihres Leistungsvermögens erbringen. Dazu sind sie bereit, wenn sie sich in ihrem Arbeitsalltag wohlfühlen.

Man kann auf Dauer nicht gegen die Fähigkeiten und Bedürfnisse seiner Mitarbeiter arbeiten und gleichzeitig Leistung realisieren wollen. Wieweit das gelingt, hängt von Rahmenbedingungen ab, die über Erfolg oder Misserfolg entscheiden.

D.3.4 Inszenierte Spielregeln - ein Führungsphänomen?

Wer etwas auf sich hält und mitreden möchte, braucht Informationen oder eine an Unverfrorenheit nicht mehr zu überbietende Selbstglorifizierung.

D.3.4.1 „Vererbte" Arroganz

Das Wichtigste im Leben eines Managers ist, besser informiert zu sein als alle anderen. Das setzt voraus, über ein Netz aus vertrauensvollen und fachkundigen Menschen verfügen zu können, um zum richtigen Zeitpunkt die richtigen Leute zu kennen. Solche „Außencircle" zeichnen sich durch ihre Besonderheiten aus.

Lebenslange Freundschaften und Informationsquellen bilden sich bereits in der Zeit vor Eintritt ins Berufsleben. Auf die Unterstützung solcher „privater Zirkel" kann man bauen. Sie können bei Lösungen anstehender Probleme hilfreich und von Vorteil sein. Sehr gute Kontakte sind sehr viel wert und manchmal unbezahlbar.

„Adel verpflichtet" signalisiert eines der bekanntesten Netzwerke. Solche Hintergründe rühren aus der Vergangenheit her und werden bevorzugt als persönliche Beratungshilfe bei anstehenden Entscheidungen herangezogen, ohne dass dies für Außenstehende bewusst sichtbar gemacht wird. Man will ritualisierte Besitzstände retten (insbesondere Damen der älteren Generation geht es oft aus Prestige-gründen nur um ihren Namen als Aushängeschild) und bleibt im Sinne einer moralischen Überheblichkeit unter sich. „Beziehungen sind Alles" - "Seilschaften" drückt genau das aus. Sie wissen nur, dass es die Anderen gibt! Man behandelt „Außenstehende" anders und lebt diese Eigenschaft auch nach außen. Diese Art von Abgehobenheit wird via Herkunft mit- und weitergegeben.

Typische Beziehungsgeflechte sind studentische Ehemaligen-organisationen führender Hochschulen (Alumni als offizielle Ehemailgenorganisation der Universität St. Gallen), Schulabschlüsse an Eliteschulen, „alte" Herren aus studentischen Verbindungen oder Repräsentanten angesehener Traditionsfirmen. Nicht unerwähnt bleiben sollten Sportvereine wie Ruderclubs, denen man eine besondere unter-stützende lebenslange Verbundenheit zu ihren

Mitgliedern nachsagt. Sie alle zeichnet elitäres Selbstbewusstsein und gegenseitige Solidarität aus. Ihre Legitimation ist die systemische Sichtweise aus bestimmten Identitäten.

Wer eine solche ihn fördernde Vergangenheit nicht aufweisen kann, der muss seine Fühler in der realen Welt des Berufsalltags ausstrecken, nach möglichen Mitstreitern und Unterstützern suchen und selber aktiv werden.

Erfolgreiche Networker bedienen sich vieler Informationsträger. Sie wissen, wo Meinungen gebildet werden, wie Beziehungen verlaufen und wo die Machtzentren liegen. Sie kennen eine ganze Menge informeller Kanäle und hören „das Gras wachsen."

D.3.4.2 Informelle Kontakte - Impulsgeber für Networking

Netzwerke können überall vor Ort aus der Situation heraus initiiert werden. Das ist zwar der aufwendigere Weg, aber er ist machbar. Zu Beginn einer solchen Wegstrecke spielen sowohl Anzahl als auch Qualität der Kontakte eine Rolle. Dabei kommt es bei der Anbahnung möglicher Kontakte nicht nur darauf an, dass man über Spezialwissen auf sich als Initiator aufmerksam macht, sondern dass man Verbindungen herstellen und nutzen kann, über die man informell aktuelle Informationen abrufen kann. In dieser „Anlaufphase" sollte man formelle Kontakte begrenzen, wohingegen für ein gut funktionierendes „Networking" informelle Kontakte von besonderer Bedeutung sind. Sie bilden über den eigentlichen Tätigkeitsbereich hinaus die Basis für künftige Netzwerkstrukturen.

Die Intensität und Wirkungskraft neu inszenierter Netzverflechtungen wird zunächst gegenüber etablierten Netzwerken ein Schattendasein führen. Dennoch können ihre Initiatoren auch auf die Gefahr hin, von Anderen belächelt zu werden, stolz sein auf ihr typisches unternehmerisches Urverhalten, ohne allerdings arrogant wirken zu müssen!

D.3.4.3 Ablenkung als Ausweichmanöver

Kaum noch zu überbieten ist die Antwort eines Vertreters einer bekannten Airline auf die Frage eines Hinterbliebenen nach einem Flugzeugabsturz, warum das Schmerzensgeld so niedrig ausgefallen sei: „Die Verunglückten hätten keine Todesangst ausstehen und nicht lange Schmerzen aushalten müssen. Es ging alles ganz schnell, da muss das Schmerzensgeld dann auch nicht so hoch ausfallen." Wenn man den Schmerz fühlt, der sich nicht bemessen lässt, wie erdrückend beschämend ist dann, wohin sich Menschen aus rein wirtschaftlichem Kostendenken verführen lassen und verirren können.

Wenn dieses abschreckende Beispiel auch nicht die Norm ist, gibt es doch genügend Situationen, in denen verblüffende (oftmals nicht wahrheitsgetreue) Behauptungen als Ablenkungsmanöver und reinigender Gewissensbeweis missbraucht werden.

D.3.5 Chefsessel - Orte der Unberechenbarkeit?

Top-Management, Middle-Management und Lower-Management - eine obere, eine mittlere und eine untere Führungsebene - sind Träger unternehmerischer Aktivitäten.

Beim Top-Management ist der Anteil an strategischen Aufgaben relativ hoch und an taktischen gering. Umgekehrt sind beim Middle-Management die taktischen Aufgaben relativ hoch und die strategischen geringer. Im Lower-Management ist von beiden nichts oder wenig (höchstens auf taktischer Ebene) zu finden. Dafür ist aber ein Großteil der Aufgaben rein operativ.

Bevor in Unternehmen überhaupt etwas stattfindet, müssen Manager der oberen und gehobenen mittleren Führungsebenen beim Blick auf das gegenwärtige Geschäft und die Zukunft mit Businessplänen, Corporate Identity, Wirtschaftlichkeitsberechnungen usw. vorweisen, dass es Erfolg verspricht. Insbesondere neue Chefs müssen rechtfertigen, dass sie besser sind als ihre Vorgänger - also verändern sie eingefahrene Abläufe.

Turbulenzen und Hektik im Führungsalltag nehmen zu. Chefs dürfen den Überblick über das Ganze bzw. gegenüber ihrem Verantwortungsbereich nicht verlieren. Bei alledem müssen sie auch noch Dynamik liefern! Das sind Probleme, die dem Druck des Erfolgszwanges unterliegen und Zeit erfordern, die Chefs meist nicht haben. Verantwortung und Erfolgsdruck führen dazu, möglichst schnell Erfolge erzielen zu wollen. Andernfalls wird Druck von oben ausgeübt, indem Konsequenzen angedroht oder Ängste geschürt werden - auch eine Unberechenbarkeit. Dieses Mal aus Sicht des jeweils hierarchisch höher gestellten Chefs, was natürlich nicht ohne Folgen für die von ihm delegierte nächstfolgende Führungsebene sein wird.

Chefs begegnet man auf allen Unternehmensebenen. Je höher sie im Führungsranking stehen, desto größer wird der Druck, der auf ihnen lastet. Auch wenn es für Außenstehende kaum glaubhaft erscheint, warten nicht selten hausinterne Kollegen auf ihren freien Fall.

Außen- und Innendruck erzeugen Stressreaktionen, die von Mitarbeitern oftmals nicht nachvollzogen werden können und als Unberechenbarkeitssymptome ausgelegt werden. Es wäre wert zu wissen, was wirklich wert zu wissen ist. Da jeder Chef seine „übergeordnete Instanz“ hat, befinden sich alle Chefs in einer Sandwichsituation zwischen Zielfixierung und darauf ausgerichteter Führungsarbeit.

Unternehmer sollten nicht nur im Sinne von Wachstum und Menge denken, sondern auch im Sinne von Qualität (letzteres aber nicht im

Sinne eines Marketingbluffs). Alle Chefs müssen erkennen, dass ihr Einfluss sehr groß sein mag. Vergessen sollten sie jedoch niemals, dass ihre Vorgesetzten mit sehr viel mehr Macht und Einfluss ausgestattet sind als sie selbst. Diese Macht ist umso stärker, je straffer ein Unternehmen organisiert ist.

Macht und Führung sind wirkungsgleich. Macht hat immer etwas mit Führung zu tun und Führung hat immer auch etwas mit Macht zu tun. Macht und Einfluss machen in ihrer Vielfalt nur Sinn im Team, einer Gruppe oder einer ganzen Mannschaft. Führung ist nicht nur blauäugiger Aktionismus und Perfektionismus, Führung ist auch Emotion und damit nicht frei von Überraschungen, Führungserfolge hängen von der erzeugten Bindungskraft und Identitätswirkung zwischen den an Führungsbeziehungen Beteiligten ab. Wer führt, der versucht, seine Ziele zu Zielen seiner Mitarbeiter zu machen. Das setzt Vorgesetze voraus, die überzeugungsstark sind und gleichzeitig kooperativ führen. Das gelingt am ehesten, wenn Chefs über ihre Persönlichkeit u/o. ihre Führungsexpertise auf Mitarbeiter(innen) Einfluss ausüben.

Weniger erfolgreich dürfte ein ausschließlich hierarchiebetontes Führungsverhalten sein. Persönlichkeitsstärke und Dynamik sind gefordert, über die allerdings nicht jeder Chef verfügt. Positiv erlebte Führungspersönlichkeiten stecken an. Schwächelnde Chefs rechtfertigen ihr Verhalten mit Ausweichmanövern im selbstgefertigten Fassadennebel!

Vorgesetzte, die durch ständige Rücksprachen und Rückversicherungen Entscheidungen verzögern und improvisationsunfähig wirken, dokumentieren ihren Mangel an Eigenständigkeit. Anerkennung und Vertrauen ihrer Mitarbeiter gehen verloren. Gleichzeitig wird sichtbar, dass sie unmittelbar anstehenden Herausforderungen (Entscheidungserfordernissen) nicht gewachsen sind. Eine Voraussetzung für ein erfolgversprechendes Führen ist damit nicht erfüllt. Ein weniger starkes Vertrauen seitens der Mitarbeiter wird die Folge sein. Die wichtigste Ressource eines jeden Chefs ist das Vertrauen seiner Mitarbeiter!

Identitätsfördernde Wirkungen entstehen durch Ausstrahlungskraft, Begeisterungsfähigkeit, Integrationskraft und generalistische Fähigkeiten. Wer etwas bewegen will, braucht diese persönliche Ausstrahlung. Dieses „Ansteckungspotential" ist bei Problemen und in Situationen mit Veränderungsbedarf eine unabdingbare Voraussetzung für Erfolg. Nicht jede Führungskraft hat diese Eigenschaften.

Um negative Entwicklungen zu vermeiden, sollten sie ihren Mitarbeitern Alternativen zur Durchführung anstehender Aufgaben vorschlagen (nennen) und Schritt für Schritt möglichst ohne Zeitvorgaben vortragen. Wie es dann umgesetzt wird, sollten sie jedoch offenlassen und ihre Mitarbeiter entscheiden lassen. Ein solches Führungsverhalten lässt Mitarbeitern Freiraum und Verantwortung und bescheinigt ihnen fachliche und persönliche Anerkennung ihrer Vorgesetzten. Auch Führungsmodelle bedürfen als Orientierungshilfen überzeugender Umsetzung durch Vorgesetzte.

Andererseits möchte kein Chef Veranstalter einer Chaotengesellschaft sein. Chefs, die von ihren Mitarbeitern „geliebt" werden, sind die Gewinner - auch wenn sie selbst nicht so euphorisch sind. Verlieren kann man nur, wenn man geliebt werden will. Letzteres auch schon deshalb, weil mit dieser Haltung Vorstellungen verbunden sind, Anhänger gewinnen zu können und gleichzeitig von Verlustangst getragen zu sein. Kein Chef wird solche persönlichen Gedanken preisgeben, so dass niemand vor Überraschungen sicher sein kann.

Wenn sich auch Mittelständler und Familienbetriebe mit Einsatz und Verantwortung von Großindustrie und Großunternehmen abheben, so bedeutet das nicht, dass bei ihnen keine „Ausrutscher" passieren. Von entscheidender Bedeutung für Erfolg oder Misserfolg von Chefs -

gleichgültig welcher Führungsebene - ist deren Verhalten in Abhängigkeit ihrer menschlichen Ressourcen.

Chefs erzeugen in der Mannschaft unnötigen Stress und Probleme, wenn sie

- sich von operativen Tageszwängen leiten lassen,
- Erfolge und Misserfolge ihrer Mitarbeiter mit unterschiedlichen Maßstäben messen,
- selten loben, dafür umso häufiger kritisieren,
- demotivieren statt zu motivieren,
- keine ehrlichen Feedbacks geben,
- ihre Tonart gegenüber Mitarbeitern verschärfen und Gespräche bei auftretenden Problemen immer rauer werden,
- in Gesprächen und Diskussionen das Stressniveau dermaßen steigern, dass ihr Gegenüber keine Chance zu antworten erhält,
- ihre Bedeutung aus der Zugehörigkeit zu bestimmten Netzwerken hervorheben,
- sich hinter geschönten Fassaden verschanzen,
- misstrauisch und selten objektiv sind,
- möglichst schnell Erfolge erzielen wollen. Geschieht dies nicht schnell genug, werden Druck ausgeübt und Konsequenzen angedroht, indem Ängste geschürt werden. (Selbstzweifel durch Isolationsängste und Isolationsschäden usw.)
- häufig ihr Verhalten ändern, weil sie mit ihrer Verantwortung nicht wirklich umgehen können,
- sich gegenüber dem anderen Geschlecht zu sehr zugeneigt zeigen und zu großzügig werden,

- durch interne vertrauliche Selbstoffenbarungen Unsicherheit, Unruhe und Ängste hinterlassen,
- ohne Mitgefühl für andere verletzlicher gegenüber ihrem möglichen eigenen Scheitern werden (Erfolge von gestern zählen nicht mehr, wenn sie in der Gegenwart ausbleiben. Verworrenheit und Fehlerhaftigkeit nehmen zu). Chefs distanzieren sich von Misserfolg und Risiken durch Zurückweichen auf ihre oftmals einzigartig verfolgte „Save my Ass - Strategie" (rette Deinen Stuhl - Deine Position).

Was zeichnet persönlichkeitsstarke Führungskräfte aus?

Sie planen persönliche Ziele ein und werden dadurch zielstrebiger. Insbesondere folgende Punkte können sie gegenüber ihren Mitarbeitern gut erfüllen:

- Konzentration auf das Wesentliche.
- Entscheidungsfreudigkeit - nichts ist schlimmer für Mitarbeiter als entscheidungsschwache Vorgesetzte.
- Auslösen von Aufmerksamkeit.
- Kommunikationsstärke - in der Lage sein, anderen den Sinn ihres Handelns vermitteln und sich mit Mitarbeiterargumenten auseinandersetzen zu können.
- Festhalten an getroffenen Entscheidungen - sie treten auch für ihre Mitarbeiter ein und „zeigen Rückgrat".
- Förderung von Mitarbeitern - wirkliche Mentorenbeziehungen.

Da jeder Chef aus seiner persönlichen Einstellung und aus der jeweils vorgefundenen Vor-Ort Situation führt, verdeutlicht die Vielfalt der beschriebenen Verhaltensmöglichkeiten die von Mitarbeitern als unberechenbar empfundenen möglichen Auswirkungen.

Steht Hierarchiedenken im Vordergrund, sind Menschen vor Überraschungen nicht gefeit. Die häufig zu Tage tretende Abgehobenheit gegenüber Untergebenen kann man als aus Machtverliebtheit begründeter „berechenbarer Unberechenbarkeit" ansehen. Leider ist das „Ego" nicht weniger „Platzhirsche" sehr groß. Sie nutzen die Gleichartigkeit ihrer Machtfülle, indem sie sich durch die Energie ihrer Kollektivhebel auszeichnen. Sofern ihr Habitus „stimmt", brauchen sie noch nicht einmal ein Netzwerk. Vielleicht müssen Chefs aber auch rigoros alternativlos handeln?

Insofern mag der Vorwurf der Unberechenbarkeit aus Sicht vieler Mitarbeiter(innen) nachvollziehbar sein. Er resultiert jedoch meistenteils aus der Unwissenheit über unternehmensinterne und unternehmensexterne Vorgänge, über die Chefs zu entscheiden haben und letztendlich die Verantwortung tragen. Es ist nicht von Vorteil, seine Chefs immer nur von hinten zu sehen!

Gelingt es, personen- und persönlichkeitsbezogene Authentizität zu zeigen, vermitteln Vorgesetzte ihren Mitarbeitern ein Bild, das real, urwüchsig, unverbogen und ungekünstelt wahrgenommen wird. Dieser Typus Chef wird nicht als unberechenbar charakterisiert und kann mit seinem eigenen Identitätskern punkten.

Ausstrahlungskraft, Begeisterung und Vertrauen erzeugen können sind identitätswirksame „Fähigkeiten mit Ansteckungspotential". Persönlichkeitsstarke Chefs können sich sogar erlauben, aus ihrem Bauchgefühl auf Mitarbeiter(innen) zuzugehen und eine engere emotionale Führungsbeziehung erzeugen.

Mitarbeiter neigen dazu, jemandem, den sie für sympathisch, den sie für persönlich kompetent halten, auch in großem Masse fachliche Kompetenz zuzuschreiben. Von einem solchen sympathischen Menschen eine bestimmte Meinung zu hören, ist etwas, was sie davon entlastet, die fachliche Autorität überprüfen zu müssen! Sie glauben einfach an seine Entscheidungen.

Ein häufiges Fehlverhalten zeigt sich im Umgang mit Misserfolgen. Sie werden unauffällig „unter den Teppich gekehrt" oder der allgemeinen Situation bzw. den unmittelbar davon betroffenen Mitarbeitern angelastet. Nicht selten leugnen auch Vorstände bei Verstößen oder Misserfolgen ihre „Mittäterschaft" mit der Begründung, nichts davon gewusst zu haben. Solche „Schutzbehauptungen" sind Abwehrmechanismen, die im Sinne einer guten Führungskultur nicht zu akzeptieren sind. Diese Art von „Chefs" verhält sich wie Spitzenmanager, die ihre Macht genießen und im Zweifel Tatsachen frisieren. Sie sehen nur, was sie sehen wollen und verbreiten Halbwahrheiten, die sie für Wahrheiten ausgeben. Ein solches Verhalten ist eine grobe Verletzung des Selbstwertgefühls ihrer Mitarbeiter und damit absolut inakzeptabel. Dennoch werden sie durch ihre „Lügen" zu Profiteuren,

Die Gefahr, so zu handeln, ist groß, und jeder kann in vergleichbaren Situationen in Versuchung geraten, möglicherweise ähnlich zu handeln.

Man kann es drehen und wenden, wie man will: „Wie es in den Wald hineinschallt, so kommt es auch wieder zurück" oder „wie es auf einen niederprasselt, so schießt man zurück". Diese Binsenweisheit vollzieht sich in vielen Lebenslagen - so auch in Führungsbeziehungen! Hat man Angst, etwas zu sagen oder seine Meinung einzubringen, weil man seine Stellung oder Karrierechancen verlieren könnte, dann stimmt im Geflecht der Führungsbeziehung etwas nicht. Fühlen sich Menschen falsch behandelt, reagieren sie entsprechend. Täuschungen, Lügen und Heimlichkeiten bekommen a la longue Löcher und führen zu Solidaritätskrisen!

Chefs, die erfolgreich sein möchten, können es sich nicht mehr leisten, ihre eigenen Belange in den Vordergrund zu stellen. Sie verbauen sich damit ihre eigene Zukunft im Unternehmen. Konsequenterweise ist in Führungsbeziehungen Interessenausgleich das Modell der Zukunft.[30]

D.3.6 Götter in Weiß

Die Mehrheit der Bevölkerung prädestiniert den Arztberuf vor allen anderen Berufen. Erfolg gewohnte Ärzte werden vom Volksmund als „Götter in Weiß" tituliert. Ärzte - insbesondere Chefärzte - sind nicht gewohnt, dass sich Patienten oder Mitarbeiter wehren.

Hauptgrund für das herausragende Image ist die persönliche Situation vieler Menschen, einen Arzt oder ein Krankenhaus aus gesundheitlichen Gründen aufsuchen zu müssen. Gesundung und Heilung bewirken Dankbarkeit und Anerkennung bis hin zu Bewunderung. Wie weit es sich dabei um verklärende Verblendung handelt, mag dahingestellt sein. Nicht zuletzt auf das Standesimage sind Eltern stolz, wenn ihre Kinder sich für den Arztberuf entscheiden.

Bei aller Bewunderung - auch Ärzte erledigen ihren „Job" wie alle anderen; allerdings in einer anderen Verantwortlichkeit und Konsequenz.

Aus Erfahrungen von Patienten (auch Gesprächen mit Assistenzärzten) lässt sich ableiten, dass das erfolgsgewohnte Selbstverständnis insbesondere vieler Chefärzte in Rehakliniken und Krankenhäusern dem von Topmanagern in DAX-Unternehmen ähnelt.

Auf die Frage, warum heutzutage viele Mütter mit ihren Kindern Therapeuten aufsuchen, antwortete eine praktizierende Ärztin: „Männer", weil Geburtenstationen überwiegend männliche Kollegen leiten. Sie setzen sich selbst unter Druck und stehen gleichzeitig unter

---

[30] Siehe D.5.2.5 „Interaktion findet überall statt, ohne dass es allen Menschen bewusst wird"

ständigen ökonomischen und imagebedingten Erfolgszwängen (Angst, wirtschaftliche Zahlen, Zeit- und Konkurrenzdruck auch innerhalb der Ärzteschaft usw.). Die Folge ist, dass sie sich zu sehr in normale Geburtsabläufe einschalten und Geburten nicht mehr in ihr natürliches Selbstverständnis einordnen. Männer seien zu ehrgeizig und könnten sich nicht wirklich in die Psyche von Frauen versetzen. Wegen ablaufbedingter ökonomischer Zwänge beim Geburtsvorgang könnten viele Frauen kein natürliches Empfinden zu ihren Kindern aufbauen und seien demzufolge oftmals überfordert.

Der verlängerte Arm eines starren Hierarchieverständnisses und ein blindes Unterwürfigkeitsritual bestimmen häufig das Innenverhältnis in Kliniken. Die oben repräsentieren das Bild nach Außen und die im Innenverhältnis tätigen Mitarbeiter(innen) haben sich daran zu halten.

Die ganze Härte der Hierarchie trifft das Personal in Krankenhäusern. Von einer qualifizierten Krankenschwester minderwertige Arbeiten zu verlangen, spricht gegen motivierende erfolgsorientierte Mitarbeiterführung. Die Aufgaben werden anscheinend aus einem bewusst bürokratisch ausgelegten Selbstverständnis in Richtung Unterforderung erteilt, die mit einer quantitativen Überforderung einher-geht. Man macht sich kaum Gedanken über das Befinden dieser Mitarbeiter(innen), Das bleibt nicht ohne Folgen für hausinterne Führungsbeziehungen und deren Außenwirkungen. Nicht selten beklagen Patienten, dass sie die Krankheit nicht so schlimm empfunden haben wie die Abgehobenheit insbesondere von Chefärzten.

Neigungen zu persönlichem Fehlverhalten lassen sich aus Rückschlüssen zufälliger Begegnungen ableiten. Ein solches Beispiel hat der Autor am eigenen Leibe erlebt.

Als Patient einer Rehaklinik ergab sich die Gelegenheit, eine normale Verabschiedung mehrerer Vorstandsmitglieder (immerhin Chefs der örtlichen Chefs) von ihrer örtlichen Geschäftsleitung im Foyer zu beobachten.

Er bat um ein kurzes Gespräch mit einem der Vorstände, was ihm wohlwollend zugestanden wurde. Als er jedoch begann, von seinen Erlebnissen als Patient und aus Gesprächen mit dem Pflegepersonal und Ärzten zu berichten, schlug die Stimmung abrupt um. Mit dem - stets unschlagbaren - Argument „Termindruck“ verabschiedeten sich die Vorstandsmitglieder und ließen ihn wie auch die örtliche Geschäftsführung wie einen begossenen Pudel zurück.

Irritiert von dieser Abfuhr schrieb er einen Brief an besagten Vorstand, in dem er seine Beobachtungen zum Klinikalltag beschrieb. Nachdem er keine Antwort erhielt, versuchte er, telefonisch Kontakt aufzunehmen, und wurde nach interner Rücksprache von der Sekretärin freundlich abgewimmelt.

Aus solchen erlebten Situationen lässt sich schließen, dass die Führung aus ihrer verantwortungsvollen Position heraus völlig falsch mit ihren Beschäftigten umgeht. Der beschriebene Fall ist sicher kein Einzelfall.

Wenn auch in bescheidenerem Ausmaß haben ortsansässige Ärzte eine Sonderstellung, die sie in Abhängigkeit von ihrem charakterlichen Selbstverständnis nutzen.

Zusammenfassend muss man konstatieren, dass Ärzte - insbesondere Chefärzte - häufig als Götter in Weiß personifiziert werden; es aber nicht wirklich sind. Ihr Image ist allenfalls eine wohlwollende Fassade.

D.4 Theoriegestützte Führungsempfehlungen

Konzepte und Modelle sind Versuche, Handlungen möglichst zielgerichtet und erfolgreich zu steuern. Maßgebend für Erfolg oder Misserfolg eines Unternehmens sind Motivation, und Identifikation der Belegschaft. Bei der Motivation steht Optimieren des Ergebnisses im Vordergrund, während Identifikation Bindung und damit Bindungskraft verfolgt. Theoriegestützte Verhaltensmuster sind situationsgebundene

Schablonen, die passen oder nicht passen und unabhängig von ihren Implementierungserfolgen auch als Fassaden für Führungsabsichten benutzt werden. In ihnen werden Aussagen über die Art und Weise, wie Entscheidungen fallen und über die Qualität zwischenmenschlicher Beziehungen formuliert. Vertikale und horizontale Steuerungseffekte zeichnen Unternehmensführung aus. Dabei wird zwischen dem Zusammenhang unterschiedlicher Unternehmensebenen im engeren und weiteren Sinne unterschieden. Führungsstile wirken unmittelbar, wohingegen Konzepte mittelbar auf Führungsbeziehungen wirken.

Kooperative Führung ist eine Frage der Taktik; Zielorientierte Führung ist strategisch, während delegative Führung sowohl taktisch als auch strategisch eingebunden werden kann.

D.4.1 Konzepte und Modelle

Schaut man in die Führungslandschaft vieler Unternehmen, trifft man meistens Rudimente zielorientierter, kooperativer und delegativer Führung an, die sich nicht gegenseitig ausschließen müssen. Theoriegestützte Führungskonzepte setzen auf bestimmte Problembereiche und unterstellen, Probleme der Unternehmensführung ließen sich vor Allem damit lösen, dass man eine ganz bestimmte Führungsaufgabe (Management by motivation (MbM), Management by objectives (MbO), Management by delegation (MbD) betreibt oder vertieft. Es sind einzelne Aspekte der Führung, die hervorgehoben werden, um auf der Unternehmensebene für allgemeinverbindlich und damit als objektiv richtig und notwendig erklärt zu werden. Es sind theoretische Modelle und keine konkreten Mechanismen oder Erfolgsfaktoren. Die Grundproblematik ist die Umsetzung in die Praxis. Das gilt für das strategische wie auch für das operative Management.

Allerdings wird Vieles unreflektiert angenommen und umgesetzt. Die Erkenntnis, dass eine Anwendung aller Konzepte doch relativ weit von den postulierten Erwartungen abweicht, verdeutlicht das Dilemma zwischen Wunsch und Wirklichkeit, zwischen Theorie und Praxis. Bietet die Theorie der Praxis Orientierungshilfen oder nutzt die Praxis Theoriedefizite als Fassadenbollwerk?

D.4.1.1 Zielgerichtete Führung (MbO)

Wer nicht weiß, wohin er will, darf sich nicht wundern, wenn er ganz woanders ankommt.

Ein sinnvoller Leistungseinsatz ist ohne Ziele nicht denkbar. Zunächst geht es darum, sich über Ziele zu verständigen. Durch Zielvereinbarungen soll eine motivationsfördernde Zielidentifizierung erreicht werden. Manager und Führungskräfte müssen sich immer überlegen: „Was mache ich, welche Mittel setze ich ein und welche Arbeitskräfte stehen mir zur Verfügung" Das sind Entscheidungsprozesse, an deren Ende man wichtige Fragen auf Ja oder Nein herunterbrechen muss, die ohne Ziele nicht denkbar sind.

Zielgerichtete Führung ist ein Konzept, das Führungs- und Managementprozesse durch Zielsetzungen zu steuern sucht. Oberziele werden von der Unternehmensspitze formuliert und anschließend kaskadenförmig auf die darunter liegenden Unternehmensebenen „heruntergebrochen". Die jeweils niedrigeren Ziele sind gleichzeitig ein Mittel, um das Ziel der nächst höheren Stufe zu erreichen. Insofern gewährleistet MbO, dass man systematisch zu Entscheidungen kommt.

Der Schwerpunkt liegt auf Zielvereinbarungen oder Zielvorgaben; Es ist möglich, MbO autoritär zu organisieren - es ist aber auch möglich, MbO kooperativ zu betreiben.

Zentraler Effekt ist, sich mit seinen Mitarbeitern über Ziele zu verständigen und Hilfestellungen, wie man zu diesen Zielen kommen kann, aufzuzeigen. Dabei sollten Ziele möglichst nicht einseitig vorgegeben werden.[31] Vorgesetzte sollten sich mit ihren Mitarbeitern darüber einigen und ihnen anschließend selber überlassen, wie sie das letztlich machen. Gemeinsame Zielfindungen sind verpflichtender als einseitige Zielvorgaben.

Auch sollte man darauf vorbereitet sein, dass in anstehenden Gesprächen mit Mitarbeitern zu den Unternehmens- und/oder Abteilungszielen Widersprüche auftreten können, die man irgendwie korrigieren oder aushandeln kann. Für Vorsitzende ist wichtig zu wissen, dass sie ihre Ziele auch nur über Teilziele ihrer Mitarbeiter erreichen.

Darüber hinaus steckt hinter dem MbO-Konzept ein bestimmtes Motivationsmodell. Wenn Mitarbeiter mehr Verantwortung tragen, werden sie auch motivierter sein, ihre Leistung zu erbringen, weil es für sie leichter ist, sich zu engagieren, wenn sie sich mit den Zielen, die sie selbst vereinbart haben, identifizieren. Das sind unverkennbar Vorteile des Konzeptes.

Bei der praktischen Umsetzung entstehen jedoch auch gewisse Zweifel am Erfolg des Konzeptes:

Ein Problem ist die Art, wie Ziele formuliert werden und wie realistisch sie sind. Häufig wird der Fehler begangen, dass Ziele gar nicht erreichbar erscheinen. Man muss sich deshalb auch über Wege dorthin unterhalten und überlegen, ob Mitarbeiter das überhaupt umsetzen können?

Zielvereinbarungen sollten schon Zielerreichungsperspektiven aufzeigen. Letztendlich geht es darum, dass Mitarbeiter ihre Aufgabe

---

[31] Siehe auch „Chefsessel - Orte der Unberechenbarkeit“

mit einer ganz anderen Intensität verfolgen. Ein gemeinsam getragener und entwickelter Entscheidungsprozess ist erfolgversprechend und verpflichtet Mitarbeiter viel, viel mehr als ein reines Kontrollziel (autoritäre Zielvorgaben). Für gemeinsam entwickelte Ziele werden Mitarbeiter(innen) kämpfen und ihre Erreichung selbständig in die Hand nehmen.

Auch sollte man nicht übersehen, dass Zielvorgaben als autoritäre Maßnahme die Gefahr in sich bergen, falsche Ziele zu setzen. Würden Führungskräfte alle Entscheidungen alleine treffen, wäre die Gefahr von Fehlentscheidungen größer als wenn vielleicht 10 Mitarbeiter ihre Erfahrungen mit einbringen. Gemeinsam erarbeitete Ziele sind stärker als gesetzte Ziele!

Folgende Konfliktfallen werfen typische nicht leugbare Schatten:

- Die Instrumentenlastigkeit der Gespräche zwischen Vorgesetzten und Mitarbeitern, die durchgeführt werden müssen, haben ihre Eigenständigkeit und herausfordernde Interpretationsspielräume. Neben Festlegung und Definition der zu erreichenden Ziele (Zielvereinbarungsgespräche am Beginn einer Leistungsperiode) ist zu überprüfen, ob man sich diesem Ziel annähert, dies bereits erreicht hat oder vielleicht gar nicht erreichen kann (rollende Mitarbeiter- und/oder Feedbackgespräche während der Leistungsperiode). Am Ende bedarf es der Überprüfung, ob das Ziel ambitioniert genug war oder nicht. (Feedback- und Beurteilungsgespräche /Leistungsfeedbacks, Verhaltensfeedbacks und Personenfeedbacks).
- *Ziele sind selten klar* und widerspruchsfrei formuliert. Sie sind häufig zu wenig konkret und zu wenig verpflichtend, so dass man sich überlegen muss, ob Mitarbeiter die Ziele überhaupt umsetzen können?

- Weil häufig nicht klar ist, was das eigentliche Ziel ist, bleibt die Messbarkeit vieler Zielvereinbarungen offen, Zielklarheit aber ist die Voraussetzung für eine möglichst faire und gerechte Überprüfung.
- Jedem, der sein Ziel nicht erreicht, wird kräftig auf die Finger geklopft. Damit gehen die eigentlich motivierenden Effekte verloren und es besteht die Gefahr, dass Zielvereinbarungen als Sanktionsinstrument missbraucht werden.
- Autoritär durchgesetzte Zielvorgaben wirken sicher nicht auf Mitarbeiter motivierend und führen längerfristig dazu, dass Vorgesetzte praxisbegründete Widerstände nicht frühzeitig genug erkennen.

Vorgesetzte, die sich für Gespräche mit ihren Mitarbeitern nicht genügend Zeit nehmen und obendrein noch einen großen Zeithorizont zwischen den Gesprächen bevorzugen, werden über kurz oder lang mit bösen Überraschungen rechnen müssen.

D.4.1.2 Kooperative Führung

Man unterscheidet zwischen vertikaler und lateraler Kooperation.

Bei vertikaler Kooperation geht es um die Gestaltung der Beziehungsqualität zwischen Vorgesetzten und Mitarbeitern - um gemeinsame Entscheidungsfindungen. Vorgesetzte wie auch Mitarbeiter sind dem Konzept entsprechend bemüht, sich gegenseitig Vertrauen entgegenzubringen und sich zu unterstützen. was nicht immer der Fall ist.

Unter lateraler Kooperation wird ein Kooperationsverhalten in horizontalem Sichtbarmachen verstanden. Teamarbeit kann nicht mehr vertikal beurteilt werden, sondern muss lateral beurteilt werden. Die laterale Kooperation scheint in personeller Sicht gegenüber der vertikalen Kooperation vernachlässigt zu werden.

Vertikales Kooperationsverhalten:

Vertikale Kooperationsbeziehungen erfordern, in unterschiedlichen Situationen die richtige Entscheidung zu treffen und durchhalten zu können. Welches Führungsverhalten man auch immer umzusetzen versucht, man kann Vorgesetzten keine Entscheidung abnehmen. Sie müssen das Heft in der Hand halten und in Gesprächen und Diskussionen die fachlichen und zwischenmenschlichen Beziehungen regeln.

Informiert man sich gegenseitig oder hält man das Nötigste zurück? Gibt es innerhalb der Abteilungsbeziehungen Hilfe oder lässt man Einzelne ins Messer laufen? Auch für solche Situationen müssen Vorgesetzte sensibilisiert sein. Andernfalls ist nicht erkennbar, ob das Verhältnis zu ihren Mitarbeitern sowie auch deren Verhältnisse untereinander von Vertrauen geprägt ist oder ob eher Misstrauen und Konflikt die wahrscheinlichere Lage in den Abteilungsbeziehungen sind. Dies möglichst richtig einzuschätzen, ist zunächst die dringlichste Aufgabe einer Führungskraft.

Kooperationsgespräche werden meist so gestaltet, dass man sich zunächst zusammensetzt und schaut, was das für beide (Vorgesetzter und Mitarbeiter) gemeinsam bedeutet? Was kann der Mitarbeiter beitragen, was kann der Vorgesetzte dazu beitragen?

Auch wenn Vorgesetzte sich der kooperativen Führung nicht grundsätzlich verschließen, werden sie dennoch, wenn es nicht so läuft, wie erwartet, sehr schnell umschwenken und zu alten - meist autoritären - Verhaltensmustern zurückkehren. Das ist ein Problem nicht nur der kooperativen Führung. Gründe sind Ängste vor einem Karriereknick oder vor dem Verlust der eigenen Position. Sicherheit hat Vorrang.

Kooperative Führung wird bevorzugt als Vorzeigemodell gepriesen. Die damit einhergehenden Diskussionen und Verhandlungen sind nicht wirklich das bevorzugte Prinzip, weil Vorgesetzten oft die Zeit für Diskussionen und Auseinandersetzungen mit ihren Mitarbeitern fehlt. Dennoch werden sie allein schon der Optik wegen guten Willens sein und ihre Führungssituation austesten. Zeigt dies keinen Erfolg, kleistern sich viele mit Aufgaben zu, um Auseinandersetzungen aus dem Weg zu gehen und nicht führen zu müssen

Kooperative Führung setzt Führungsstärke und Konfliktfähigkeit sowohl bei den Führungskräften als auch bei deren Mitarbeitern voraus. Andernfalls ist der Aufwand zu groß. Insofern ist kooperative Führung ein sehr anspruchsvolles Modell, das in der Praxis selten funktioniert. Bereits beim kleinsten „Störfall" wird man sie wieder fallenlassen. Im Idealfall ist man in der Lage, „Störfälle" zu beseitigen. Allerdings hat man in Krisensituationen keine Zeit, lange über Problemlösungen nachzudenken und zu diskutieren.

Die im Konzept angedachte „Gleichberechtigung" wird häufig „verletzt" oder bewusst missachtet und umgekippt durch Übermacht der Vorgesetzten oder - auch das kommt nicht selten vor - Übermacht der Mitarbeiter.

Trotz aller Einwendungen sind und bleiben Vorgesetzte diejenigen, die ihre Mitarbeiter bewerten und befördern können. Auch sollte man nicht übersehen, dass jede Bewertung immer auch Druck ausübt!

Bei kooperativer Führung von Gleichberechtigung zwischen Vorgesetzten und Mitarbeitern zu sprechen, ist Wunschdenken, weil Anspruch und Wirklichkeit weit auseinanderklaffen.

Schwächelnde Vorgesetzte neigen dazu, sich den Anschein kooperativer Führung zu geben - und missbrauchen sie. In fälschlicherweise als Kooperation anberaumten Sitzungen versuchen sie, aus ihren Mitarbeitern alle wünschenswerten Informationen herauszuholen, um die eigene eigentlich schon vorgefasste Meinung abzusichern oder neue Ideen einzusammeln und für sich zu nutzen, indem sie letztlich doch wieder autoritär entscheiden. Das sind typische Verschleierungsvorteile für diejenigen, die das Sagen (Macht) haben!

Vertreten Mitarbeiter eine andere Meinung, kann es für Vorgesetzte schwierig sein, diese zu akzeptieren und dafür auch noch die Verantwortung zu übernehmen. Das aber wäre kooperative Zusammenarbeit im wahrsten Sinne des Wortes.

Will man besonders qualifizierte Mitarbeiter für anstehende Aufgaben motivieren und stimulieren, wird man als Steigerung zum Kooperationsmodell partizipative Führung nutzen. Das bedeutet Teilhabe an Entscheidungen. Nachteile können sich ergeben, wenn die Partizipation der Mitarbeiter konfliktanfällig und zeitaufwendig ist. Aus anfallenden Diskussionen und Auseinandersetzungen kann Image- und Machtverlust der Vorgesetzten entstehen. Will eine Führungskraft partizipative Prozesse einleiten, muss sie in der Lage sein, Konflikte zu steuern und auszuhalten. Die Erfahrung lehrt jedoch, dass durch Überstimmung in Entscheidungsprozessen Ergebnisse zustande kommen können, die man so nicht gewollt hat. Deshalb müssen Vorgesetzte allein schon aus Eigeninteresse darauf achten, dass nicht die Personen die Majorität verlieren, die aus ihrer Sicht anerkannte Experten sind.

Vor anstehenden partizipativen Entscheidungsprozessen muss geklärt werden, wer und wie viele Mitarbeiter an der Partizipation teilnehmen. Normalerweise sollten diejenigen Mitarbeiter, die von einer Entscheidung unmittelbar betroffen sind, auch daran teilnehmen. Das ist aber schwierig, da man meistens nicht mit allen betroffenen Mitarbeitern Partizipation durchziehen kann. Partizipative Führung ist nur mit einer begrenzten Gruppengröße realisierbar.

Führungskräfte, die dieses Problem nicht einkalkulieren, laufen Gefahr, von ihrem eigenen Partizipationsansatz „überrollt" zu werden.

Wichtig ist auch, Kooperation und Partizipation nicht nur auf die Form der Führung zu beschränken, sondern auch auf den Vertrauensaspekt zwischen Vorgesetzten und Mitarbeitern zu beziehen.

Laterales Kooperationsverhalten:

Laterale Kooperationsbeziehungen sind in personeller Sicht ein Problem, weil Konflikte, die entstehen, nicht mit einer Entscheidung oder Weisung für einen anderen gelöst werden können. Im Gegensatz zur vertikalen Kooperation, wo man jederzeit einschreiten und eine Entscheidung herbeiführen (es sei denn durch eine übergeordnete Stelle) kann, muss man in horizontalen Kooperationsprozessen eine Art Gleichgewichtigkeit zwischen den partizipativ eingebundenen Personen herstellen - z.B. Zusammenarbeit auf der Bereichs- oder Abteilungsleiterebene; aber auch zwischen Mitarbeitern gleichrangiger oder sogar unterschiedlicher Abteilungsebenen. Horizontale Kooperationsprozesse sind nicht so einfach wie vertikale Prozesse zu handhaben, weil es wechselseitige Abhängigkeitsverhältnisse gibt.

Man sollte nicht dem Irrglauben verfallen, dass zwischen den Fassadenwelten verschiedener Abteilungen, die formal gleichrangig sind, keine Statusunterschiede bestehen. Organisationsabteilungen sind in der Regel nicht so hoch angesehen wie Abteilungen, die durch Kundennähe bei Erfolgen sehr viel mehr Motivationsbedürfnisse (Erfolgserlebnisse) befriedigen können. So entsteht häufig zwischen verschiedenen Abteilungen ein Verhältnis, das zu Spannungen und Grabenkriegen führen kann!

Persönliche u/o. systemische Allergien sind Ursache für Konflikte und sich daraus ableitenden Fassadenklischees. Deshalb sollten Vorgesetzte und Mitarbeiter prüfen,

- wieweit sie selbst Allergien gegenüber Mitgliedern anderer Abteilungen haben und inwieweit diese Einstellungen das Verhältnis negativ beeinflussen?

- inwieweit bei lateralen Kooperationskonflikten nur die Anderen mangelnde Bereitschaft zeigen? Vielleicht ist es auch das eigene Verhalten?
- ob es bestimmte Abteilungen gibt, in denen Kooperationskonflikte geradezu systemgebunden sind, weil Zielkonflikte aus der Definition der Abteilungsziele angelegt sind (z.B. Zentral- versus Filialabteilungen)
- ob Erfolgserlebnisse unterschiedlicher Abteilungen unterschiedlich erlebt werden und deswegen zu zusätzlichen Konflikten Anlass geben und das Verhalten einzelner Abteilungsmitglieder (Angriff oder Verteidigung) zum Teil auch unterschiedlich ist?

Fassadenklischees in lateralen Kooperationsbeziehungen können Frustrationen auslösen, weil auf hohe Wünsche meist nur mäßige oder mittelmäßige Antworten erfolgen. Horizontale Konflikte können nicht so leicht gelöst werden wie Konflikte im vertikalen Bereich.

D.4.1.3 Delegative Führung (MbD)

Delegation bedeutet Weitergabe von Aufgaben, dazugehörenden Kompetenzen und Ressourcen, um diese Aufgaben in Eigenverantwortung erfüllen zu können. Man nimmt den Rahmen rein hierarchiebetonter Führung zurück und verlagert das Führungsproblem auf die nächste Ebene nach unten. Die herkömmliche Führungsebene wird sozusagen ersetzt durch mehr Selbstorganisation der nächstfolgenden Ebene.

Nach den Modellvorstellungen muss der „delegierte" Mitarbeiter die Kompetenz haben, selbständig entscheiden zu können. Hinter diesem Rahmen verbirgt sich die Idee, Mitarbeiter zu „Selbstläufern" zu machen. Über Delegation wird versucht, die Interessen von

Vorgesetzten mit den Interessen ihrer Mitarbeiter zu verbinden. Das setzt voraus, dass Vorgesetzte willens sind, den Entscheidungsspielraum engagierter Mitarbeiter für eine eigenständige Aufgabenerfüllung zu fördern.

Gleichzeitig müssen sie sich auch in ihrem Führungsszenario auf absehbare Veränderungen einstellen. Wenn sie Mitarbeitern delegativ Aufgabengebiete über-tragen, sind Hierarchien nicht mehr so wichtig. Führungskräfte müssen dann nur noch den Überblick wahren.

Ein modernes Management wird immer sagen, dass Selbstorganisation effektiver sei als Fremdorganisation. Allerdings funktioniert es nicht immer, weil die Einstellung vieler Vorgesetzten zwiespältig ist. Aus eigenem Nichtwissen anstehende Aufgaben- und Problemstellungen zu delegieren, macht Sinn. Oftmals jedoch werden lästig empfundene Aufgaben, von denen sich Vorgesetzte befreien möchten, delegiert. Das ist purer Egoismus, wenn man bedenkt, dass vermutlich nur wenige Vorgesetzte bereit sein werden, Arbeiten zu delegieren, an denen sie ein besonderes persönliches Interesse haben.

Zurückhaltung gegenüber dem Delegationsmodell mag auch vorliegen, weil die Vorgesetzten weiterhin Verantwortung für das Handeln ihrer Mitarbeiter tragen. Diese Verantwortung haben sie auch gegenüber ihren eigenen Vorgesetzten. Das sind Gründe, warum viele Vorgesetzte bei Weiterleitung von Verantwortung und Kompetenz auf ihre Mitarbeiter nicht gerade euphorisch sind. Hinzu kommt, dass delegative Führung weit von der klassischen Führung abweicht. Als Folge werden insbesondere „alterfahrene" Vorgesetzte ihrem Stiefel treu bleiben und Delegation als persönliches Ausweichmanöver handhaben.

Auch sollte man nicht übersehen, dass es letztendlich die Vorort-Vorgesetzten sind, die das Modell „lebensfähig" halten und absichern (sowohl als Coach als auch als Berater) müssen.

Im Verantwortungs- und Entscheidungsbereich bleibt trotz Erfüllung aller Voraussetzungen weiterhin ein Rest an Verantwortung übrig. Die Mitarbeiter haben Vorentscheidungsrechte; die Endentscheidungen - und damit auch das Weisungsrecht der jeweils delegierten Aufgaben - werden vorgesetzten Stellen vorbehalten, weil sie die Verantwortung dafür tragen. Wer Verantwortung trägt, muss auch bestimmte Entscheidungsrechte haben, nämlich

1. geeignete Mitarbeiter auszuwählen
2. Mitarbeiter über ihre Aufgaben und Tätigkeiten umfassend zu informieren und
3. über arbeitsbezogene Kontrollen zu überprüfen, inwieweit Mitarbeiter Aufgaben erfüllen.

Aus den beschriebenen Fakten müsste die Skepsis vieler Vorgesetzten nachvollziehbar sein, sich bei Übertragung von Verantwortung und Kompetenz auf Mitarbeiter vorsichtig zurückhaltend zu verhalten, weil Delegation vernünftig nur funktioniert, wenn Vorgesetzte auch ertragen können, dass Mitarbeiter, die in ihren Bereichen delegierte Kompetenz haben, zumindest a la longue ihnen fachlich überlegen sind.

Diese Zurückhaltung ist nachvollziehbar, weil aus Vorgesetztensicht durch Verlagerung bisher innegeglaubter Sachkompetenz auf eine tiefere Ebene eine expertenbezogene Demontage betrieben wird. Delegative Führung ohne hohen Selbstorganisationsspielraum funktioniert nicht.

Da Vorgesetzte dem Modell zufolge keine Handlungsverantwortung, wohl aber Führungsverantwortung haben, muss jeder, der delegiert, auch Kontrollkompetenz delegieren. Je stärker delegiert wird, umso stärker muss die Selbstkontrolle sein. Das ist in vielerlei Hinsicht vielleicht weniger gefährlich als es sich viele Vorgesetzte vorstellen. In einer vertrauensvollen Situation werden Mitarbeiter bereit sein, sich selbst kritischer zu beurteilen als ihre Vorgesetzten es vielleicht tun würden. So unrealistisch, wie das manche in traditionellen Hierarchien denkende Menschen darstellen, ist es gar nicht.

Das Selbstverständnis vieler Vorgesetzten besteht nicht darin, viel zu delegieren, sondern sich die letzte Entscheidung vorzubehalten. Dabei besteht die Gefahr, dass sie sich nicht damit beschäftigen, ob ihre Mitarbeiter mit den Aufgaben wachsen könnten und daraus Nutzen ziehen könnten. Derartige Überlegungen kosten Zeit, von der man in der Regel zu wenig hat. Das mag auch ein Grund sein, warum in der Praxis doch noch relativ zurückhaltend delegiert wird.

Delegation funktioniert u.a. nicht immer und überall im erwünschten Maße, weil sie den kompetenten Mitarbeiter voraussetzt, der nicht auf allen Ebenen zu finden ist. Auch müssen Vorgesetzte erkennen, welches Mitarbeiterpotential ihnen zur Verfügung steht. Die Fähigkeit, die „richtigen" Mitarbeiter zu entdecken und ihnen Aufgaben und Verantwortung zu übertragen, zeichnet starke Führungskräfte aus und ist der sicherste Weg für deren eigene Karriere.

Mit der Delegation an Mitarbeiter öffnen sich Vorgesetzten Freiräume für neue höherwertige Aufgaben. Eine häufig unter der Decke schwelende Delegationsangst ist weniger die des Verlustes bestehender Aufgaben. Mögliche neue Entscheidungssituationen. die als komplexer, als bedrohlicher betrachtet werden als das, was man bisher gemacht hat, werden als Gefahr eingestuft. Delegationszurückhaltung entsteht auch aus der Angst vor neuen Aufgaben und Entscheidungssituationen.

Nicht selten wird in der Unternehmensrealität alles Mögliche delegiert, nur nicht Verantwortung und Kompetenz. Die in „Sonntagsreden" zu hörenden Vorstellungen delegativer Führung sind eigentlich Vortäuschungen falscher Tatsachen. Damit sind sie im Grunde genommen sinnlos. Läuft es nicht so, wie man es sich vorgestellt hat, steuert man wie im Fall kooperativer Führung dagegen. Vorgesetzte haben die Macht, auch die Delegation jederzeit zurückzunehmen oder die Mitarbeiter jederzeit auszutauschen.

Trotz aller beschriebenen Fragezeichen kann Delegation ein Beitrag zur Personalentwicklung sein, sofern die Betroffenen mit der Aufgabe wachsen. Delegation ist ein betreuungsbedürftiges, führungsintensives Konzept. Bezogen auf den einzelnen Mitarbeiter ist es die gezielte Schaffung von Freiräumen. Damit kommen auf Vorgesetzte neuartige Führungsaufgaben zu wie z.B. den Arbeitsplatz als Lern- und Entwicklungsmöglichkeit zu verstehen und Mitarbeiter zu coachen.

D.4.2 Situative Führung

Jede Führungssituation ist gekennzeichnet durch eine Aufgabe, die zu erfüllen ist. Es sind Mitarbeiter, die diese Leistung, dieses Arbeitsvolumen aufnehmen und erbringen sollen. Wo Menschen in Gruppen und Abteilungen aufeinandertreffen, gibt es ein breites Spektrum an unterschiedlichen Charakteren. Jeder sollte die Arbeit leisten können, die im Schwierigkeitsgrad und in der Dringlichkeit zu seinem Arbeitsverhalten passt.

Von Vorgesetzten wird erwartet, dass sie in unterschiedlichen Situationen die richtigen Entscheidungen treffen und diese durchhalten können. Das setzt Einfühlungsvermögen und Durchsetzungskraft voraus. Vorgesetzte, die keine Führungsprozesse auslösen können, stoßen schnell an ihre eigenen Grenzen.

Führungsaufgaben können nicht losgelöst werden von der Organisationswirklichkeit eines Unternehmens. Deswegen muss man in der Zuordnung seines Führungsverhaltens (des Führungsstils) situativ oder selektiv auf die jeweilige Situation eingehen.

Dabei sind Führungsmodelle theoretische Gebilde als Anregungen für ein konkretes Führungsverhalten. Sie sind jedoch keine klaren Rezepte für das Verhalten. Ihr Sinn besteht darin, dem Führenden verschiedene Möglichkeiten zur Verfügung zu stellen. Es kommt darauf an, aus alternativen Stilen eine Führungsmethode „zusammenzubasteln", die man je nach „Situation vor Ort" ausrichten, steuern und anpassen kann. Situative Führung verfolgt das Ziel, für einzelne Situationen sach- und personenbezogen den richtigen „Führungsmix" herzustellen. Sie ermöglicht einen besseren Mitarbeitereinsatz als bei Festlegung auf und Orientierung an einem fixierten Führungsstil. Der Vorteil situativer Führung ist eine relativ schnelle Entscheidungsfindung bei auftretenden Problemen. Man kann Mitarbeiter entsprechend ihrem jeweiligen Kenntnisstand besser steuern.

Das setzt bei Vorgesetzten die Bereitschaft und Fähigkeit voraus, bei ihren Mitarbeitern die notwendige Qualifikation für eine eigenständige Aufgabenerfüllung analog dem Führungszyklus (zielorientiert → kooperativ → und schließlich delegativ) zu fördern. Mitarbeiter brauchen dann aber auch Entscheidungsspielräume und Kompetenz, was vielen Vorgesetzten schwerfällt und Sorge bereitet. Gleichzeitig müssen sie ihre täglich anfallenden Führungsaufgaben erfüllen. Liegen weitreichend positive Vorgesetzten-Mitarbeiterbeziehungen vor, sind Hierarchien nicht mehr so wichtig. Vorgesetzte haben dann nur noch die Funktion, den Überblick zu wahren und die wichtigsten Koordinationsaufgaben zu erfüllen, womit sie sich möglicherweise auch schwertun. Ihre zugedachte Rolle auf dem Papier entspricht nicht immer der Wirklichkeit!

Situative Führung ist schwieriger als die Umsetzung eines einzelnen Führungsstils oder eines einheitlichen Konzeptes, weil sie ständige Umstellungs- und Umdenkprozesse erfordert. Auch ist situative Führung konfliktanfällig, weil Vorgesetzte und Mitarbeiter viel stärker belastet werden. Nur Spitzenkräfte sind annähernd in der Lage, das ganze Spektrum situativer Führung inklusive der Förderung der Mitarbeiter zu deren eigenen Delegationsfähigkeit umzusetzen. Deshalb ist die Frage berechtigt, ob eine wirklich situationsgerechte

Führung überhaupt möglich ist. Dazu müsste jeder Vorgesetzte in der Lage sein, zwischen allen Führungsvarianten hin und her wechseln zu können bis hin zur totalen Eigenführung durch Mitarbeiter.

Erfolge sind immer abhängig vom Zusammenspiel zwischen Führungsverhalten und Situation. Insofern gibt es nur eine Art zu führen - nämlich situativ. Führung lässt sich managen, wenn man die Fähigkeit besitzt, praktisch, flexibel und schnell zu reagieren. Führungskräfte müssen die jeweilige Situation erfassen und dürfen keinen Dauerzustand daraus machen. Situative Führung ist der einzige Führungsstil, der sich immer anwenden lässt.

Wer das nicht kann, neigt dazu, bestimmte Varianten (z.B. autoritäre Führung) einfach wegzulassen und alternative Führungsansätze nicht zu berücksichtigen und umzusetzen. Er entscheidet sich entweder für oder gegen einen Stil, für oder gegen ein Modell, weil er beispielsweise glaubt, dass kooperative Führung der autoritären Führung überlegen ist. Die meisten Vorgesetzten bevorzugen bestimmte Stile bzw. Konzepte, weil sie die jederzeitige Berücksichtigung und Umsetzung von Alternativen überfordert.

Die Vielfalt möglicher Führungsaktivitäten stellt hohe Anforderungen an Vorgesetzte und Mitarbeiter. Die meisten Führungskräfte versuchen den Anschein zu vermitteln, sie würden der Vielfalt situativer Führung entsprechen. In Wirklichkeit werden sie sich ihre eigenen Grenzen eingestehen müssen.

Es gibt nicht nur unterschiedlich befähigte Mitarbeiter, die erfolgreich zusammenarbeiten können. Es gibt auch unterschiedliche Aufgabenstellungen: schwierige, mittlere und einfache Aufgaben. Es gibt solche, die am gleichen Tag zu erledigen sind, und andere, die ohne Zeitdruck in Wochenfrist bearbeitet werden können oder solche, die mehrere Monate erfordern.

Was immer Führungskräfte unternehmen, - ob sie autoritär, kooperativ, zielorientiert oder situativ führen, ob sie delegieren, kontrollieren oder Selbstkontrolle durch ihre Mitarbeiter zulassen - es sind Versuche, Probleme in ihren Verantwortungsbereichen (z.B. Abteilungen) zu lösen. Führungsstile und -konzepte sind wie Regeln, Werte und Normen, die auch als Fassaden beabsichtigter Steuerungsimpulse missbraucht werden können. Dabei sind unterschiedliche persönliche Perspektiven wirksam, die helfen, in einer bestimmten oder ungewissen Situation, so oder so zu entscheiden.

D.4.3 Zusammenfassung

Verfasser von Führungsinstrumenten gehen davon aus, Probleme der Unternehmens- und Personalführung ließen sich damit lösen, dass man eine ganz bestimmte Führungsaufgabe (Ziele setzen, kooperieren und delegieren) betreibt oder vertieft. Es sind jeweils einzelne Aspekte der Führung, die hervorgehoben werden, um für allgemeinverbindlich und damit als objektiv richtig und notwendig erklärt zu werden. Die Problematik der Umsetzung in die Praxis aber bleibt.

Bei theoretischen Führungsmodellen klaffen Anspruch und Wirklichkeit unterschiedlich weit auseinander. Es geht eigentlich nur um Vorgaben. Deshalb muss man unterscheiden zwischen der Idealvorstellung eines Modells, der Realität und dem - aus Sicht einer Führungskraft - Machbaren. Letztendlich sind Modelle Vereinfachungen, aus denen man sich bestimmte relevante Situationsmerkmale heraussucht.

Entsprechend sollte man zunächst die Situation prüfen und danach seine Aktivitäten ausrichten. Man muss bei allen Führungskonzepten und Führungsstilen unterscheiden zwischen verschiedenen Varianten und Formen, die mehr oder weniger nach Gutdünken der anwendenden Personen priorisiert werden und zu möglichen Fassadenbildungen beitragen.

Bei zielorientierter Führung wird die Leistung in den Dienst eines Gruppenziels gestellt. Die kooperative oder partizipative Führung betont immer das Gemeinsame am Entscheidungsprozess; die delegative Führung immer das Abgrenzen - also nicht das Gemeinsame.

Wer über sein Führungsverhalten nachdenkt, der sollte berücksichtigen, von welchen Werten er geleitet wird. Wenn sich diese Werte nicht im Führungsverhalten widerspiegeln, wirken Vorgesetzte unglaubwürdig. Das führt zu Misstrauen und schließlich zu Frustration. Der ursprünglich beabsichtigte positive Nutzeffekt schlägt ins Gegenteil um.

- Der autoritäre Führungsstil wird durch eine einseitige Kommunikationsausrichtung geprägt, da sich seine Anhänger meistens für am besten qualifiziert halten und von ihrer „Unfehlbarkeit" überzeugt sind. Mitarbeiter bekommen keine Möglichkeit, mitzudenken oder sich mit der Aufgabe zu identifizieren, weil sie als Befehlsempfänger ausschließlich (knochenharte) Anweisungen erhalten.

Dieses Führungsverhalten wird in aller Regel a la longue unterlaufen. Selbst wenn sich eine Führungskraft auf ihrer Position durchzusetzen vermag, wird sie Reaktionen ihrer Mitarbeiter allenfalls kurzfristig aufhalten, jedoch nicht wirklich ändern können. Sie wird vielleicht eine fingierte Gefolgschaft haben, aber keine wirkliche.

- Auch bei kooperativer Führung werden anstehende Entscheidungen nicht an die Mannschaft abgegeben. Die Mitarbeiter haben jedoch die Möglichkeit, sich mit den getroffenen Entscheidungen zu identifizieren, weil ihre Anregungen und Vorschläge in die abschließenden Prozesse mit einbezogen werden. Das erleichtert die Umsetzung erheblich.

Ohne Einbeziehung psychologischer Aspekte ist erfolgreiche Führung nicht möglich. Mitarbeiter werden eher bereit sein, selbst aktiv zu werden und ihre Wege selbstverantwortlich, motiviert und hochwertig zu gehen, wenn sie in Entscheidungsprozesse eingebunden sind.

- Als Alternative oder Ergänzung zur zielgerichteten Führung bietet sich die Delegation an. Sie soll durch Übertragung von Verantwortung auf Selbstverwirklichung, Unabhängigkeit, Anerkennung und Motivation bei Mitarbeitern einwirken.

Delegationsbereitschaft erfordert eine andere Art von Führungskompetenz als alle anderen Modellalternativen. Das ist ein Grund, warum häufig Anforderungs- und Qualifikationsprofil von Führungskräften und Mitarbeitern auseinanderklaffen.

Im Rahmen der Personalführung haben die beschriebenen Verhaltensmuster einen besonderen Stellenwert als Orientierung für Führungskräfte. Erfolg oder Misserfolg vertikaler wie auch lateraler Führungssituationen hängen im Wesentlichen von der Beziehungsqualität der davon betroffenen Menschen ab. Je höher jemand in der Führungsebene steht, desto stärker wird er mit dem lateralen (horizontalen) Problem konfrontiert sein: je niedriger die Rangordnung (z.B. Sachbearbeiter) ist, desto stärker wird er die vertikale Führungsproblematik erleben.

Kernproblem aller Führungsmodelle ist deren Umsetzung in die Praxis. Auch wenn sich Vorgesetzte den beschriebenen Modellen allein schon aus „optischen Gründen" nicht grundsätzlich verschließen, werden sie dennoch bei Fehlschlägen sehr schnell umschwenken und zu alten - meist autoritären - Verhaltensmustern zurückkehren. Alle Modelle funktionieren nur solange, wie Vorgesetzte die Konsequenzen aus diesen Modellen ertragen können!

Damit dienen theoretische Führungsmodelle teils widersprüchlichen Zielen ihrer Anwender, indem sie einerseits als Orientierungshilfe genutzt und andererseits als fassadenscheinige Begründungen benutzt und umfunktioniert werden.

Eine weitere Störquelle ist der Umstand, dass Führungskräfte, aber auch Mitarbeiter dazu neigen, Führungs- und Kooperationsbeziehungen einseitig als Reflektion auf Sicht der jeweils anderen Seite nach dem Motto „Solange sich oben Nichts ändert, was sollen wir unten ändern" oder „Wie Du mir, so ich Dir"! zu interpretieren.

Diese Störquelle ist psychologisch von Bedeutung, weil man davon ausgeht, dass die Anderen könnten, aber eigentlich nicht wirklich wollen. Dieses Nicht-Wollen beleidigt vielmehr, als wenn sie gar nicht in der Lage sind.

Bei aller Logik, die sich hinter Führungsmodellen verbirgt, haben sie Grenzen und bleiben theoretisch:

- In Modellen geht man davon aus, Probleme ließen sich damit lösen, dass man eine ganz bestimmte Aufgabe (Ziele setzen, kooperieren und delegieren) betreibt oder vertieft.
- Die Grenzen aller Modelle sind ihre erforderlichen Voraussetzungen. Deshalb gibt es auch kein „Königskonzept". Es gibt nicht das kooperative Führungskonzept; es gibt nicht das Delegationskonzept und auch nicht das MbO. Aber es gibt überall die Möglichkeit des kontrollierten Ausstiegs.
- Die praktische Umsetzung der Modelle stößt auch immer dann an Grenzen, sobald Menschen die Meinung vertreten, Motivationsleistung allein durch konsequentes Durchhalten und Festhalten an Modellen erreichen zu können.

Trotz der erwähnten Fragezeichen darf nicht übersehen werden, dass alle Theorien Modellvorstellungen über die Realität sind. Wir brauchen sie. Andernfalls können wir uns die Welt, in der wir leben, überhaupt nicht erschließen. Idealtypen vereinfachen die Realität, aber sie eröffnen auch den Blick auf das, worum es eigentlich geht und worauf es ankommt.

Unter dem Aspekt einer eingegrenzten Brauchbarkeit können Modelle und Konzepte situativ nützlich sein.

- Führung kann ohne Ziele und ohne Delegation nicht funktionieren.
- Theoretische Führungsmodelle sind gedankliche Empfehlungen mit einem mehr oder weniger hohen Gültigkeitsgrad. Sie bilden nicht die Wirklichkeit ab.
- Wer Handlungsspielräume abgibt, schränkt seinen eigenen Handlungsspielraum ein. Man untersucht meistens das Führungsverhalten von Vorgesetzten und nicht das Verhalten von deren Mitarbeiter im Führungsprozess. Ein bestimmtes Verhalten löst immer eine bestimmte Reaktion aus. Diese beeinflusst umgekehrt diejenigen, die in der Hierarchie darüberstehen.

Wer erfolgreich sein will, der muss sein eigenes Führungshandeln überdenken. Dabei wird seine Interpretation theoretischer Führungshilfen mit unterschiedlichen Konsequenzen aus diesen Modellen ausfallen.

Insofern ist der blinde Glaube an Führungsmodelle ein theoretischer Irrglaube! Wer sich an Führungsmodellen orientiert, der darf nicht der totalen Modellgläubigkeit verfallen. Eigentlich ist es egal, wie man ein Ziel erreicht, Hauptsache man erreicht es bzw. man hat überhaupt ein Ziel!

Erfolgreiches Führungshandeln setzt sowohl Vorgesetzte als auch Mitarbeiter voraus, die einander fähig sind, ziel- und aufgabenorientiert zusammenarbeiten zu wollen und auch zu können. Davon auszugehen, dass diese Vorgesetzten-Mitarbeiterbeziehung in Unternehmen durchgängig gegeben ist, ist blauäugig. Führungsrealitäten sind nicht so stabil, wie man allgemein annimmt.

Eigentlich ist es gleichgültig, ob und an welchen Konzepten Chefs sich orientieren, solange ihre Mitarbeiter funktionieren. Chefs müssen die richtige Zuordnung zwischen der Aufgabenstellung und den Mitarbeitern finden, von denen die Arbeit ausgeführt werden soll.

Führungskräfte sollten sich nicht scheuen, unterschiedliche Modelle auszuprobieren. Nur dadurch entwickeln sie ein gewisses „Fingerspitzengefühl" und können sich entscheiden, ob sie die Modellempfehlungen nutzen oder für sich verändern und damit verbessern - oder sie als ungeeignet ablehnen.

Welches Führungsverhalten Vorgesetzte auch immer an den Tag legen, man kann ihnen in letzter Konsequenz keine Entscheidung abnehmen. Wenn Gespräche zwischen ihnen und ihren Mitarbeitern erfolglos verlaufen, muss schließlich einer „das letzte Wort" haben. Die Führungsbeziehung setzt voraus, dass die Vorgesetzten diejenigen sind, die fachliche und zwischenmenschliche Beziehungen regeln. Führungsmodelle sind nur so gut, wie ihre Anwender es zulassen (können)!

D.5 Zwischen Macht und Ohnmacht

Was immer in Unternehmen geschieht; es wird geführt - anordnungsbezogen oder prozessbezogen. Entscheidend für die Führungsausrichtung sind unternehmensinterne und unternehmensexterne Rahmenbedingungen.

D.5.1 Schattenseiten wirtschaftlicher Profitabilität

Unternehmenserfolge sollten nicht nur an ökonomischen Größen wie Wirtschaftlichkeit, Gewinn, Rentabilität und Liquidität gemessen werden, sondern längerfristig auch an Faktoren wie Zufriedenheit und Bedürfniserfüllung der Menschen im Unternehmen und damit indirekt zugleich für die Gesellschaft schlechthin ausgerichtet sein. Leider kriegen Sieger meist nie genug!

D.5.1.1 Der Wettbewerbsfaktor Zeit

Der inzwischen wichtigste - teils überbewertete - Wettbewerbsfaktor ist die Zeit; d.h. die Geschwindigkeit, in der Entscheidungen zu fällen sind. Führungskräfte von Konkurrenzunternehmen wollen durch ihre internen Gepflogenheiten und Analysen nicht „ins Hintertreffen" geraten. Man erkennt die Zeit als Wettbewerbsvorteil. Managementerfolge werden kurzfristig - d.h. täglich, wöchentlich oder monatlich - definiert.

Dieser Druck führt zu übereilten Ergebnisabsprachen. Nicht vorhergesehene Probleme sind die Folge und benötigen einen Mehraufwand an Zeit und Geld, den man häufig glaubt, einsparen zu können. Wird zu schnell entschieden, um einen Geschäftsabschluss einzufahren, kann das gravierende Folgen haben. Die Kurzfristigkeit geht zu Lasten einer zufriedenstellenden Abwicklung gewonnener Aufträge. Das wiederum führt zu Imageverlusten und wirkt sich unmittelbar auf Mitarbeiter mit Führungsverantwortung aus.

Meistens wird zu wenig Zeit für die Vorbereitung von Entscheidungen einkalkuliert. Der Zeitaufwand zwischen Vorbereitung, Entwicklung von Entscheidungen und deren praktische Umsetzung sollte in einem vertretbaren Verhältnis zueinanderstehen.

Prozesse der Entscheidungsfindung und deren Implementierung erfordern ganz einfach Zeit, wenn sie nicht dem Prioritätswahn kurzfristiger Erfolge zum Opfer fallen sollen. Das eigentliche Dilemma der kurzfristigen Perspektive ist die Fiktion, dass Unternehmenserfolge überwiegend kurzfristig definiert werden, obwohl jeder weiß, dass sehr viele Dinge sehr viel Zeit brauchen. Zeit als Wettbewerbsfaktor behindert Führungsarbeit und als Folge daraus kontinuierliche Geschäftserfolge.

Der Zeitfaktor spielt eine besondere Rolle in fast allen Unternehmensprozessen. Implementierungen sollen meist möglichst schnell vollzogen werden.

Auf gravierende Veränderungen reagieren Mitarbeiter, aber auch von Veränderungen betroffene Vorgesetzte mit Vorurteilen, wenn die Veränderungen zu überraschend hereinbrechen und man nicht in die Entwicklung einbezogen wurde. Deshalb ist es ratsam, Erfahrungen von Führungskräften und Mitarbeitern als Anregungen in jede Phase einzubinden - also nicht nur in die Entscheidungsfindung. Vorstandsbeschlüsse zu unternehmensinternen u/o. unternehmensexternen Veränderungen haben nicht ohne Grund größte Implementierungsprobleme zur Folge.

Ist ein Vorurteil erst einmal emotional besetzt, ist die Bereitschaft, etwas zu ändern, gering. Emotional kritische Menschen empfinden Veränderungen meist negativ und errichten Fassaden als Gegenwehr. Soll beispielsweise ein organisatorischer Wandel durchgeführt werden, kann eine Einstellungsänderung bei Mitarbeitern nur gelingen, wenn die beabsichtigten Veränderungen nachvollziehbar und erlebbar gemacht werden. Das bedeutet, dass die von Veränderungen betroffene Belegschaft die Gelegenheit erhält, sich damit auseinanderzusetzen. Das ist ein Versuch, Widerstände, die nichts Anderes als Vorurteile sind, abzubauen.

Implementierungserfolge hängen somit davon ab, ob es gelingt, das mit der Umsetzung üblicherweise beauftragte hausinterne Personal in die Lage zu versetzen, die beabsichtigten Neuerungen anzunehmen und sich selbst von bisher gültigen Vorgaben auf die neuen Ziele umzustellen. Die meisten Implementierungen bereiten Schwierigkeiten, sobald sich Anforderungen an Führungskräfte zu plötzlich ändern. Sehr schwierig ist es, diesen Anforderungen zu genügen. Die häufigste Schwachstelle jeder Implementierung ist der zeitlich bereitgehaltene Kommunikationsaufwand sowohl der die Veränderungen initiierenden Vorstände selber als auch ihrer mit der Umsetzung beauftragten Führungskräfte und Mitarbeiter im operativen Geschäft. Das größte Risiko sind Lügen als vorgetäuschte Wahrheiten.

Deshalb sollte der Vorgaberahmen für Umsetzungsprozesse zeitlich nicht zu eng ausgelegt sein. Man muss den Akteuren einen selbst zu verantwortenden Rahmen ermöglichen. Ein Beispiel für Leistungsintegration auf der operativen Ebene ist zielorientierte Führung (MbO).

Man kann Implementierung nicht einfach von oben verordnen oder mit besserer Menschenkenntnis erfüllen. Implementierungen erfordern zum Teil völlig neue und sehr hohe Anforderungen. Sie beinhalten Integrieren, Beraten und Werte vermitteln. Und das braucht Zeit!

D.5.1.2 Das Shareholder-Value Debakel

Unternehmensmanagement und Führungsarbeit werden als gut angesehen, wenn absatzfähige Produkte als Selbstläufer hohe Gewinne erwirtschaften und möglichst kurzfristig *durch gewinnmaximierende Aktivitäten (Lean, Outsourcing, Aufkäufe)* die Rendite optimieren.

Diese möglichst kurzfristige Optimierung der Unternehmensrendite bezeichnet man als Shareholder-Value (Unternehmenswert im Sinn des

Marktwertes des Eigenkapitals) Dabei werden Wettbewerbsvorteile für künftig anstehende Aufgaben gerne übersehen und kommen zu kurz. Wenn auch die ökonomischen Wirkungsketten logisch nachvollziehbar sind, sind sie letztlich Fassade einer als notwendig erachteten Gewinnmaximierung. Auch wenn es einer der umstrittensten Managementbegriffe ist, heizen Shareholder-Value-Überlegungen kurzfristige Erfolge an und verblenden Erfordernisse für eine längerfristige Strategie als Voraussetzung für stressfreiere Führungsarbeit.

Je hartnäckiger Shareholder-Value als Ziel verfolgt wird, desto stärker richtet man sich kurzfristig an harten (und nicht längerfristig an weicheren, qualitativen) Faktoren (Gruppenklima usw.) aus.

- Die Steuerung über Standards, Kennzahlen, Controllingsysteme und Budgets sind die „harten" Formen. Controlling spielt eine hervorgehobene Rolle, weil es ein Instrument ist, um Steuerungs- oder Entscheidungslücken zu schließen.
- An „weichen", indirekten Kontrollmechanismen gibt es Meetings, Mitarbeitergespräche oder Management „by walking around" und Selbstkontrolle der Mitarbeiter.

Fast alle Überlegungen zu Kontrollmechanismen färben auf Vorgesetzte ab und führen zu einer Ausweitung ihres jeweils bevorzugten Führungsverhaltens.

Nicht zuletzt als Ausfluss der Sharehold-Philosophie zeichnet sich die praktische Führungsarbeit durch folgende Ausprägungen aus:

- Je größer das Profitinteresse ist, desto stärker reduziert sich Führung auf die autoritäre Ausprägung. Was macht man mit dem Hardliner, für den kein Ort im Unternehmen „zu schade" ist, um über Kostensenkungen nachzudenken? Es ist ihm wichtiger, möglichst schnell Umsätze einzufahren als längerfristig Mitarbeiter zu motivieren und sie hinter sich zu wissen. Hardlinern geht es ausschließlich um Zahlen. Und die müssen stimmen!

- Die Einbindung von Mitarbeitern im Sinne einer kooperativen Führung kostet zu viel Zeit und wird demzufolge eingeschränkt.
- Nicht nur Mitarbeiter geraten unter zunehmenden Druck, sondern auch Vorgesetzte.
- Druck erhöht die Delegationsbereitschaft von Vorgesetzten mit dem durchaus gewollten Nebeneffekt, bei Misserfolgen die betroffenen Mitarbeiter als „Schuldige" vorzuführen.
- Jeder betreibt im Grunde genommen eine Art „Rette sich, wer kann-Strategie".

Der Glaube, dass Abteilungs- und Teamsituationen sich stark von den genannten Ausprägungen unterscheiden, ist einer der häufigsten Irrtümer. Eine langfristig erfolgversprechende Führungsarbeit wird meistens erschwert oder sogar verhindert und begünstigt reflektierende Fluchtfacetten (Fassaden).

D.5.1.3 Konsequenzen

Letztlich ist es der Markt, der Unternehmen treibt. Unternehmer, Manager und Führungskräfte bewegen sich ständig auf einer „Gratwanderung" zwischen kurzfristigem Umsatz- bzw. Renditedenken und langfristiger Steuerung. Shareholder-Value-Überlegungen heizen kurzfristige Erfolge an und verschleiern die Erfordernisse für eine längerfristige Strategie.

Diese kurzfristige Erfolgsmaximierung kann sehr gefährlich sein. Ist Frustration der Mitarbeiter nicht langfristig teurer als der Verzicht auf eine kurzfristige Umsatzoptimierung? Solche Fragen spielen eine große Rolle und entscheiden über Qualität und Image eines Unternehmens.

Es gibt nicht wenige Unternehmen, die „hire and fire" durchziehen und sich über ihre strategische Blindheit keine Gedanken machen. Damit sind deren Führungskräfte in ihren Verantwortungsbereichen Opfer und Täter zugleich.

Diese mehr oder weniger von oben aufgezwungenen und als gängig zu akzeptierenden kurzfristigen Perspektiven können für Vorgesetzte vor Ort gefährlich werden. Entwicklung und Umsetzung von Ideen, Strategien und Methoden braucht Zeit. Entwicklung kann nur auf einen längerfristig angelegten Prozess ausgelegt sein.

Führungserfolge werden auch durch die Zeit bestimmt, die Mitarbeitern zur Erledigung ihrer Aufgaben zur Verfügung steht. Das ist gleichzeitig die Zeit, die sich Vorgesetzte als Zeithorizont in Vereinbarungen mit ihren Mitarbeitern nehmen sollten.

Viele Mitarbeiter empfinden es als bösartigen „Schachzug", dass nach getürkten „Sanierungsmaßnahmen" weniger Beschäftigte in der gleichen Zeit wie bisher die gleiche Leistung erbringen müssen. Erfordern unveränderte oder sogar verschlechterte Arbeitsbedingungen mehr Leistung, ist auch das gleichzusetzen mit einer Verkürzung der zur Verfügung stehenden Zeit. Die Folge ist Stress durch Überforderung frustrierter Mitarbeiter. Unternehmensstrategien und Vorgesetzte, die diesem „Trugschluss" verfallen, werden langfristig keinen Erfolg haben.

Um derartige Entwicklungen zu vermeiden, sollten sich Spitzenmanager und deren Führungskräfte bei der Übernahme von Verantwortung von solchen generellen Vorstellungen lösen.

Letztlich können „Pusher" so erfolgreich sein wie sie wollen, das soziale Risiko ist sehr groß. Auch Pushen kann ökonomisch gesehen zu teuer werden. Kostensenkende Hardliner sind langfristig für Unternehmen zu teuer, sobald sie falsche Wirkungseffekte hervorrufen.

Manager und Führungskräfte können sich nur so viel erlauben, wie es ihre Arbeitgeber zulassen. Im Zielsystem jedes Unternehmers steht berechtigterweise an erster Stelle der Gewinn. Es ist jedoch nicht damit getan, sich dem Diktat skrupellos agierender Manager zu beugen. „Wölfe im Schafspelz" sind als Aktionäre getarnte gewinnsüchtige Spekulanten. Insbesondere Hedgefonds-Vertreter, die die Substanz der von ihnen erbeuteten Unternehmen bis aufs Letzte aussaugen, ohne an die Folgen zu denken, sind Vertreter dieser Zunft.

In aller Regel sind Führungskräfte marktorientiert und werden an ihren Markterfolgen gemessen. Gleichzeitig sollen sie aber auch optimal führen. Das hat zwangsläufig eine individuelle Konfliktabwägungen zur Folge. Ausschließliche Gewinnmaximierung kann und darf nicht der alleinige Schlüssel zum Erfolg sein!

D.5.2 Eklatante Irrtümer

„Irren ist menschlich" sagt ein bekanntes Sprichwort und lässt sich an Beispielen strategischer Ausrichtungen und deren operativen Effekte ausmachen:

D.5.2.1 Win-Win-Situationen

Beschreibt man ein Ergebnis, bei dem alle Beteiligten profitieren, spricht man von einer Win-Win-Situation. Win-Win-Situationen zeichnen sich dadurch aus, dass Handeln stets von der Erwartung ausgeht, einen Gewinn bzw. einen Nutzen zu erzielen. Dabei ist zwischen der Hoffnung auf Erfolge und der Angst vor Misserfolgen abzuwägen.

Gleiches gilt für das Aushandeln von Verträgen und Absprachen. Jeder Partner beansprucht bzw. definiert für sich einen Nutzen oder Gewinn. Win-Win-Situationen beschreiben Koalitionen, bei denen theoretisch alle Beteiligten Gewinner sind. Jeder verfolgt seine Ziele in Erwartung ihrer Realisierung.

Häufig kommt es jedoch ganz anders. Spätestens, wenn es um die Realisierung der als gerecht empfundenen „Verteilung des Kuchens" geht, sieht sich meist einer der Vertragsparteien als Verlierer. Schließt beispielsweise ein mittelständisches Unternehmen einen Vertrag mit einem marktbeherrschenden Großunternehmer, werden beide diesen Vertrag in Erwartung ihrer Ziele als Gewinn ansehen. Es wird jedoch nicht lange dauern, bis der Großunternehmer seinen bestimmenden Einfluss ausüben wird.

Win-Win beschreibt eine Strategie, die jedem Markt- oder Gesprächspartner das Recht auf eine eigenständige Gewinnpositionierung einräumt. Dabei wird fälschlicherweise übersehen, dass sich die Markt- und Gesprächspartner nur selten auf „Augenhöhe" begegnen. Das wird spätestens sichtbar, wenn die Vorstellungen zur strategischen und taktischen Unterstützung oder zur Gewinnverteilung auf unterschiedlichen Interessenlagen basieren und die Partneranteile „auseinanderdriften". Am Ende hat nur einer der Partner ein Gewinn- oder Verlustempfinden. Der Stärkere wird bei Verfolgung seiner Interessen nicht zögerlich sein.

Trotz aller Bedenken verfolgt die Strategie den größtmöglichen beiderseitigen Nutzen der Geschäfts- bzw. Verhandlungspartner bei Wahrung von gegenseitigem Respekt und Anerkennung. Die Grenze des noch vertretbaren „Ego" wird überschritten, wenn die Empfindungen des einen vom anderen Partner nicht mehr wahrgenommen werden und sich jeder nur mit sich selbst befasst! Da dies häufiger vorkommt als es wünschenswert erscheint, sind Win-Win-Ausrichtungen Fassadenwerk als Strohfeuer der Hoffnung.

Das ist dann Ausgangspunkt für Entwicklungen, in die sich derjenige verstrickt, der Win-Win-Realitäten nicht wahrhaben will. Die Nichtbeachtung gegenseitiger Interessen führt zur Zerstörung der ursprünglich ausgehandelten und anerkannten Strategie. Das Selbstverständnis dieser Strategie wird zur Gefahr, wenn man eine gleichgewichtige Ausrichtung der Marktpartner unterstellt - als sei der Gewinn auf beiden Seiten gleich und damit gerecht verteilt.

Da die Erwartungen der Vertragspartner normalerweise unterschiedlich ausgerichtet sind, kann es vorkommen, dass sich einer der Partner mit einer höheren Gewinnrate als der andere einverstanden erklärt bzw. der Andere sich aufgrund der Marktgegebenheiten einverstanden erklären muss. Allein schon aus dieser Sicht ist die Vorstellung gleichverteilter Erwartungen unrealistisch. Die Gefahr von Enttäuschungen steht immer im Raum!

Um das zu vermeiden, sollte man über die eigene Situation nachdenken und versuchen, Perspektiven aufzuzeigen, wie man entstehende Probleme auflösen kann. Jedes Handeln von Menschen basiert auf Egoismen - auf dem Nutzen bzw. Nutzwert, den ein Mensch aus seinem Handeln glaubt ziehen zu können.

D.5.2.2 Pläne sind häufig das Papier nicht wert, auf dem sie stehen

Planen bedeutet, Ziele durch Erwartungen beschreiben und festlegen. Menschen planen häufig aus reinem Aktionismus - so auch Unternehmensleitungen, Manager und Führungskräfte.

Sie planen u.a. Konzepte und Instrumente ein, deren Wirkungen sie entweder nicht erkennen oder die sie bewusst übersehen. Nicht selten schwanken sie zwischen Ideen und Erfolgsdruck hin und her - vielleicht lässt sie auch persönlicher Ehrgeiz nicht zur Ruhe kommen.

Im strategischen wie auch im operativen Management gibt es oft den Kurzschluss, auf den Plan zu schauen und diesen für die Realität zu halten. Probleme gelten als erledigt, sobald man einen Plan auf Papier geschrieben hat. Das ist einer der größten Managementfehler. Probleme werden immer dann erkennbar, wenn zwischen den festgelegten (planbaren) Absichten und den in der Praxis vorfindbaren Realitäten durch Zeitverzögerung und Kostenexplosion Abweichungen auftreten. Insofern deuten Pläne bereits in ihrer Entstehungsgeschichte auf mögliche Fassadeneffekte hin.

Wenn Pläne schon nicht im operativen Management eingehalten werden, sind sie erst recht im strategischen Management Makulatur. Die bekanntesten Beispiele strategischer Fehlplanungen sind der Berliner Flughafen, die Hamburger Elbphilharmonie und der Stuttgarter Hauptbahnhof.

Aus Sicht des Top-Managements (auch Spitzenpolitiker) dienen Pläne oft der Mehrheitsbeschaffung für kritische Vorhaben (siehe genannte Fälle) und deren Durchsetzung. Sie sind selten als wahrheitsgetreue Entscheidungsgrundlage zu betrachten, die eingehalten werden muss. Aus Sicht von Führungskräften im operativen Geschäft sind Pläne Willensbekundungen. Auch sie lassen sich nur schwerlich umsetzen. Nicht selten nimmt die Entwicklung einen ganz anderen Verlauf.

Bei der Frage nach einem optimalen Führungsverhalten zeichnet sich eine Tendenz zu kooperativer Führung ab. In der Praxis scheint es dagegen eher so abzulaufen, dass jeder, der den bisher geltenden Führungsriten und damit vielen Vorgesetzten im Wege steht, ausgegrenzt wird. Das ist das Spannungsfeld, das sich zwischen den theoretisch planbaren Absichten und den in der Praxis vorfindbaren Realitäten zeigt.

Auch was als Führungsorganisation eines Unternehmens beschrieben wird, ist häufig nicht die Wirklichkeit, sondern ein Plan, an den man sich bei Umsetzung anstehender Aufgaben zu halten hat. Was jedoch informell abläuft, ist das, was wirklich passiert. Die organisatorische Wirklichkeit ist weit entfernt vom geplanten Organigramm.

Ähnlich verlaufen Erfahrungen mit Unternehmensberatern, die angeblich unabhängig Konzepte entwickeln, die irgendwann zu einem bestimmten Termin umgesetzt werden sollen bzw. müssen. Bei Auftragsvergabe fehlt Auftraggebern und Unternehmensberatern häufig der Sinn für das Machbare. Es fehlt das Gespür, ob anstehende Implementierungen erfolgversprechend sein können?

Erfahrungen mit Implementierungen sind häufig deprimierend. Nicht ohne Grund werden oft beschlossene Veränderungen einige Zeit offengehalten, bis man vielleicht in einem späteren Zeitpunkt ein Einsehen hat und sie wieder zurücknimmt.

Man kann vieles planen, aber es muss nicht alles gelingen. Pläne werden grundsätzlich überschätzt. Sie sind Vorhaben, die selten eingehalten werden. Es ist leicht zu sagen, derartige Fehleinschätzungen ließen sich vermeiden. In Wirklichkeit sind sie nur schwer zu vermeiden. Man neigt dazu, den Plan als Abbild der Wirklichkeit zu nehmen und daran zu glauben.

Pläne sollen zwar das Machbare aufzeigen. Sie für die Wirklichkeit zu halten, ist ein Trugschluss. Pläne sind nur so gut wie ihre Umsetzungspraxis! Ambitionierte Ziele erreichen wollen ist etwas Anderes als sie zu erreichen!

D.5.2.3 Images und Symbole - unterschätzte Spiegelbilder

Bilder, die wir im Kopf haben, spiegeln auch unser Verständnis von Menschen. Sie bestimmen und leiten unsere Reaktionen. Bilder wirken wie Fassaden, die überraschen oder enttäuschen.

Das Image, das einer Person anhaftet, spielt - auch im Wirtschaftsleben - eine größere Rolle, als man allgemein annimmt. Es wirkt gewollt oder ungewollt bis in Beurteilungen hinein. Menschenbilder sind nicht inhaltslos, sondern bestimmen eine bestimmte Sichtweise, die wiederum das Handeln bestimmt. Werden Vorgesetzte von ihren Mitarbeitern mit Symbolen als fair und nicht als miesgrämig belegt, so ist das die angenommene oder ablehnende Verkörperung ihres Images.

Es gibt Images in Form von Organisationsbildern, in Form von Menschenbildern ganz allgemein und aus Sicht der jeweils Betroffenen selbst - z.B. von Führungskräften und Mitarbeitern. Es gibt das Bild vom dummen, faulen und gefräßigen Mitarbeiter, der zur Arbeit getrieben werden muss. Es gibt das Bild vom Workaholiker, der unter dem Zwang steht, ununterbrochen arbeiten zu müssen; es gibt das Bild von der rein sachrationalen oder auch rein emotionalen Führungskraft usw. Es gibt eine Vielzahl solcher Images.

Würde eine Führungskraft in eines dieser Klischees eingeordnet, dann würden Dritte sowohl auf deren Verhalten als auch auf die Situation bzw. das Verhalten deren Mitarbeiter schließen. Bilder oder Images, die Mitarbeiter von ihren Chefs im Kopf haben, repräsentieren deren Verständnis von ihren Chefs und leiten damit zugleich auch deren Handeln.

Das Image eines Chefs verkörpert gleichzeitig dessen Außenwirkung sowie sein persönliches Erfolgs- oder Misserfolgspotential. Daraus folgt, dass das erworbene Image eine selektierende Wirkung hat. Es kann sein, dass Mitarbeiter wie auch Führungskräfte aufgrund ihres Images in Positionen gebracht werden, deren Beweisführung für das vorherrschende Image noch folgen muss.

Hardliner werden sich durchgängig als solche verhalten und sind deshalb für Crashsituationen prädestiniert. Mit beziehungsgewohnten Mitarbeitern werden sie „Schiffbruch erleiden", es sei denn sie werfen alle hinaus. Wird man als typischer Hardliner gesehen, darf man sich nicht wundern, wenn Mitarbeiter ihnen aus dem Weg gehen. Beziehungsorientierte Chefs haben dieses Problem nicht. Dennoch ist auch ihr Führungsstil wirkungslos, wenn sie am falschen Platz eingesetzt werden.

Das eigentliche Problem aber ist, dass ein einmal erworbenes Image nur sehr schwer korrigierbar ist. Ein erlangtes negatives Image bleibt für lange Zeit ein Image in Schieflage - länger jedenfalls als ein positives Image sich hält. Damit müssen nicht nur Vorgesetzte leben, ob sie es wollen oder nicht!

Führungsverantwortliche oder solche, die es werden wollen, müssen sich schon die Frage beantworten, ob sie zur Kaste der Holzfäller gehören, sich als Crashmanager definieren, oder ob sie sich eher als Softmanager verstehen. Laufen Abteilungen rund, dann dürften Crashmanager nicht mehr die richtige Führungskraft sein, weil sie sehr wahrscheinlich weiterhin ihre Crashmethoden anwenden und wenig kultivieren können. Softmanager sind dort gefragt, wo die Dinge wieder oder noch im Lot sind.

Images und Symbole sind für Führungskräfte sehr wichtig; insbesondere, wenn Veränderungen anstehen, weil das Aufbrechen von Widerständen damit zusammenhängt, dass man die Bilder - die Images - ändern und die symbolische Wirkung aufzeigen muss. Veränderungen oder Verbesserungen schaffen einerseits neue Tatsachen als Wirklichkeiten und setzen andererseits Tatsachen als Sinnbilder - als Symbole. Kommunikation beschränkt sich nicht nur auf das, was man sagt, sondern auch darauf, wie man es sagt und wie man handelt - also welche „Zeichen" man setzt.

Neben der rein personenbezogenen Imageszenerie sollte man organisationsspezifische Abteilungs- u/o. Milieubildungen, die in den Köpfen der Betroffenen umherschwirren, nicht unterschätzen.

Gravierender als rein personenbezogene Imagewirkungen ist das Kräftemessen zwischen Organisationseinheiten in Unternehmen.

Obwohl von den Unternehmen Einheitlichkeit gefordert wird, unterscheidet sich das Erscheinungsbild (Fassade) einer Kreditabteilung von der einer Wertpapierabteilung oder Buchhaltung.[32] Dabei werden nicht selten Widersprüchlichkeiten aufgedeckt, die an Glaubwürdigkeit zweifeln lassen. Besonders krass wird es, wenn sich Mitarbeiter(innen) mit ihrem Abteilungs- oder Milieuimage identifizieren und abteilungsübergreifend starrsinnig daran festhalten und übernehmen. Die Anerkennung solcher Wirklichkeiten ist das Bekenntnis, das in seiner Umsetzung viele Fragen offenlässt.

Nichts ist schlimmer als ein schlechtes Image innerhalb der eigenen Abteilung, bei Kollegen und im gesamten Unternehmen. Die symbolische Wirkungskraft sollte man nicht unterschätzen! Autorität kann man nicht kaufen. Sie muss sich ergeben!

D.5.2.4 Motivationsmodelle erzeugen nicht zwangsläufig Motivation

Was immer Menschen zusammenführt, sie handeln zielorientiert. Wer Verantwortung in Familie, Beruf oder Gesellschaft trägt, der ist bemüht, Menschen für seine Argumente und Absichten zu gewinnen. Dabei spielt Motivation eine besondere Rolle.

Motivation im eigentlichen Sinne ist keine gesonderte Aufgabe der Führung, weil Motivation sich nicht auf eine Führungsaufgabe reduzieren lässt. Motivation steckt überall - also in jeder Führungsaufgabe („Ziele setzen", „Planen", „Organisieren, „Kontrollieren", „Informieren" usw.) drinnen. Mit Allem, was

---

[32] Siehe B.2.2 „Zur beruflichen Erlebniswelt"

Führungskräfte tun oder unterlassen, können sie motivieren, indem sie es in einer ganz bestimmten Weise tun oder unterlassen. Motivation ist Teil und damit Ausdruck von Führungsprozessen. Üblicherweise motiviert man nicht der Motivation wegen, sondern auf ein Ziel gerichtet. Motivieren ist im Grunde genommen die Art und Weise, wie man plant, wie man organisiert, wie man kontrolliert usw. Motivation ist immer das Ergebnis, wie Führungsaufgaben ausgeführt werden

Offensichtlich schneiden die Menschen sehr gut ab, die unauffällig motivieren. Ihnen eilt der Ruf voraus, dass man ihnen hinsichtlich Glaubwürdigkeit und Sachverstand vertrauen und sich mit ihnen identifizieren kann. Aber auch hier kann sich die Sichtweise sehr schnell verschieben, wenn Motivation als Manipulation empfunden wird.

Da motivationswirksames Handeln häufig mit Schwierigkeiten verbunden ist, orientiert man sich u.a. an Denkmodellen und daraus abgeleiteten Verhaltensempfehlungen. Es sind Versuche, Menschen möglichst zielgerichtet und erfolgreich zu beeinflussen und zu steuern. Alle Modelle verfolgen Aussagen über die Qualität, wie man in zwischenmenschlichen Beziehungen motivieren sollte.

Allerdings sind es meistens Rudimente wünschenswerten Verhaltens, aber keine konkreten Mechanismen oder Erfolgsfaktoren. Bei aller Logik, die sich hinter solchen Modellen und Konzepten verbirgt, bleiben sie theoretisch. Ihre praktische Umsetzung stößt immer dann an Grenzen, sobald Menschen die Meinung vertreten, Motivation allein durch konsequentes Durchhalten und Festhalten an Modellen erreichen zu können.

Modelle bilden eine bestimmte Theorie ideal ab und sind als Orientierung zu verstehen. Bedenklich wird es, wenn Menschen meinen, mit diesen Theorien das gesamte Problem des Motivierens begreifen und lösen zu können. Die Vorstellung, dass eine erfolgreiche Anwendung der Modelle doch relativ weit von postulierten

Erwartungen abweicht, verdeutlicht das Dilemma zwischen Wunsch und Wirklichkeit, zwischen Theorie und Praxis.

Als Problem bleibt, dass

- situationsgerechte Umsetzungen der in den Modellen genannten Motivationsfaktoren Schwierigkeiten bereiten;
- starre Umsetzungen auch deshalb nicht erfolgversprechend sein können, weil die in den Modellen genannten Anreize nicht auf jeden Menschen die gleiche Wirkung haben;
- überzogene Modellgläubigkeit an der Motivationsrealität vorbeiführt;
- man sich fragen muss, was man von den Modellempfehlungen für sein persönliches Motivationshandling übernehmen will und kann.

Das bedeutet, dass es die vielen Zwischentöne sind, die für das praktische Motivationshandling viel wichtiger sind als die ursprünglich verfassten Modelle. Unter dem Aspekt der beschriebenen eingegrenzten Brauchbarkeit können Konzepte situativ hilfreich und nützlich sein.

D.5.2.5 Interaktion findet überall statt, ohne dass es Allen bewusst ist

Interaktive Prozesse[33] finden grundsätzlich immer und überall statt. Sie sind weder gut noch schlecht. Sie sind einfach da! Auswirkungen und Bedeutung auch für jedermanns Kommunikation werden am Beispiel von Vorgesetzten/ Mitarbeiter-Beziehungen beschrieben:

---

[33] Siehe D.6 „Vertikale und horizontale Transformationseffekte“

Führung muss interaktive Prozesse anregen und gestalten, um positiv wirken zu können. Wer Menschen entgegenkommt, kann davon ausgehen, dass er selbst irgendwann etwas zurückbekommt. Erfolgreiche Chefs werden mit ihren Mitarbeitern Ziele und ggfls. auch Wege besprechen. Umsetzung und Verantwortung jedoch sollten sie ihnen freihändig überlassen.

Dennoch informieren viele Chefs ihre Mitarbeiter auf eine monoton wirkende Art, ohne zu motivieren und/oder zu identifizieren. Sie verkennen, dass ihr Verhalten negative Emotionen hinterlässt. Andererseits sollten sie nicht zu leidenschaftlich an ihre Führungsaufgaben herangehen, weil dies unweigerlich Gegnerschaft hervorruft. Je höher jemand in der Hierarchie steht, desto weniger darf er sich von seinen Gefühlen treiben lassen und muss vermeiden, sich auf zu viel Nähe einzulassen.

Es ist eine verengte Perspektive, Führung als Einbahnstraße zu verstehen, weil sich Führung in der Beziehung zwischen Vorgesetzten und Mitarbeiter(innen) oder zwischen zwei Personen oder zwischen einer Person und einer Gruppe abspielt. Führungshandeln ausschließlich auf Vorgesetzte zu reduzieren, kann nicht erfolgreich sein, weil sich dann alle Führungsaktivitäten nur auf sie richten und die Mitarbeiter ausgeklammert werden.

Aus der Art und Weise, welchen Einfluss Position, Persönlichkeit und fachliche Kompetenz auf das Vorgesetzten-Mitarbeiter-Verhältnis haben, ergibt sich die jeweilige Gestaltungsfreiheit. Lediglich die Positionsmacht ist relativ festgelegt. Das ändert aber nichts daran, dass auch hier Interaktionen stattfinden und Mitarbeiter hinsichtlich ihrer Fachkompetenz und auch aufgrund ihrer Persönlichkeit stärkeren Einfluss erlangen können.

Vergleichbar mit den beschriebenen Führungsbeziehungen verhält es sich mit allen zwischenmenschlichen Beziehungen. Interaktionen beherrschen die Spielwiesen aller verbalen und nonverbalen menschlichen Aktivitäten!

D.5.2.6 Führungsreife - im Zweifel ein Irrglauben

Erfolg braucht Führungskräfte, die Personalressourcen im positiven Sinne nutzen und aktivieren können. Je besser Vorgesetzte damit umgehen, desto erfolgreicher werden sie sein. Diese Fähigkeiten werden meistens als gegeben angesehen, was sich jedoch auch als Trugschluss herausstellen kann[34].

Es wird gerne unterstellt, dass Vorgesetzte über ein entsprechend breites Führungsspektrum, das beispielsweise MbO und/oder MbD umfasst, verfügen. Das sind sehr hohe Anforderungen, weil viele Führungskräfte weder die Auswahl der Führungsmöglichkeiten in ihrer Ausrichtung und Tiefenschärfe kennen, noch deren Wechselwirkungen beherrschen. Dennoch zeigen sie sich hinsichtlich ihrer Art zu führen möglichst auf dem neuesten Stand der Dinge.

Ein Grund, warum Führungsmodelle in Unternehmen propagiert und angenommen werden, kann darin liegen, dass Vorgesetzte sich über derartige Modelle aufgewertet fühlen und eine Rechtfertigung für ihr Verhalten finden bzw. gefunden zu haben glauben.

Letztlich werden sie nur dann erfolgreich führen, wenn sie Sinn und Zweck ihres Handelns verinnerlicht haben, davon überzeugt sind und dies auch zeigen können. Das kann sich durchaus mit einer Ausrichtung an Führungsmodellen vertragen, wenn man sie auf die konkrete Führungssituation zuschneidet.

---

[34] Günter Bolten „Auf der Suche nach Führungsidentität“

Gegenüber kritischen und gerade deswegen wichtigen Mitarbeitern sollten Vorgesetzte in der Lage sein, ihre Art der Führung kommunikationsstark betreiben zu können. Was sie von ihren eigenen Vorgesetzten für sich selbst in Anspruch nehmen, sollten sie ihren Mitarbeitern nicht verweigern!

Um Flops möglichst zu vermeiden, müssen sie ihre Führungsaufgabe „bewusst" (bewusster und stärker) wahrnehmen. Dabei gewinnen beziehungsorientierte, personelle Aufgaben an Bedeutung und werden im Vergleich zu rein führungstechnischen Funktionen immer wichtiger.

Sieht man in Qualifikation, Motivation usw. seiner Mitarbeiter den entscheidenden Erfolgsfaktor, dann müssen die richtig qualifizierten, die richtig motivierten Mitarbeiter mit der richtigen Aufgabe am richtigen Platz eingesetzt werden.

Fragt man Mitarbeiter, ob dies in der Praxis gegeben ist, wird man sehr wahrscheinlich erfahren, dass die Verschmelzung von Führungsinstrumenten mit beziehungsorientierten Aspekten besonders wichtig ist, aber zugleich besonders wenig erfüllt wird. Hier liegen die Probleme. Die anstehenden Aufgaben werden immer stärker führungslastig, gehen immer stärker in Richtung personelle Aufgaben und damit auch in Richtung Betonung beziehungsorientierter Aufgaben. Dafür jedoch sind viele Vorgesetzte am wenigsten ausgebildet und eigentlich auch nicht vorbereitet, weshalb man Führung im Blut haben muss oder Führungshilfen braucht, um mitarbeiterbezogene bzw. beziehungsorientierte Aufgaben erfüllen zu können.

Zu erfolgversprechender Führung zählen auch Beförderungen. Sie sind wichtig, weil sie die Identität der Beförderten mit dem Unternehmen stärken und die Motivation der übrigen Belegschaftsmitglieder anregen können.

Allerdings macht man seine ersten Karriereschritte weitestgehend über Fachabteilungen. Fällt ein Mitarbeiter durch besondere Leistungen auf oder profiliert sich im Verkauf durch Umsatzsteigerungen, steht er zur Beförderung an. Mit Erlangung der nächst höheren Stufe verändern sich nicht nur die Sachaufgaben. Meistens kommen Führungsaufgaben hinzu. Man wird sozusagen von heute auf morgen mit Führungsaufgaben betraut. Das jedoch haben die Beförderten bisher meist nicht gelernt, weshalb sie trotz kurzfristig anberaumter Schulungen glauben, sich auf dieser nun höheren Hierarchiestufe so verhalten zu müssen wie auf der bisherigen, weil sie ja dort erfolgreich waren - ein grober Irrtum. Fallstricke sind dieser angedachte Automatismus zwischen Sach- und Führungsaufgaben, die Übernahme neuer zusätzlicher Aufgaben und die damit verbundene Fehlinterpretation des Verhaltens seitens der beförderten Personen selbst. Das eigentliche Problem besteht darin, dass sie nicht wirklich auf ihre neue Aufgabe und Rolle vorbereitet sind.

Wenn nur nach vergangenheitsbezogenen Leistungen befördert wird, sitzt im Endstadium der Entwicklung jeder an der Stelle seiner höchsten Inkompetenz. Diese Entwicklung wurde als These von Laurence J. Peter und Raymund Hull formuliert. Sie beschreiben die Problematik, wenn Unternehmen ausschließlich vergangenheitsbezogen befördern und nicht zukünftige Leistungen optimieren wollen. Das bedeutet, dass vergangene Qualifikationen sozusagen als Fassade die Grundlage zur Übernahme neuer Aufgaben bilden!

D.5.2.7 Investitionsträchtige Unruhestiftung

Unternehmerische Neuausrichtungen bereiten häufig Schwierigkeiten.

Die Sucht nach Größe verfolgt das Ziel, durch Reduzierung der Marktpartner die eigene Wettbewerbssituation zu verbessern und durch Konzentration Preise erhöhen zu können. Allerdings ist die

Übernahme von Unternehmen mit Investitionen und meist hohen Zusatzkosten verbunden. Hohe Investitionen stellen die Frage nach erhofften Vorteilen zunehmender Konzentration in Frage. Zu den Besonderheiten inzwischen angestrebter Unternehmensziele zählt anscheinend auch „Größe zeigen zu wollen" - auf die Gefahr hin, große Risiken einzukaufen. (siehe Farbwerke Bayer AG, Leverkusen)

Aufkäufe oder Fusionen haben immer Sanierungen zur Folge. Es geht meistens um den Abbau (Verlust) von Arbeitsplätzen und um die Bildung neuer Belegschaftsstrukturen. Ankündigungen meist unvermuteter Entwicklungen oder bereits getroffener Entscheidungen sind Vorboten befürchteter organisatorischer und personeller Veränderungen. Sie haben sowohl psychologisch als auch führungsmäßig unterschiedliche Wirkungen:

- Selten werden in Neuausrichtungen gleich starke Partner aufeinandertreffen. Der Stärkere wird versuchen, seine Zielvorstellungen, seine Tradition, seine Arbeitsweisen usw. weiter als verbindlich vorzuschreiben. Das führt in den meisten Fällen zu Anpassungsschwierigkeiten für den kleineren, geschluckten Partner.

- Neben Umstellungsschwierigkeiten ergeben sich Unsicherheiten für die Mitarbeiter, da beispielsweise bereits geplante Entwicklungen in Frage stehen. Auch bereiten durch Fusion sich ergebende Doppelbesetzungen Probleme.

- Es können sich völlig neue Unternehmensziele (statt Selbständigkeit und Unabhängigkeit Marktmacht, Wachstum oder Preisführerschaft) ergeben.

Nicht selten verunsichern die beschriebenen Situationen Ängste in der Belegschaft, denen niemand entgehen kann. Bereits bevor Gespräche zwischen Geschäftsführung und Mitarbeitern offiziell geführt werden, beeinflussen sie das Verhalten der Betroffenen.

Die Fähigkeit, Menschen zu beeinflussen, ihre Reaktionen richtig einzuschätzen und deren Ursachen zu erforschen, ist die entscheidende Voraussetzung, Gespräche nicht als Fassade verkommen zu lassen und Implementierungen erfolgreich durchführen zu können.

D.6 Transformationseffekte - des Pudels Kern

Menschen zeichnen sich durch ihre Kommunikations- und Integrationsfähigkeit aus. Sie befähigen sie, sich und ihre Interessen direkt mitteilen und umsetzen zu können.

In dem Moment, in dem Menschen aktiv werden und Gespräche eröffnen, beeinflussen sie das Verhalten ihres Gegenübers. Erfolge oder Misserfolge sind davon abhängig, was sie miteinander kommunizieren und wie sie reagieren. Kommunikation ist immer abhängig von der Sensibilität aller unmittelbar Beteiligten. Demzufolge können Interaktionen[35] *eine Eigendynamik entwickeln und Gemeinsamkeiten aufbauen, die die Chance zur Identifikation in sich tragen.*

D.6.1 Vertikale Transformationseffekte

Führung wird neben rein ökonomischen Gesichtspunkten stets auch mit dem Machtaspekt begründet. Führung wird nie so weit kommen, dass man ein permanentes Netzwerk hat, in dem gar nicht mehr erkennbar ist, wo oben und unten ist.

---

[35] Siehe D.5.2.5 „Interaktion findet überall statt, ohne dass es Allen bewusst ist"

Unter diesem Gesichtspunkt ist jede im Unternehmen mit Verantwortung und Macht ausgestattete Person gleichzeitig ein treibender wie auch ein getriebener Mensch. Diese Schizophrenie gegenläufiger Erfahrungen ist die dunkle Seite der Macht.

Die Ausgestaltung der Macht kann positiv oder negativ wirken. Unzufriedene Mitarbeiter beispielsweise erzählen ihre „Erlebnisse" viel häufiger weiter als zufriedene Mitarbeiter. Zufriedenheit wird sehr schnell aus Sicht der Mitarbeiter, aber auch aus Sicht ihrer Vorgesetzten als Selbstverständlichkeit angesehen. Von der Entwicklung enttäuschte Bosse neigen dazu, Ursachen und Fehler bei ihren unmittelbar dafür verantwortlich Unterstellten (also von ihnen mit Macht ausgestatteten Delegierten) zu suchen.

Wer als Vorgesetzter solchen Situationen nicht gewachsen ist, der findet sich in einer Sandwichformation, in der er sich in beide Richtungen zu orientieren und im Zweifel anzupassen hat. Nicht nur die Angst vor Machtverlust wirkt quälend, sondern auch die Angst vor neuen Entscheidungssituationen, die als komplexer, als bedrohlicher, als grundsätzlicher betrachtet werden.

Setzen sich diese Prozesse bei einer begrenzten Anzahl von Führungsebenen fort, gibt es neben dem ohnehin bereits vorhandenem Druck von oben nach unten meistens auch noch diesen Druck von unten nach oben. Damit werden die vorhandenen Führungsebenen sozusagen zwangsläufig reduziert, indem die jeweils untere Ebene die obere herausdrückt.

Übertragen auf die Unternehmenspyramide finden Veränderungen überwiegend im Mittelbau statt und werfen ihre Schatten, weil

- das Top-Management als Block obendrauf steht
- das untere Management mit hohem Druck nach oben strebt und

- das mittlere Management von unten gegen oben gedrückt wird.

Das bleibt u.a. nicht ohne Folgen für Karriereentwicklungen in Unternehmen.

D.6.2 Horizontale Transformationseffekte

Horizontale Transformation bedeutet gegenseitiges Agieren, Handeln und Kommunizieren zwischen gleichen Ebenen.

Auf Unternehmen übertragen ist das die Erscheinungsform einer unternehmensübergreifenden Zusammenarbeit, in der die Unternehmen nicht zu einer Einheit verschmolzen sind. Es sind Partnerschaften, in denen sich beispielsweise in Linienorganisationen Produktabschnitte einer gemeinsamen Produktentwicklung ergänzen.

Die damit verbundenen Abhängigkeiten können zu Problemen führen, sobald geplante ineinandergreifende Abläufe unterbrochen werden. Auch gibt es ganz selten Zusammenarbeit wirklich gleichstarker Unternehmen. Häufig sind es zum Teil ungleichgewichtige Partner. Nicht selten ziehen Partnerschaften a la longue Gewinner und Verlierer nach sich.[36]

D.7 Konsequenzen für die Führungsarbeit

Führungskräfte brauchen den Kontakt zur Basis und zu ihrem kollegialen Umfeld. Sie müssen wissen, was „unter ihnen" und „um sie herum" geschieht. Sie brauchen ihre Mannschaft. Sie brauchen aber auch Informanten über ihre Führungsrealität.

---

[36] Siehe D.5.2.1 „Win-Win-Situationen"

Das funktioniert nur, wenn Chefs ihre Beziehungen zu vertrauenswürdigen Personen (Mitarbeiter, Kollegen oder Externe) zum Networking ausbauen. Dabei spielt sowohl die Anzahl als auch die Qualität eine Rolle.

Da Effekte von Macht und ökonomischen Erfolgen in sehr enger Wechselwirkung zueinanderstehen, können Vorgesetzte ihre Positionsmacht nicht dauerhaft erfolgreich einsetzen, wenn sie dadurch ständig gegen Kompetenz und Persönlichkeit ihrer Mitarbeiter verstoßen. Vorgesetzten-Mitarbeiter-Beziehungen würden ineffizient.

In Bezug auf Kompetenz und Persönlichkeit gibt es nur wenige Gründe anzunehmen, dass Vorgesetzte immer besser sind als die ihnen unterstellten Mitarbeiter. Mit deren zunehmender Qualifikation sollten sie ihre liebgewonnenen Gewohnheiten aus früherem Führungshandeln der jeweiligen Situation anpassen. Damit werden die Möglichkeiten der Einflussnahme zugunsten der Mitarbeiter verschoben. Qualifizierte Mitarbeiter lassen sich heutzutage nicht mehr einfach „abwimmeln". Man muss schon ein wirklich realitätsfremder Vorgesetzter sein, wenn man das nicht erkennt.

Mitarbeiter haben allein schon durch die Art ihrer Reaktion die Möglichkeit, ihre Vorgesetzten wenigstens dazu zu bringen, nicht mehr so zu führen wie sie es vielleicht zuvor praktiziert haben. Solche Signale können Vorgesetzte anregen, ihr Führungsverhalten zu überdenken.

Legt man den Führungsbegriff weitreichend als Beeinflussung in Richtung von Unternehmens- und Abteilungszielen aus, dann können auch Mitarbeiter Führungsimpulse geben. Damit üben sie zumindest indirekt ebenfalls Führung aus, indem sie Führungsprozesse in informeller Weise beeinflussen oder sogar umdrehen.

Nicht selten kommt es in der Führungspraxis überall dort zu Konflikten, wo Interaktionen stattfinden, weil meistens Chefs die „Oberhand" zu behalten versuchen. Andererseits sind Mitarbeiter anspruchsvoller geworden und fordern ein stärker mitarbeiterbezogenes Führungsverhalten. Wollen Führungskräfte Erfolge erzielen, müssen sie gute Überzeugungsarbeit leisten, damit Vertrauen aufgebaut werden kann. Sie müssen die Kriterien für ihre Entscheidungen als Entscheidungsbeweis nachweisen können.

Führungskonflikte werden auch auftreten, wenn rein rational handelnde Vorgesetzte auf Selbstverwirklicher als Mitarbeiter treffen. Wenn jeder von Misstrauen geprägt ist, wird es keine vernünftige Zusammenarbeit geben. Man wird sich gegenseitig zu blockieren versuchen. Ohne eine gewisse vertrauensvolle Zusammenarbeit wird es nicht gehen. Allerdings ist es schwierig, sie zu realisieren. Wie können Vorgesetzte Vertrauen in ihre Mitarbeiter haben, wenn sie damit rechnen müssen, dass die ständig an ihrem Stuhl sägen? Wie können Mitarbeiter Vertrauen in ihre Chefs haben, wenn sie die Leistungen ihrer Mitarbeiter stets als ihre eigenen verkaufen?

Wie kann Kommunikation überhaupt funktionieren,

- wenn man nicht gewohnt ist, sich auf gleicher Ebene zu unterhalten oder
- wenn eine Führungskraft gar nicht akzeptiert, dass da jemand ist, der vielleicht etwas zu sagen hat und auch mündig und qualifiziert ist und
- andererseits der Mitarbeiter nie gelernt hat, mit einem hierarchisch über ihm Stehenden vernünftig zu kommunizieren?

Eine einseitig ausgelegte Führung lässt sich kaum noch durchhalten, weil Führungserfolge letztlich nur möglich sind, wenn Vorgesetzte und Mitarbeiter - jeder aus seiner Sicht - dahinterstehen. Dieser Wechselseitigkeit muss entsprochen werden.

Die günstigsten Voraussetzungen für erfolgversprechende Führungsarbeit sind gegeben, wenn Vorgesetzte für ihre Mitarbeiter Orientierungspersönlichkeiten sind oder sich dazu entwickeln.

Führungserfolg ist eine Frage der Machtbalance zwischen Führungskraft und Mitarbeitern. Als Führungskraft muss man bereit sein, eine gewisse Abhängigkeit von seinen Mitarbeitern zu ertragen.

Vorgesetzte brauchen die Akzeptanz ihrer Mitarbeiter und müssen gleichzeitig mit deren Stärken umgehen können. Man sollte informelle Führerschaften nicht unterschätzen, sondern sie nutzen. Auch Fassaden unterliegen einem starken Wandel!

E Gesellschaftspolitische Perspektiven

Menschen müssen in gleichen Rahmenbedingungen leben. Die gesellschaftliche Wirklichkeit geht davon aus, dass dieser Rahmen durch das jeweilige Ordnungssystem in Form von gemeinsamen Standards angeglichen wird. Regeln für das Zusammenleben lassen sich zurückführen zu Ideologien, die Menschen auf teils fragwürdige Weise verehren. Hauptakteur und Regulator ist der Staat. Er erlässt Gesetze, er erhebt Steuern, er definiert und kontrolliert Erwartungen, damit das „System" funktionieren kann.

Im Gegenzug hat auch die Bevölkerung entsprechend ihren ideologischen Freiräumen Erwartungen an den Staat. Bürger wünschen sich Sicherheit und politische Stabilität. Garant dafür ist bzw. sollte der Staat (das Staatsgebilde) sein, weil von ihm alle richtungsweisenden Aktivitäten und Verhaltensweisen für die Bevölkerung definiert und legitimiert werden. Initiativhandlungen können von Privatpersonen, Unternehmer - von der Bevölkerung schlechthin ausgehen. Deren jeweilige Dynamik ist davon abhängig, was das bestimmende Ordnungssystem zulässt oder verbietet. Unabhängig von der vorherrschenden Gesellschaftsordnung ist das brennendste Problem die Überwindung sozialer Ungleichheit. Dazu zählen Ungleichheit in der Bildung, Ungleichheit zwischen den Geschlechtern, Ungleichheit im Vermögen usw. Sie alle müssten überwunden werden.

In diesen Auseinandersetzungen sollte man die soziale Herkunft nicht unterschätzen. Sie spielt eine besondere Rolle und begünstigt Fassadenbildungen in allen Lebenslagen.

Das Vertrauen in die politische Lage scheint bei vielen Bürgern verloren zu gehen und löst Taubheit und Ratlosigkeit aus. Die Gesellschaftsschichten leben immer noch voneinander getrennt.

Demokratische Parteiensysteme scheinen die Probleme nicht wirklich in den Griff zu bekommen. Ärger, Unzufriedenheit und Unruhe breiten sich aus. In der Bevölkerung wächst die Angst, in Jahrzehnten erworbene Gewohnheiten und Rechte zu verlieren.

Ton und Umgang im politischen Alltag spiegeln diese Situation bis hin zur Feindseligkeit gegenüber der Politik. Auch Politiker und Repräsentanten gehen aggressiv und sehr raubeinig miteinander um. Das Internet entwickelt sich zur Brutstätte anonymer Botschaften. Zwischen Lüge und Wahrheit kann kaum noch unterschieden werden. Das führt zu der fatalen Situation, dass Wertschätzung und Respekt verlorengehen. Angst verträgt sich nicht mit Demokratie.

Sobald dieses Selbstbild schrumpft und durch Gefühle wie Wut, Zorn, Traurigkeit und Vertrauensschwund in der Bevölkerung wächst, sehnen sich Menschen plötzlich nach „Menschen mit Macht".

Insbesondere das Image sogenannter Wohlstandsgesellschaften steht häufig im Widerspruch zum Empfinden vieler Bürger. Sie leben in einer Gesellschaft, durch die oft tiefe Gräben ziehen. „Leistung lohnt sich, aber nicht für alle; die Mitte der Gesellschaft schrumpft - die Aufzüge in der Gesellschaft sind nicht gleich verteilt. Das kann das Fass zum Überlaufen bringen." „Wir schweigen Extremisten an die Macht".[37]

E.1 Macht und Ohnmacht - Gesellschaftliche und politische Realitäten

Politisches Machtgebaren wird gefeiert oder beschimpft. Es ist nicht erkennbar. was überwiegt. Macht ist die Fähigkeit, sich aus eigener oder legitimierter Kraft durchsetzen zu können. Ohnmacht dagegen ist das Gefühl, nichts ändern zu können. Mehr Resignation kann es eigentlich nicht geben. Es macht Sinn, über Macht nachzudenken.

---

[37] Spiegelartikel vom 25.07. 2020

Man will nicht wahrhaben, dass Macht und Ohnmacht sich wechselseitig verhalten. Auf welcher Seite auch immer man steht - es gibt ein Problem. Fühlt sich eine Seite im rechten Licht, stellt sich die andere Seite dagegen. Die ganzen Aufregungen und Spekulationen sind in Wahrheit wenig wert, weil die Deutungsebenen von Macht und Ohnmacht nebeneinander existieren.

Die Begrifflichkeit von „Macht" ist weder positiv noch negativ. Dennoch wird Macht von der breiten Bevölkerung negativ belegt. Man assoziiert landläufig Szenen des Herrschens oder vom Beherrscht werden und identifiziert sich mit der jeweils vorhandenen Empfindlichkeit erlebter negativen Erfahrungen. An dem eigentlichen Phänomen kommt man nicht vorbei, nämlich dass sich Machtstrukturen immer wieder reproduzieren.

Macht und Ohnmacht liegen eng beieinander. Entscheidend sind ihre Wirkungen. Man kann Macht und Einflussnahme als Ergebnis von nachvollziehbaren sich legitimierenden Entscheidungen (z.B. Wahlen) verstehen. Ist das nicht der Fall, verbreiten sich Fehleinschätzungen und negative Wirkungseffekte „lawinenartig" zu Vorverurteilungen.

Wenn in großen politischen Zusammenschlüssen (z.B. Europäische Union) aus befürchteten Ängsten einzelner Staaten das Vetoprinzip statt Mehrheitsprinzip gilt, signalisiert das der weltpolitischen Konkurrenz Schwächung in künftigen Auseinandersetzungen, weil Entscheidungen zu schwierig und vage sind oder erst gar nicht zustande kommen. Die Schlagkraft des Systems ist durch das Vetoprinzip systemisch bereits geschwächt.

Und schon steckt man in Wahrnehmungsverschleierungen (Schattengebilde). Man ist nicht mehr in der Lage, Macht und Einflussnahme möglichst objektiv zu erfassen - wie beispielsweise die Bevölkerung die jeweiligen politischen Aktivitäten wahrnimmt. Die Blindheit vieler politischer Führer äußert sich u.a. auch darin, dass sie gegenüber ihrer eigenen Bevölkerung abstumpfen und ihre eigenen

Interessen verfolgen. Sich häufende Wahrnehmungsverluste führen in Demokratien unweigerlich zur Wahrnehmungsunfähigkeit. Das schadet dem politischen Klima im gesamten Staatengebilde. Politische Führer machen sich über die Legitimation dessen, was sie tun und auslösen, oft keine oder zu wenig Gedanken.

Den Versuch einer Rechtfertigung ihres Handelns unternehmen sie - wenn überhaupt - meist erst im Nachhinein. Besser wäre es, sie täten dies frühzeitiger. Zentraler Punkt dabei ist, dass Regieren immer etwas mit „Macht ausüben" und „Einfluss nehmen" zu tun hat. Dies ist auch ein Grund, warum für Volksparteien Persönlichkeiten wichtiger sind als der etablierte Parteienapparat, weil eine „magnetische Anziehungskraft" Emotionen und Polarisierungen besser erzeugen und nutzen kann. Man kann Persönlichkeiten Vieles vorwerfen, aber sie haben meistens Charisma. Nicht umsonst braucht die Demokratie Persönlichkeitsschutz.

Aufgabe von Politik ist es, Wirtschaft und Gesellschaft in die richtige Richtung (Aufrechterhaltung des Systems, gute Ordnungs- und Wirtschaftspolitik, Recht und Gerechtigkeit usw.) zu lenken. Ob man es mag oder nicht: Die Wirtschaft ist nicht Alles, aber Alles ist ohne die Wirtschaft Nichts!

Damit stellt sich die Frage nach der Befindlichkeit der Bürger. „Was ist gerecht, welche Rolle spielen Gerechtigkeitsprinzipien"?

Das **Leistungsprinzip** entspricht der Erwartung, dass derjenige, der mehr leistet, auch mehr verdienen soll als derjenige, der weniger leistet oder erreicht hat. Das **Anforderungsprinzip** besagt, dass derjenige, der mehr Verantwortung übernehmen muss, auch mehr verdienen muss als derjenige, an den geringere Anforderungen gestellt werden. Die **Marktattraktivität** erfordert, dass ein Personal, das auf dem Markt knapp ist, höher bezahlt wird als andere Berufsgruppen, die zwar die gleichen Anforderungen bringen, aber seltener sind. Die Forderung nach sozialer Gerechtigkeit ist gesellschaftspolitisch das wichtigste

Prinzip. Was ist beispielsweise gerecht an der Verteilung von Kapital und Arbeit? Inwieweit sind Mitarbeiter am generellen Erfolg eines Unternehmens beteiligt? Erfordert es nicht Sozialgerechtigkeit, dass auch derjenige, der dafür arbeitet - also nicht nur das Kapital - und seine Arbeitskraft zur Verfügung stellt, ebenfalls beteiligt wird?

Die Einhaltung solcher Spielregeln ist schwierig, weil deren praktische Umsetzung ein ethisch-moralisches Menschenbild erfordert, das nicht von geldgierigen Sonderlingen auf Kosten der Ausnutzung und Ausbeutung ihrer Mitarbeiter ausgehebelt wird. Nicht wenige Millionäre - wenn nicht sogar Milliardäre - nutzen (unabhängig vom jeweils vorherrschenden Gesellschaftssystem) offiziell deklarierte Wertvorstellungen des Systems, in dem sie leben und zu dessen Nutznießer sie sich selbst machen[38], leichtfertig zu Lasten der Gemeinschaft aus.

Durch derartige Beispiele übersieht man, dass Demokratien auf der Grundlage ihrer nicht zuletzt ökonomischen Offenheit und Ausrichtung einen besseren Lebensstandard als viele andere Länder aufweisen.

Entscheidungsträger in der Politik handeln im Rahmen der Usancen und Rahmenbedingungen ihrer Ordnungssysteme. Politiker müssen einen Job ausrichten, den die Verfassung ihnen zuschreibt. Dahinter steht die Überlegung, dass der Weg dorthin - notfalls auch erst im Nachhinein - legitimiert wird.

Die Machterhaltung von Politikern ist durch das System selbst garantiert, weil sie über mehr Macht und Einfluss verfügen als ihre Staatsbürger. Dadurch wird ein Machtgebaren, das die Mächtigen glauben, sich erlauben zu können, durch Erfolge legitimiert, die im System selbst begründet sind. Persönlichkeiten liberaler Demokratien

---

[38] Siehe auch B.12 Wenn Ethik als Fassadenbluff verkommt“; C.2 „Macht, Gier und Neid“

sollten nicht übersehen, dass *Machtworte, wenn sie zu geäußert werden, gefährlich werden können - und das ganz im Gegensatz zu Diktaturen Was auf Dauer liberalen Gesellschaften schadet, festigt in autoritär geführten Staaten das System. Andererseits handeln Demokratien sachbezogener, weil sie näher am Bürger sind bzw. sein wollen. Das ist ein Teil ihrer Verantwortung.*

Daraus resultiert die notwendige Entschiedenheit ihres Handelns. Unsicherheiten hinsichtlich ihrer Beurteilung bestehen in nicht zu leugnenden Abhängigkeiten, weil Abhängigkeitsverhältnisse die eigentliche Legitimation sind. Je stärker die „Instrumente" des Systems ineinandergreifen, umso stärker ist die Legitimation für ein bestimmtes Gesellschaftssystem.

In demokratischen Gesellschaftssystemen haben auch Staatsbürger die Möglichkeit, zusammen mit vielen anderen über den Erfolg ihrer Regierungen zu entscheiden.

In diesen wechselseitigen Abhängigkeiten findet Politik statt. Deshalb ist es wichtig, nicht nur auf die ideologischen Vorgaben zu schauen, sondern auch auf das, was die Menschen daraus machen. Selbst wenn einzelne Bürger vieles besser können als ihre Repräsentanten, lassen sie sich dennoch erfolgreich führen, wenn auch die Verwirklichung auf Schwierigkeiten stößt.

Im Gegensatz zur repräsentativen Demokratie (BRD, Frankreich usw.) stellt die meist mit übertriebenen Forderungen handelnde direkte Demokratie (England) das Demokratieverständnis letztlich in Frage, weil es häufig nur um das Ritual, um das Ringen der demokratischen Macht geht.

Machtbesessenheit wirkt destabilisierend - ein sinnvoll nachvollziehbares Machtgebaren dagegen integrierend und stabilisierend.

Bürger eines Landes handeln legitim, solange sie sich innerhalb des jeweils gegebenen Gesellschaftssystems an dessen Spielregeln halten.

E.2 Politisches Machtgebaren ist immer systemisch legitimiert

Politik machen heißt - vereinfacht beschrieben - Probleme lösen. „Politik zeichnet sich dadurch aus, dass sie die Möglichkeit hat, Prioritäten zu setzen."[39] Grundlage gesellschaftspolitischen Handelns sind Werte, Normen und Regeln. Nicht selten sind definierte Werte je nach Zielsetzung selbst schon Fassaden. Man handelt danach oder man verschanzt sich hinter ihnen. Das ist Grund genug für „machtbesessene Selbstherrscher", im Innersten ständig von Angst getrieben zu sein!

Was Wertvorstellungen für Staatsformen versprechen, ist zunächst visionär! Ideologien werden nicht selten als Fassade für politische Machtmechanismen missbraucht. Je nach Lebenserfahrungen unterscheidet man zwischen weltoffenen Ordnungssystemen (repräsentative Demokratien), scheinbar (vorgetäuschten) offenen (autokratisch gelenkte präsidiale Diktaturen) und in sich geschlossenen Systemen (reine Diktaturen oder Scheichtümer als absolute Monarchien, in denen durch Herkunft legitimierte meist autokratisch ausgerichtete Herrscher an der Spitze stehen. Welche Wertvorstellungen gelebt werden (müssen), hängt von den politischen Eliten eines jeden Landes ab. Bei aller Kritik sollte man nicht vergessen, dass jeder Mensch hierarchisch unterdrückend wirken kann.

Vielfalt und Wechselseitigkeit sind wesentliche Merkmale politischer Ideologien:

---

[39] Rudolf Betz „Gedanken für den Tag," ORF

In demokratischen Rechtsstaaten werden sie hergestellt durch nationale Wahlen und mehrheitlich getragene Entscheidungen. Autoritäre Staaten (insbesondere autokratisch geführte Präsidialstaaten) täuschen Vielfalt und Wechselseitigkeit allenfalls vor, leben aber überwiegend Einfalt und Einseitigkeit; es sei denn, man anerkennt das Ertragen und Erdulden der Bürger als Wechselseitigkeit. Autoritären Staatsführungen sind demokratische Dialoge zuwider. Sie können damit Nichts anfangen.

Präsidialsysteme (z.B. USA, Brasilien, UDSSR, Türkei usw.) haben Ähnlichkeit zu Diktaturen. Hier werden pseudodemokratisch gelenkte Wahlen durchgeführt, die eine demokratische Basis vortäuschen. Handfeste „autokratische Herrscher" wenden demokratische Rituale an und behaupten, demokratisch legitimiert zu sein, obwohl sie nicht danach leben. Welche Wahl aber haben ihre Wähler? Es gibt keine Konkurrenz. Dennoch wird von Wahlen gesprochen, weil über den Eindruck einer freien Wahl die Wahrheit vertuscht und mit Lügen an die Öffentlichkeit gegangen wird. Die legitimierte Macht ihrer politischen Alleinherrscher ist die Botschaft der Scheinparlamente, Hier läuft die politische Macht zusammen. Ihre Alphatiere wollen etwas Besonderes und keine Massenmenschen - Menschen, die nicht ihrer Meinung sind - sein. Gefährlich wird es für Menschen, die andere Ideologien vertreten. Sie werden daran gehindert, verfolgt und sogar bestraft. Journalisten sind meistens die ersten Opfer, die gegängelt oder sogar verhaftet werden.

Korrupt handelnde Staatsführer (gleichgültig welcher Staatsform) versuchen, Anerkennungszwänge und Bewunderungseffekte mittels selbstbestimmter und selbstherrlicher Machenschaften zu erzeugen, indem sie vorauseilenden Gehorsam produzieren. Ehrlicherweise sollte man in frei gewählten Gesellschaftssystemen bei derartigen Praktiken von „Demokraturen" anstatt von Demokratien sprechen. Wenn auch nicht in der beschriebenen Schärfe unternimmt die etablierte Politik in demokratischen Systemen alles, um der Öffentlichkeit zu gefallen, weil sie wiedergewählt werden wollen. Sie präsentieren sich in einer Art, als würden sie das Volk verstehen und repräsentieren. In Wirklichkeit verlieren sie immer dann den Kontakt zur Realität, wenn sie sich ihre eigene Wirklichkeit konstruieren. Viele begreifen nicht oder wollen nicht begreifen, was sich unten tut. Von den kleinen Leuten kriegen sie kaum noch etwas mit.

Herrschaftshäuser und Diktaturen haben es leichter. Sie sichern sich ihre eigenen Vorteile. Das Recht ist auf der Seite der Mächtigen. Die Mündigkeit wird den Bürgern abgesprochen. Machtverliebte Führer handeln skrupellos. Ihnen ist eine siegesgewohnte plakative Überheblichkeit gemeinsam, indem sie sich selbst erhöhen und solange tolerant erscheinen, solange die Anderen ihre Meinung zu 100% vertreten - ein typisch autoritäres Herrschaftsverhalten in Form angstverbreitender Fassaden. Sie fürchten die öffentliche Ächtung, greifen massiv bei Protesten aus der Bevölkerung durch und lösen Probleme mit Gewalt. Alles läuft nach einem radikalen Drehplan ab. Geht etwas schief, müssen Schuldige gefunden werden, um nicht selbst in die Schusslinie zu geraten. Regierungskritiker werden inhaftiert. Informationsautokratie beherrscht Land und Leute, indem der Versuch unternommen wird, die Bevölkerung in ihre Ideologie zu pressen! Diktaturen neigen dazu, dass sogar Gefühle konditioniert werden.

Es ist nicht verwunderlich, dass die herrschenden Parteifunktionäre[40] absolut nicht aufgeschlossen sind für irgendwelche offenen Problemstellungen. Sie möchten überhaupt nicht befragt werden, irgendetwas anders machen zu können als sie es bisher gemacht haben. Sie scheuen sich auch nicht, Lügen den Charakter einer

---

[40] Rudolf Baro „Die Alternative zur Kritik des real existierenden Sozialismus“

Wahrheit zu geben und unangenehme Tatsachen als Fake-News abzuwälzen.

Über Ökonomie würden sie vielleicht noch diskutieren - es bleibt dann aber sehr wahrscheinlich nicht bei der Ökonomie, weil derartige Gespräche rechtliche Voraussetzungen und politische Konsequenzen haben. Da wollen keine „Alleinherrscher" ran, weil sie nicht glauben, dass sich das Ganze dann so aufrechterhalten lässt wie bisher.

Als politische Vorführeffekte werden in Pressekonferenzen allenfalls gebriefte Fragen zugelassen. Bei glaubwürdigen offenen politischen Fragenstellungen fürchten sie um ihre Besitzstände. Keiner der starken Männer wird es zulassen, dass sie abgewählt bzw. outgesourct werden können. Wo man Gebiete annektiert und/oder Kriege führt, macht man sich das Recht selber. Es wird publizistisch durch das Staatsfernsehen „regelgerecht" sanktioniert. Ängste und Leiden der Zivilbevölkerung sind nur Mittel zum Zweck. Militärische Macht zeigt ihre Wirkung und macht am Ende populär.

Als private Machthülle bevorzugen Autokraten, mit ihren Familien in Prunkbauten *bzw.* Palästen zu leben, die als solche auch vom Volk bewusst wahrgenommen werden sollen. In armen, schwachen und meist unterdrückten Völkern hat die Religiosität eine besondere Bedeutung. Wenn dann auch noch Religion für politisches oder sogar bestialisches Fehlverhalten instrumentalisiert und missbraucht wird oder sich instrumentalisieren und missbrauchen lässt, so ist das Opium für das Volk.

Autoritäre Machthaber handeln aus ausschließlich persönlichen Interessen. Wer gegen ihre Entscheidungen protestiert, läuft wegen „Mangel an Rechtsstaatlichkeit" Gefahr, dafür politisch verfolgt und inhaftiert zu werden.

Machtstrukturen bilden die Fassaden staatlicher Gestaltungsformen. Die freiheitliche Demokratie (der demokratische Rechtsstaat in der

Bundesrepublik Deutschland oder den USA) und die präsidiale Diktatur (der autokratisch gelenkte Präsidialstaat Türkei oder die UDSSR) - konkurrieren miteinander. In diesem Wettstreit der Systeme sollte man nicht übersehen, dass Diktatoren bzw. Autokraten sich weltoffener zeigen als sie in Wirklichkeit sind.

Politischer Realismus ist nicht frei von Ideologie und stets eine Kombination aus Wettbewerb und Kooperation zwischen unterschiedlich gelebten und erlebten Staatsformen - entweder zwischen Nationen und Völkern oder zwischen Personen innerhalb der Machtzentren (auch Parteien).

Politik setzt Rahmen zur Gleichrangigkeit unterschiedlicher Interessen. Beispielsweise sollen Kapital und Arbeit, Wirtschaft und Politik wie auch Wirtschafts- und Gesellschaftsordnung zum Ausgleich gebracht werden.

E.3 Ordnungspolitische Beziehungsgeflechte im Wettstreit

Es hat wenig Sinn zu sagen, „die Politik bestimme die Wirtschaft" oder „die Wirtschaft bestimme die Politik". Wirtschaft ist kein Wert an sich, sondern hat eine dienende Funktion für den Menschen. Das exakte Erkennen der Ordnungsformen und deren wechselseitige Beziehungen sind nötig. Man muss die Zusammenhänge sehen.

Marktwirtschaft heißt immer demokratisierte Volkswirtschaft und von daher auch Demokratie in der Politik. Die Menschen können sich auf unterschiedliche Weise ausdrücken. Jeder, der etwas auf sich hält, ist allein verantwortlich für sein Handeln und seine Unterschrift! Menschen sind durch die Ungleichheit ihrer Anlagen und Zugehörigkeit zu verschiedenen Gesellschaftsschichten voneinander abhängig. Überall dort, wo sich Menschen frei entfalten können, entscheiden sie sich durchaus auch in unterschiedliche Richtungen. Man nennt das eine offene pluralistische Gesellschaft.

Mögliche Kontroversen brodeln im Hintergrund des Alltagsgeschehens. Dabei wird häufig die notwendige Toleranzschwelle durch Gereiztheit und Blindheit realistischer Notwendigkeiten überschritten. Wo viel Geld im Spiel ist, ist der Missbrauch nicht weit. Klassenkämpfe bilden das Terrain für teils ausufernde politische Auseinandersetzungen. Die Logik der Marktwirtschaft und damit das Kapital zeigen sich von ihrer negativen Seite. Wenn Unternehmen nicht genügend Gewinne erzielen, trennen sie sich von Kapazitäten und verkürzen vorhandene Ressourcen, indem sie sie in billigproduzierende Länder (z.B. China, Russland usw.) verlagern. Bei unvorhergesehenen Ereignissen (beispielsweise Coronapandemie) kann die Abhängigkeit von Lieferketten und Produktionsketten zum Totalausfall und Desaster werden.

Die wesentliche Philosophie der Marktwirtschaft ist keine ökonomische - es geht nicht nur um Wettbewerbsfreiheit und Angebot und Nachfrage (Autos, Kühlschränke, Waschmaschinen Autobahnen usw. sind voll). Es geht in der Marktwirtschaft darum, dass man das kaufen kann, was man kaufen will; „um den unlösbaren Zusammenhang zwischen einer freiheitlichen Gesellschaftsordnung einer befriedeten Welt."[41] Es geht um die Konsumentenwünsche und die Fragen Rechtsstaat, offen pluralistische Gesellschaft und Demokratie. Wo bleibt deren Beantwortung ohne die Wirtschaftsordnung Marktwirtschaft?

Wer sich Planwirtschaft wünscht, der muss sich fragen, ob die Rechte „Rechtsstaat" „offen pluralistische Gesellschaft" erhalten bleiben können? In zentralen Verwaltungswirtschaften kann man lediglich Quantität (z.B. Stückzahlen auf die Einwohnerzahl - auf soundso viel

---

[41] Alfred Müller Armack, geistiger Vater der Sozialen Marktwirtschaft

Köpfe entsprechende Einheitswaren) planen. Qualität aber kann man nicht planen. Der für eine Marktwirtschaft typische Föderalismus würde zum Zentralismus. Ist das wirklich wünschenswert?

Schließen sich Länder zu Vielvölkergemeinschaften (Vielvölkerstaaten China und Russland oder die Europäische Union als Großverbund) zusammen, werden sie unabhängig von ihrer Staatsform mit Problemen der Abgrenzung nationaler Interessen ihrer Mitgliedsstaaten konfrontiert werden. Vorteile aus der Zugehörigkeit zum Verbund werden gerne genutzt, wohingegen Solidarität mit Gemeinschaftsinteressen an ihre Grenzen stößt, sobald man sich Verpflichtungen unterziehen soll. Jede Vielvölkergemeinschaft fliegt auseinander. Auf das schwächelnde Erscheinungsbild der Europäischen Gemeinschaft während der letzten Jahre sei lediglich hingewiesen

Bedeutung und Wirksamkeit ordnungspolitischer Maßnahmen werden bei einem Vergleich der z.Zt. weltweit konkurrierenden Gesellschaftsformen (offene pluralistische Gesellschaften versus zentral gesteuerte Verwaltungsgesellschaften) für Jedermann nachvollziehbar.

Die kapitalistische Welt, die westlichen Industriestaaten fahren weitgehend das Modell Marktwirtschaft; die sozialistischen Länder dagegen bevorzugen das Modell der Planwirtschaft. Die ordnungspolitische Vielfalt im Wettstreit alternativer Gesellschaftssysteme eröffnet den Wunsch, den Markt zu entdecken.

Bei wirtschaftlichen und sozialen Vergleichen sind in der liberalen Demokratie Lebensstandard und Lebensweise der breiten Bevölkerung höher als in totalitären Staaten. Wettbewerb ist das Beste, weil das Beste dabei herauskommt! Demokratien gleichen Ängste und Bedürfnisse des Volkes besser aus. Andererseits sollte man die Anfälligkeit demokratischer Systeme nicht übersehen, sobald Abstiegsängste ganze Bevölkerungsschichten ergreifen.

Dennoch kommt man nicht umhin, dass Arbeit und Kapital einander brauchen. Will man das gesellschaftspolitische Miteinander trotz aller Verteilungskämpfe nicht zerstören, sollte man nicht vergessen, dass es ohne wettbewerbsfähige Unternehmen Nichts zu verteilen gibt! Der Staat kann langfristig seinen Verpflichtungen nur so weit entgegenkommen, was wirtschaftlich verdient wurde.

Bei aller Würdigung sollte man nicht verhehlen, dass es weder fairen Kapitalismus noch fairen Kommunismus gibt.

E.3.1 Rechtsordnung als rechtsstaatlicher Rahmen

Rechtsstaat bedeutet Gewaltenteilung: Ohne Freizügigkeit, ohne Gewerbefreiheit, ohne Produktions- und Handelsfreiheit, ohne freie Eigentumsnutzung ist Marktwirtschaft nicht möglich. Im Gegensatz dazu wird in Planwirtschaften alles angeordnet, immer muss man fragen, immer darf man nicht usw.

Rechtsstaatliche Qualität kann man nicht planen, weil die Menschen Produkte ganz bestimmter unterschiedlicher Stile und keine Einheitsmode und -produkte wollen. Sie wollen nach Möglichkeit wählen können.

In der Marktwirtschaft geht es um die Frage, wie frei die Bürger handeln können und insbesondere wie der Staat mit Minderheiten umgeht. Darin zeigt sich seine rechtsstaatliche Qualität.

Wie viel Freiheit kann der Staat allen Minderheiten gewähren, ohne dass er sich selber (Rechte, Gewaltenteilung, Demokratie und unabhängige Gerichte) in Frage stellt. Es geht aber auch nicht, dass eine Minderheit die Mehrheit sabotiert. Das wäre eine komische Mehrheit, die das mit sich machen lässt.

Wenn China oder die Sowjetunion die Wirtschaftsordnung ändern wollen, müssten sie als ersten Schritt die Rechtsordnung, ihren

Rechtsrahmen ändern. Beim Thema rechtsstaatlicher Qualität kommt man in einer Planwirtschaft relativ schnell ans Ende der Diskussion.

E.3.2 Beziehungsgeflechte zwischen Wirtschafts- und Staatordnung

Die Form der Wirtschaftsordnung steht in enger Verbindung zur Ordnung eines Staates. Besonders kommt dies zum Ausdruck im Aufbau der Gesellschaft, dessen unterschiedlichen Bedingungen für den sozialen Aufstieg der Bevölkerung und generell in einer frei entfalteten Persönlichkeit durch Selbst- und Mitbestimmung. Es geht um Wirtschaft, nicht um Unternehmen. Wirtschaft ist existentiell; Wirtschaft ist Lebensrecht. Hinsichtlich der Chance zum sozialen Aufstieg ist auf das Leistungsprinzip[42] zu verweisen, das zugleich ein gesellschaftliches Ordnungsprinzip ist.

Beim Aufbau der Gesellschaft ist man vor die Wahl gestellt, Wirtschaftslenkung von den Haushalten und Betrieben (Marktwirtschaft) oder von einer zentralen Spitze eines Staates (Planwirtschaft) zu betreiben.[43] Das wirtschaftliche Ordnungsproblem Marktwirtschaft und Planwirtschaft. Eine Verlagerung der Wirtschaftslenkung von Haushalten und Betrieben in eine zentrale Spitze oder umgekehrt hat jeweils weitreichende soziale Konsequenzen.

In der Planwirtschaft wird der Aufbau der Gesellschaft ausschließlich von oben dirigiert und wächst nicht von unten:

- Arbeiterausschüsse oder Betriebsräte können auch in den Betrieben keine wesentlichen Arbeitsbereiche mehr finden,

---

[42] siehe E.3.4 „Wettbewerb und Leistung

[43] Walter Euken „Grundsätze der Wirtschaftspolitik“

weil die wichtigen Fragen eben nicht von der Betriebsleitung, sondern von den zentralen Planstellen entschieden werden

- Freiheit und Selbstverantwortung werden enger begrenzt als in der Demokratie. Die soziale Frage wird aus Sicht der autoritären Spitze definiert. Demokratisierung in sozialistischen Ländern ist etwas ganz Anderes als das, was man in Deutschland oder Frankreich unter Demokratisierung versteht. Es ist eine andere Welt der Macht hinter verschlossenen Türen.

Bei zentraler Lenkung der Investitionen wird die den Arbeitnehmern in Demokratien zugesicherte Mitbestimmung zur Farce. Die für einen Arbeitsplatz wesentlichen Entscheidungen über Investitionen werden nicht dezentral in einzelnen Unternehmen, sondern zentral in einem Investitionskontrollamt gefällt. Die Aufsichtsräte einschließlich der Arbeitnehmervertreter werden damit zu Befehlsempfängern einer zentralen Überwachungsinstanz.

In sozialistischen Ländern handeln Gewerkschaften nicht im Sinne der Interessenvertreter gegenüber der Arbeitnehmerschaft, sondern gegenüber dem staatlichen Arbeitgeber. Die Staatsgewerkschaften in staatssozialistischen Ländern sind immer Interessenvertreter des Staates gegenüber den Arbeitnehmern - sie haben die Arbeitnehmer anzuhalten, die staatlichen Planziele zu erfüllen.

Was gesellschaftlich positiv ist, hängt immer vom politischen Vorzeichen ab. Gehorsam gegenüber der Obrigkeit ist bei zentralen Planstellen Pflicht. In Zentralverwaltungswirtschaften (meist Einparteiendiktaturen) sind andere Kräfte gesellschaftlich positiv als in freien Gesellschaften.

Bei Ansätzen zu erwähnenswerten Veränderungen stünde bei zentral gelenkten Volkswirtschaften die ganze monopolisierte Willensbildung in Gefahr. Wenn sie beispielsweise eine freie Gewerkschaft haben wollen, brauchen sie auch einen freiheitlichen Staat. Sie brauchen ein anderes Staatssystem. Sie brauchen so etwas wie Demokratie. Andernfalls kann es keine Einsprüche von freien Gewerkschaften geben, die bekanntlich nicht zugelassen werden dürfen. Das ist nicht nur eine Frage von Demokratie und Diktatur. Die Frage der Wirtschaftsordnung reicht in den Staatsaufbau hinein - nämlich Föderalismus oder Unitarismus. Die totale Marktgläubigkeit birgt Gefahren in sich, wie die Coronapandemie gezeigt hat. Letztlich ist es Aufgabe des Staates, insbesondere in solchen Situationen - auch in freiheitlich orientierten Demokratien - einzugreifen und zu regulieren. Föderalistischer Staatsaufbau bedeutet unterschiedliche Länder mit durchaus auch unterschiedlichen Interessen. Bei notwendigen Gemeinschaftsentscheidungen sind meistens Zeitverzögerungen die Folge; aber auch Suche durch Wettbewerb nach der besten Lösung. Politische Entscheidungen brauchen manchmal Zeit, die man nicht hat.

Wenn der Staat föderalistisch ist, muss seine Finanzverfassung auch föderalistisch sein. Dann müssen die Gemeinden eigene Einkommensquellen, eigene Steuerquellen haben. Dann müssen die Länder eigene Steuerquellen haben und auch der Bund. Das Alles muss geregelt sein. Andernfalls steht der ganze Föderalismus nur auf dem Papier. In Diktaturen, in Zentralverwaltungswirtschaften ist davon nicht die Rede. D.h. das System von geltenden Teilordnungen (Demokratie, Marktwirtschaft, offene Gesellschaft und Rechtsstaat) ist das Gegenmodell zur Diktatur.

Derjenige, der in Diktaturen oder in Pseudodemokratien in Gestalt von Präsidialsystemen die Gesetze gibt, anordnet und durchführt, der konstruiert sich mit Hilfe autokratischer Einschläge seine Legitimation und spricht sich selbst (Mr. Genius) (Putin) jedes Recht zu. Das ist kein Rechtsstaat; das ist Totalitarismus! Man sucht ausschließlich Vertrauensleute der Oberschicht für Führungspositionen, die gesinnungstüchtig waren. Besonders gewertet wird Mitarbeit in der Partei - immer in Blickrichtung auf den Führer. Führung erfolgt in

Scheinparlamenten, weil alle Vorgaben einheitlich abgenickt werden. Es ist ein System, das sich selbst schützt und die Bevölkerung zu seinem Nutzen benützt. Politischen Erfolgen folgt häufig Größenwahn. Die gierigen Machteliten stützen sich auf Militär, Polizei und Machtstrukturen. Sie betreiben Machterhalt um jeden Preis. Jeder, der anders denkt, wird mit maximaler Härte abgestraft! Die Skrupellosigkeit politischer Machthaber schaltet Köpfe von Oppositionellen aus. Menschen werden aus dem Weg geräumt! Durch brutale Unterdrückung jeglicher Kritik und durch Korruption wird Herrschaft gesichert.

Ähnlich verhalten sich extremistische Fanatiker von Religionsgemeinschaften und deren radikalisierte Anhänger mit ihren steinzeitlichen Vorstellungen Wer sich gegen sie stemmt, lebt gefährlich.

Wer fairen Dialog nicht zwangsläufig als Konfliktlösungsmethode anerkennt und verfolgt, mit dem kann es eigentlich aus demokratischem Selbstverständnis keine rationalen Gespräche mit rationalen Ergebnissen geben. Dialoge mit autokratisch orientierten Regierungschefs verblassen meistens als Fassadenbluff.

In zentral gelenkten Volkswirtschaften müssen Produktionsleiter akzeptieren, Befehle auszuführen. Was immer sie denken oder verändern wollen, sie müssen lernen, dass sie nicht selbständig denken dürfen; geschweige denn, sich öffentlich äußern dürfen. Wer nicht ins Gerüst der Partei passt, hat keine Chance, die eigene Meinung zu äußern. Sogar die reichsten und wirtschaftlich stärksten Unternehmensführer müssen sich den Richtlinien der Partei unterordnen. Die Partei hat immer Recht.

Unter den Machthabern gibt es Menschen, die Werte und Gefühle ihrer Bürger bewusst zerstören. Macht wird gesichert und Ohnmacht erzeugt. Notfalls werden Menschen ausgehungert, gefügig gemacht und zur Vertreibung gezwungen. Die hemmungslose Verachtung freiheitlichen Willens gepaart mit Allmachtansprüchen von Diktatoren bzw. de facto Alleinherrschern verhindert, dass sich eine freiheitliche Elite entwickeln kann.

Rechtsstaat, das ist Gewaltenteilung. Was immer man priorisiert, in beiden Systemen (Einparteien- oder Mehrparteiensysteme) gilt das jeweils geltende Prinzip. Da wie dort gibt es Hinderungen. Den Schöpfer von Fake-News kennen wir alle - ebenso die Heilsbringer diktatorischen Couleurs. Dazu zählen leider auch demokratisch gewählte Regierungschefs, die die Würde des Menschen propagieren und gleichzeitig Diffamierungen von Menschen in Kauf nehmen. Sie alle sind Autokraten mit offenen Karten. Man kann nur hoffen, dass diese Politiker bei den jeweils nächsten Wahlen abgestraft werden. Diktatoren haben kein Ablaufdatum, wohl aber „demokratisch gewählte" Regierungen!

Hinsichtlich der Chancen zum sozialen Aufstieg ist auf das Leistungsprinzip zu verweisen, das zugleich auch ein Ordnungsprinzip ist. Wenn nicht Leistung gelten soll, was dann sonst? Dann gilt vielleicht ein Parteibuch, eine Privilegiertenrolle oder sonst etwas.

Das Leistungsprinzip hat es in sich. Da gibt es bestimmte Voraussetzungen, die nicht alle Menschen erfüllen - nicht alle erfüllen können.

Auch wenn wir nicht für Alles verantwortlich sind, müssen wir uns dennoch eingestehen, dass man sich realistische Ziele setzt, dass man sein eigenes Leistungsvermögen realistisch einschätzt. Dazu brauchen wir viel Toleranz, um uns gegenseitig anzuerkennen in unserer Vielfältigkeit. Wir müssen uns selbst so hinnehmen wie wir sind. Dann ist Ordnungsvielfalt ein Garant für Freiheit und Zufriedenheit.

E.3.3 Selbst- und Mitbestimmung

Ein wichtiger Beitrag zur Unterscheidung von Marktwirtschaft und Planwirtschaft ist das Anliegen nach Selbst- und Mitbestimmung.

Was immer Menschen bewegt - ob im privaten, oder gesellschaftlichen Lebensbereich - sie fühlen sich anerkannt und aufgewertet, wenn sie in sie betreffende Entscheidungen und Entwicklungen eingebunden werden und mitbestimmen dürfen.

Wenn die Betroffenen gehört werden und die Gleichrangigkeit beispielsweise von Arbeit und Kapital gegeben ist, spricht man von einer qualifizierten Mitbestimmung. Sie muss in einer Form zum Ausgleich gebracht werden, die Unternehmen jederzeit handlungsfähig erscheinen lässt. Es ist immer dann keine qualitative Mitbestimmung, solange die Betroffenen nicht mitreden. Mitreden heißt: Man fordert das Recht auf legale Opposition.

Selbst das in Deutschland gehandhabte Mitbestimmungsrecht (bei Pattsituationen die dem Aufsichtsratsvorsitzen via Gesetz gegebenen zwei Stimmen) ist keine qualifizierte Mitbestimmung. weil die Betroffenen nicht miteinander reden.

Mitbestimmung in den Betrieben ist im Rahmen der sozialen Marktwirtschaft in der Bundesrepublik eine entscheidende richtungsweisende Frage, weil sie sehr schnell an Fragen der Wirtschaft führt.

Wo bleibt beispielsweise bei zentraler Lenkung die freie Entfaltung der Persönlichkeit durch Selbst- und Mitbestimmung? Wo bleibt bei zentraler Lenkung die Selbstverwirklichung? Alle Richtungen, wohin man sich selbst verwirklichen will, sind verboten und werden von der Partei oder dem Staat bestimmt

Sollte eine zentral gelenkte Volkswirtschaft eine Wirtschaftsreform planen, dann müssten deren großmundig deklarierten Gewerkschaften eine ganz neue Funktion haben.

E.3.4 Systemwettbewerb und Leistung

Die Marktwirtschaft ist begehrt, weil sie eine produktive leistungsfähige Wirtschaft ist, die sich durch Wettbewerb auszeichnet.

Wo Leistung als Ziel deklariert wird, organisiert man Wettbewerb - im Sport, in der Kunst, in Unternehmen, in Wissenschaften usw. Das Prinzip des Wettbewerbs heißt in der Wirtschaft Marktwirtschaft. Weil die Marktwirtschaft leistungsfähig ist, kann sie auch sozial sein. Das soziale Netz kann finanziert werden - z.B. Renten, das Krankenhauswesen usw.

In der sogenannten zweiten Welt möchte man eine von der Planwirtschaft herkommend leistungsfähigere Wirtschaft haben. Die Bereitschaft Chinas, selektiv marktwirtschaftliche Strukturen zuzulassen, zeigt, wie anziehend das Modell Marktwirtschaft in Richtung weniger Staat und mehr Markt ist. Dabei ist nicht daran gedacht, dass alle großen Staatsunternehmen privatisiert werden, sondern die großen Staatskonzerne sollen nach eigenem Plan, der sich nach Binnen- und Außenmärkten richtet, operieren. Trotz aller öffentlichen Reden lenkt man den Blick auf die Marktwirtschaft - allerdings auf eine sozialistische. Man will aus einer sozialistischen Planwirtschaft in eine sozialistische Marktwirtschaft gelangen. Ändert man die ökonomische Basis, dann ändert sich der ganze ideologische Überbau (Rechts-, Gesellschafts- und Staatsordnung). Genau hier liegen die Probleme.

Allerdings muss man der Planwirtschaft zugestehen, dass sie Agrarstaaten in Richtung Industriestaaten entwickelt hat, weshalb die

Vermutung naheliegend erscheint, dass Planwirtschaften langfristig ein Übergangsmodell zur Marktwirtschaft sein können.

Damit stellt sich die Frage, wie lange Planwirtschaft Sinn macht und ob aus Sicht zentral gelenkter Volkswirtschaften eine Ausrichtung auf die Marktwirtschaft überhaupt umsetzbar erscheint?

Sowohl der kapitalistische Westen als auch der sozialistische Osten haben Probleme. Wenn sich der Westen mit den Ländern im Osten vergleicht, dann geht es den Menschen im Westen besser. Man muss nur schauen, wie die Leute dort leben.

Die Marktwirtschaft ist leistungsfähiger als die Planwirtschaft! Ausnahmen sind zentrale Anliegen aus machtpolitischen Interessen, auf die sich alle Aktivitäten konzentrieren. Die Marktwirtschaft ist gesellschaftspolitisch dem Zentralismus überlegen! Nur ist sich die Mehrheit der Bevölkerung dessen nicht bewusst, weil sie sich längst an diesen „Luxus" gewöhnt hat und ihn als selbstverständlich ansieht.

„Unter dem Gesichtspunkt der Freiheit dürfte die Marktwirtschaft auch dann noch vorzuziehen sein, wenn ihre ökonomischen Leistungen geringer wären als die der Wirtschaftslenkung." (Müller Armack) Sollte man den Glauben haben, die Diktatur sei das beste Staatssystem, muss man eingestehen, dass man nie die „richtigen" Diktatoren hat bzw. haben wird, weil sie machtbesessen sind.

E.4 Fassetten politischer Visionen

Demokratien werden von Parteien, die ihren ideologischen Rahmen haben, getragen und zeichnen sich durch Kompromiss aus. Eine gesunde Demokratie lebt von Kompromissen! Um überhaupt Kompromisse erzielen zu können, müssen immer mehr unterschiedliche rationale Strömungen[44] verfolgt und berücksichtigt werden, Wären sich alle von Beginn an einig, käme man am Ende nicht weiter.

Wer kompromissbereit ist, muss von seiner Ausgangsposition zurückweichen können Er darf erzielte Ergebnisse nicht als Niederlage empfinden, weil dadurch das Selbstverständnis demokratischer Entscheidungsprozesse unterhöhlt würde. Ein sinnvoller Kompromiss darf niemals als maximale Realisierung einer Partei oder eines Gesprächspartners ausgelegt werden. Das Wesen des Kompromisses ist es, dass man sich aufeinander zubewegen muss.

In Konflikten soll Konsens herbeigeführt werden. Das bedeutet, dass zum Konsens immer auch der Konflikt (Max Weber) gehört. Die Kultur der Kompromisssuche als Methode verhindert das starre Fest- und Durchhalten an der Konfrontation zwischen Parteien und soll Problemlösungen gesichtswahrend herbeiführen, so dass am Ende von Debatten Mehrheitsergebnisse gefunden werden. Unter diesem Aspekt wird man den konsensfähigen demokratischen Denkansatz (BRD) dem konfrontationslastigen Ansatz (England) vorziehen.

Dieses für Demokratien typische Postulat stößt an Grenzen. Die Notwendigkeit zur Mehrheitsbeschaffung erfordert Konsenszwang. Parteienlandschaften beeinflussen die Zusammenarbeit im Parlament und damit die politische Willensbildung. Je größer die Anzahl der in einem Parlament vertretenen Parteien ist, desto schwieriger wird die Konsensbildung. Will man den Ausgleich finden, muss man möglichst viele Menschen mitnehmen, was in einem Dreiparteienparlament leichter ist als in einem Mehrparteiparlament.

In guten wirtschaftlichen Zeiten werden Kompromisse überwiegend positiv aufgenommen, wohingegen sie in einem schlechten Klima eher

---

[44] Siehe B,6 „Der rationale Schleier..."

als Schwäche ausgelegt werden und diese möglicherweise auch noch fördern. Kleinere Parteien werben mit Wunschdenken, das sich in der politischen Umsetzung meist nicht durchführen lässt. Dennoch darf der Kompromiss nicht als Niederlage definiert werden. Letztendlich sind Kompromisse Kitt und Garantie der Demokratie.

Je leichter parlamentarische Minderheiten die Plattform für populistische Strömungen bilden können, desto anfälliger wird die politische Führung. Es ist leicht, demokratische Errungenschaften zu kritisieren und durch ein aufgeheiztes Klima kaputt zu reden, um Polarisierungen in der Gesellschaft zu verstärken. Sie nutzen schneller als ihre Konkurrenten die Gunst aktueller Situationen und greifen rasch die richtigen Fragen auf, ohne die richtigen Antworten zu haben. Populismus ist „pures Ego", verbunden mit dem Versuch, durch meist unseriösem ideologiebehaftetem (nationalpopulistisch) Fanatismus Mehrheiten zu schaffen und Wut über die gesamte politische Elite und/oder ihre politischen Gegner anzuheizen. Immer dann entstehen Zerrbilder der Realität, wenn Politiker ihre Rhetorik für Populismus aufgeben.

Die Bevölkerungsmehrheit ist mit Ausnahme in Wahlsituationen eine machtpolitische Minderheit und von daher populistenanfällig. Verwurzelte reaktionäre Populisten und Extremisten tragen eine eingebaute Empörungswelle mit sich und denken in Abgrenzungen. Sobald sich das gesellschaftliche Klima aufheizt und der Staat Schwächen zeigt, wittern sie ihre Chance und polarisieren Menschen, um sie zu mobilisieren. Wo Spannungen groß sind, versuchen sie, Spannungen weiter anzuheizen. Sie nutzen Unzufriedenheit schamlos aus, indem sie Enttäuschte und Frustrierte ansprechen, die überwiegend emotional statt rational handeln und reagieren. Wo eine Spaltung der Gesellschaft droht, suchen sie ihre Angriffsfelder und versuchen daraus Kapital zu schlagen. Frustpotential ist bei allen Menschen, die sich als Verlierer des Systems empfinden, vorhanden. Schnell wird aus Frust Aggression. Insofern gefährden Polarisierungen insbesondere freiheitliche Gesellschaftssysteme, weil es äußerst schwierig ist, die Menschen wieder zurückzugewinnen für die Demokratie.

Die Schizophrenie ihres Verhaltens offenbart der Widerspruch, einerseits den Qualitätsstandard demokratischer Rechte (Freiheit) in Anspruch zu nehmen und gleichzeitig offene Gesellschaften zerschlagen zu wollen. Generationskonflikte, Spannungen zwischen Arm und Reich und bildungsfremde Familien sind ihre bevorzugten Kriegsschauplätze. Extremisten verschanzen sich hinter geschönten Fassaden, gehen immer an die Grenze oder darüber hinaus und schaffen Unruhe und Ängste. Das System der Leistungsmaximierung sowie der mangelnde Bildungsstand der Massen erleichtern Taktik und Strategie populistischer Extremisten. Entweder nutzen sie die Dummheit ihrer Ansprechpartner oder sie betreiben rhetorische Verdummung als gängige Methode, um einschüchternd zu wirken und Empörungsdebatten als „Stimmung" zu erzeugen. Häufiges Verdrehen von Fakten gefährdet die Demokratie. Sie betreiben unverantwortliche Machtspiele. Ihre enthemmte Sprache peitscht auf und schürt Aggressivität. Parlamentsdebatten missbrauchen sie für Agitationen.

Je stärker die Schere zwischen Arm und Reich auseinandergeht, umso anfälliger wird die Demokratie - spätestens unter dem Blickwinkel bevorstehender Wahlen, da die schwächeren Bevölkerungsschichten zahlenmäßig die Mehrheit sind.

Menschen, die Ängste haben, neigen dazu, sich mit Gleichgesinnten zu solidarisieren und ggf. zu radikalisieren. Im Internet lässt sich Kritik schnell mobilisieren! Das Internet enthemmt. Man gaukelt Sachfragen vor, greift aber in Wirklichkeit Personen an. Man kann sich nicht mehr darauf einigen, wo die rote Linie verläuft. Das Aggressionslevel ist meist hoch. Kritische Massen sind zu Allem fähig. Zunehmende Polarisierungen fördern Radikalisierungen in einem demokratiegefährdenden Ausmaß. Jeder Bürger trägt schließlich dazu bei, indem er durch sein Schweigen solchen Entwicklungen freien Lauf lässt. Viele Menschen wollen einfach nicht wahrhaben, dass Demokratie kaputtgeht, wenn man sie nicht schützt"!

Demokratisch legitimierte Entscheidungsträger können sich nur halten, wenn es ihnen gelingt, Vertrauen in der Bevölkerung zu erzeugen. Das setzt voraus, dass sie handlungsfähig und berechenbar sind. Nur dann sind sie populär. Popularität heißt nicht Populismus. Gelingt es jedoch Populisten, populär zu werden, ist die Demokratie gefährdet. Charismatische Populisten, die die Öffentlichkeit zu ihren Gunsten geradezu professionell manipulieren, sind die größte Gefährdung.

Wir leben in einer medialen Welt, in der jede Nachricht als Massenwurfsendung anonymisiert verbreitet werden kann, um Stimmungen dagegen - Hauptsache „dagegen" - zu erzeugen. Chancen der Demokratie werden dann wegen populistisch erzeugter Ideologie versäumt. Wer als „freier" Bürger überleben will, der muss seine Leidenschaft für die Demokratie entdecken und die geistige Auseinandersetzung aufnehmen.

Verantwortung der Zivilgesellschaft ist gefordert! Vor Radikalisierung von Protest muss „jederzeit" und „überall" gewarnt werden. Nicht die Populisten sind stark, sondern die Angst vor ihnen. Deshalb ist es wichtig, nicht nur in seinem eigenen Umfeld zu diskutieren, um eine Breitenwirkung erzielen zu können.

Ein gern vertuschtes Problem bei demokratischen Wahlen ist die Käuflichkeit von Parteien durch Großspenden. Wahlkampfveranstaltungen sind im Vergleich zu offiziellen Konkurrenzveranstaltungen leichter finanzier- und durchführbar.

Demokratien werden anfällig und brüchig, sobald die gewohnte Verhältnismäßigkeit zwischen den Bevölkerungsschichten als ungerecht empfunden wird und zu schwanken beginnt.

In totalitären Regimen werden derartige Entwicklungen unterdrückt. Demokratieaktivisten, die sich gegen das Regime wehren, werden für schuldig gesprochen, die öffentliche Ordnung gestört zu haben, und deshalb inhaftiert oder „stillgelegt". Damit sollen abschreckende Wirkungen in der Bevölkerung erzeugt werden.

Demokratisch gewählte Parlamente müssen um die Macht kämpfen. Autark installierte Parlamente sind Scheinparlamente, die die Menschlichkeit missachten.

Allerdings gibt es auch in Demokratien keine Lösung, die für alle Seiten die ideale Lösung ist. Demokratien werden von der mehrheitlichen Zusammenarbeit getragen; sie leben von der Verantwortung und Bereitschaft, Kompromisse zu finden. Man darf aber nicht im Geflecht der Zuständigkeiten in Kompromissen versinken!

Diese für Demokratien typischen Charakteristika werden in präsidialen Diktaturen (autokratisch gelenkt) nur scheinbar legitimiert. Demokratische Usancen werden initiiert und - wenn überhaupt - nur bruchstückhaft eingesetzt, weil die meist selbstherrlich handelnden Staatslenker aufkeimende gegen sie gerichtete Entwicklungen niederschlagen, auch wenn die eigene Bevölkerung ganz anders darüber denkt. Niemand soll zu viel wissen! Das Regime hat die Macht, aus einem engmaschigen Netzwerk von Politikern, Generälen und einflussreichen Geschäftsleuten eine Einheit zu bilden. Der Machtapparat wird nicht gewählt, sondern ausgewählt! Sie alle sind Nutznießer und Garanten des Systems. In Zweifelsfällen werden der Bevölkerung betreffende demütigende Verbote erlassen. Autoritäre Regime (Kommunismus stalinistischer Prägung) setzen zunächst das Machtmittel der Demütigung (öffentliches Bloßstellen) ein. Wenn es eng wird, folgen Polizei, Militär und Geheimdienst. Wer Andere demütigt, will seine Macht herstellen und stabilisieren[45] Was die Menschen fühlen und wollen dürfen, wird vorgegeben.

In beiden konkurrierenden Staatsformen wird Politikerversagen in Form von Alltagsdiskriminierungen für jedermann erkennbar, wenn die Gefühle der Bevölkerung nicht wirklich wahrgenommen werden. Politiker dürfen ihre Wähler nicht auf ihrem Weg verlieren!

Demokratie stellt hohe Anforderungen an die etablierte Politik wie auch an deren Bevölkerung.

E.4.1 Demokratische Ordnungssysteme - das Individuum im Mittelpunkt

Demokratie ist ein vielseitiges Versprechen für den Umgang mit menschlicher Individualität. Macht verteilt sich einigermaßen und ist nicht auf nur Wenige konzentriert. Demokratie ist vom Grundprinzip ausgerichtet auf Interessenausgleich. In der Demokratie steht das Individuum im Mittelpunkt und nicht das Kollektiv. Das bedeutet Transparenz und **Nachvollziehbarkeit** von Entscheidungen, die sich im Kern durch Selbstbestimmung auszeichnen. Bei Wahlen geht es um unterschiedliche Vergleichsangebote. Parteien müssen, - wollen sie wieder gewählt werden, - den Bedürfnissen des Volkes gerecht werden. Sie müssen einerseits wertkonservativ - d.h. sie dürfen Kernwerte nicht verraten - sein und müssen sich andererseits gesellschaftspolitischen Entwicklungen anpassen und demzufolge auch verändern können. Andernfalls tauschen neue Gruppierungen auf und bilden neue Parteien.

---

[45] Ute Frevert „Die Politik der Demütigung: Schauplätze von Macht und Ohnmacht“ S. Fischer Verlag, Frankfurt am Main 2017

Andererseits muss auch die Bevölkerung den Regeln entsprechen. Nach Wahlen gibt es Gewinner und Verlierer. Demzufolge lebt die Demokratie von Konflikten. Man streitet. Entscheidend für die Funktionsfähigkeit des Gesellschaftssystems ist, wie man streitet; wie man mit dem System umgeht und dass Verlierer das Regelwerk akzeptieren und tolerieren. Für demokratische Prozesse ist die Akzeptanz der Verlierer die entscheidende Voraussetzung! Demokratie erfordert trotz aller durchaus auch egoistischen Interessen ein demokratiereifes Bildungsniveau (Respekt und Anstand) mit entsprechendem Informationsstand seiner Bürger!

Nahezu automatisch verändert sich in Demokratien mit steigendem Wohlstand die politische Landschaft - die Menschen werden zufriedener. Parteipolitisch anfangs propagandistisch gefärbte ideologische Auseinandersetzungen verschieben sich zugunsten zunehmender Orientierung an der parteipolitischen Konkurrenz. Das Volk als Souverän entscheidet. Bei ihrer Wahlentscheidung denken mit Ausnahme ihrer jeweiligen Extremisten linke Wähler nicht mehr ganz links und rechte Wähler nicht mehr ganz rechts!

Man unterscheidet zwischen direkter Demokratie (Schweiz), der repräsentativen Demokratie (Deutschland, Österreich) und der parlamentarischen Demokratie (England). Als besonders systemrelevant und am fairsten werden Mehrparteiendemokratien angesehen. Überall gibt es systembedingt keinen Diktator, der alleine entscheidet. Dennoch haben alle Demokratieformen institutionelle Schwächen.

Innerhalb liberaler demokratischer Ordnungssysteme sind Zweiparteiensysteme nicht immer demokratiefreundlich. Sie polarisieren und verursachen häufig eine Spaltung der Bevölkerung nicht zuletzt auch durch kontroverse Medieninteressen und deren Vertreter. Die Folge sind Hinderungen und Verlust an Effektivität.

Häufen sich Probleme, sind Gesetze, die erlassen werden, die politische Antwort. Ihre öffentliche Wahrnehmung jedoch ist maßgebend für deren Umsetzung. Woran liegt es, dass Gesetze häufig nicht umgesetzt werden? Je komplizierter Probleme werden, desto komplizierter werden auch Gesetze!

Dennoch werden demokratische Systeme von der Mehrheit ihrer Bürger als Selbstverständlichkeit angesehen. In ihrem eigenen Interesse sollte es besser nicht so sein. Die Qualität dieser Wertegemeinschaft zeichnet sich aus durch das allgemeine Wahl- und Versammlungsrecht, Rede- und Meinungsfreiheit, Pressefreiheit. Rechtsstaatlichkeit, Minderheitenschutz, soziale Gerechtigkeit, Würde des Menschen usw. Freiheit ist Mobilität. Demokratie braucht Dissens, aber auch Privatsphäre, Konsensfähigkeit sowie freier und fairer Austausch in Diskussionen sollten bei anstehenden Mehrheitsentscheidungen den Rahmen bestimmen. Kann man die öffentliche Meinung oder die Meinung anderer nicht aushalten, ist Verrohung sehr schnell die Folge. Spätestens dann muss sich die schweigende Mehrheit zeigen! Der Wettbewerb der Meinungsfreiheit ist keine Absicherung des Systems.

Wollen demokratisch gewählte Politiker erfolgreich sein, müssen sie auf der Basis der Realität diskutieren und verhandeln, damit die Umsetzung ihrer erreichten Kompromisse machbar wird.

Trotz der beschriebenen Merkmale darf Demokratie nicht nur als Mehrheitsherrschaft verstanden werden, sondern muss auch Schutz für politische, religiöse sowie weitere Minderheiten und dem Recht, das jedem Menschen zusteht (Würde), dienen.

Erfolgreiche Demokratien zeichnen sich dadurch aus, dass sie im Volk populär sind und eine breite Mittelschicht haben. Voraussetzung dazu sind Bildung und faire Besteuerung. Insbesondere unter dem steuerlichen Aspekt vergisst man gerne, dass mit Freiheit auch

Pflichten verbunden sind. Wer überleben will, der muss die gegenseitigen Pflichten kennen und anerkennen!

Die beschriebenen Kriterien demokratischer Prozesse kann man auch als Erfolgsfaktoren bezeichnen. Will man nicht von gegenteiligen Entwicklungen überrollt werden. muss man sie als solche verteidigen! Der größte Feind ist die Dummheit. Wenn auf der Sonnenseite der Demokratie lebende intelligente Menschen es vorziehen, die Realität aus der zweiten Reihe zu beobachten statt engagiert aus der ersten Reihe mitzuwirken, dann ist das der programmierte Untergang der Demokratie. Demokraten müssen zusammenhalten und dürfen sich nicht zu sehr mit sich selber befassen!

Demokratie macht nur Sinn, wenn man die Regeln einhält Dazu muss gegenseitiger Respekt (zumindest Mindestrespekt) der von Allen anerkannte Rahmen sein. Das gilt gegenüber Andersdenkenden auch bei hartnäckigen Kontroversen, aber auch ganz allgemein. Werden Menschen nicht rechtzeitig in anstehende Vorhaben einbezogen, empfinden sie das als bewusst herbeigeführte Ausgrenzungen, die permanent verletzen.

Kritik stärkt zwar das demokratische Bewusstsein, darf aber nicht zur Unterhöhlung des Systems missbraucht und benutzt werden. Deshalb ist darauf zu achten, dass demokratische Spielregeln eingehalten werden. Andererseits dürfen anstehende Diskussionen zeitlich nicht überzogen werden, weil dann der Eindruck mangelnder Überzeugungs- und Führungsstärke entstehen kann.

Manchmal mag es richtiger sein, auf ausgedehnte und vielleicht uferlose Auseinandersetzungen zu verzichten, um Loyalität und Führungshoheit nicht zu gefährden.

Bei aller Würdigung darf nicht übersehen werden, dass demokratische Systeme anstrengend sind:

- Gleichheit und Freiheit sind die Säulen der Demokratie. „Demokratie ist keine Harmonieveranstaltung" (Wolfgang Thierse). Demokratie erfolgt langsam und erzeugt bei angststiftenden Problemen Unruhe. Dabei entsteht der Eindruck, als könne man die Probleme nicht lösen. Offenheit und Art der Auseinandersetzung sind Schwachpunkte.

- Bevölkerungen gewöhnen sich schnell an demokratische Verhältnisse und empfinden sie als Selbstverständlichkeit. Die Mehrheit ist leider erst in einem kritischen Zustand - meist schon zu spät - bereit, sich für sie einzusetzen und sie zu verteidigen. Die Freiheit hört dort auf, wo sie die Freiheit anderer Bürger einschränkt! Demokratische Veranstaltungen sind keine Selbstverständlichkeit! Verantwortung tragen bedeutet, sich für die Freiheit einzusetzen!

- Ein Dilemma ist nicht nur die Herrschaft der Mehrheit, sondern die Tatsache, dass Demokratie auch Minderheitenrechte umfasst.

- Legislaturperioden messen sich gerne an der Anzahl erlassener Gesetze. Das Gegenteil müsste der Fall sein. Überschwemmung mit Gesetzen und Regeln macht Volkswirtschaften unflexibel.

- Gesetze, Regeln und Normen wecken Freude an Umgehungsstrategien und werden gerne und leichtfüßig umgangen.

- Die Mitte der Gesellschaft darf nicht vergessen werden - sie ist das Kernstück der Demokratie.

Diese Fakten als Lippenbekenntnisse anzusehen, wäre nichts Anderes als sich selbst verblendender Fassadenpoker.

Das Wichtigste, was die Marktwirtschaft braucht, ist ein politisch stabiler Rahmen. Politische Stabilität ist notwendig. Wenn sich

Vertrauen in die Regierenden nicht bestätigt, ist Misstrauen in der Bevölkerung die Folge. Frustration schlägt schnell um und eskaliert!

E.4.2 Totalitäre Ordnungssysteme

Autoritäre Regime herrschen über ihr Gewaltmonopol[46] selbstherrlich. Gegenkandidaten sind chancenlos. Auf Proteste wird mit Härte reagiert:

- Menschen- und Bürgerrechte werden verletzt.
- Wahlergebnisse werden gefälscht.
- Die Presse wird beherrscht.
- Polizei und Militär terrorisieren das Volk.
- Physische, psychische und religiöse Durchdringung kritischer Bevölkerungsschichten erfolgt bereits durch Zwänge in der schulischen Ausbildung. Kindern wird in religiös doktrinären Staaten ein einseitiges und damit für sie selbstverständliches Rollenverständnis vermittelt. Toleranz für Andersdenkende gibt es nicht, so dass alles andere für sie nicht existiert und die Anfälligkeit für Radikalisierungen groß ist.
- Minderheiten werden verfolgt.

Autoritäre Regime dulden keine Kritik. Sie versuchen, sich mit Gewalt ihre Macht zu erhalten und ihr wahres und einziges Ziel durch Einschüchterung festzuhalten! Was die Menschen fühlen dürfen und wollen, wird vorgegeben. Alles soll möglichst ideologisch einheitlich sein. Diktaturen haben nicht wirklich einen Mittelstand. Pluralität gibt es nicht. Niemand sagt etwas oder wehrt sich, weil alle Angst haben.

---

[46] Bernd Faulenbach „Demokratien und Diktaturen im 20.Jahrhundert“

Solange Menschen zum Schweigen gezwungen werden, erlöschen Selbstwert und Würde.

Die Regime wollen das Leben derer, die sich aufbäumen, zerstören. Der jeweiligen Situation entsprechend werden typische Verhaltensmuster sichtbar:

1. Diktatoren fördern nur Günstlinge und Familienmitglieder
2. Wer zum engen Kreis zählt, der hat Macht und Geld
3. Propaganda und Versprechungen funktionieren
4. Wer teilhaben will, richtet sich besser nach den Machthabern aus.
5. Grenzen des Ertragbaren werden oft erreicht.

Die Innercircle der Macht (incl. Oligarchen) neigen zu Machtmissbrauch, Vetternwirtschaft und Korruption. So entstehen ganze Völker, die im politischen Alltag gefangen sind.

Die Geschichte lehrt jedoch, dass denjenigen, die mit Gewalt an die Macht gekommen sind, am Ende (wann auch immer) die Gewalt mit Gewalt entzogen wird. Davor haben zentralistische Staatslenker die größten Ängste.

E.4.3 Licht und Schatten zwischen Anspruch und Wirklichkeit

Man verlangt häufig von Politikern Etwas, wozu man selbst nicht bereit ist, obwohl jeder Bürger auf seine Art politisch ist - unabhängig ob er sich äußert oder ob er Nichts sagt. Trotz aller Schwierigkeiten darf nicht vergessen werden, dass Demokratie vom Argument und nicht vom

Streit lebt.[47] Wir müssen die Meinungen Andersdenkender aushalten. Andernfalls ist die Demokratie gefährdet. Wenn Einer nur spricht und alle anderen schweigen, dann ist das keine liberale Demokratie. Allerdings sollte man nicht übersehen, dass Meinungsfreiheit - so wichtig sie für die Demokratie ist - ihre Grenze haben muss. Wir dienen der Freiheit, indem wir auch auf Freiheit verzichten! Es kann nicht sein, dass demokratiefeindliche Fanatiker sich über die vorherrschende Meinungsfreiheit juristischen Freispruch für ihre Hasstiraden einholen.

Damit freiheitliche Staaten nicht implodieren, ist in der Gesetzgebung darauf zu achten, dass das Postulat der Meinungsfreiheit nicht von Extremisten ausgenutzt werden kann. Die Freiheit hört dort auf, wo sie die Freiheit Anderer beschädigt. Freiheit bedeutet auch Übernahme von Fremdverantwortung! Extremistische, die Demokratie gefährdende Polarisierungen müssen vermieden werden. Eine die Demokratie sichernde Gesetzgebung muss deshalb die Verhältnismäßigkeit gesellschaftspolitischer Ziele berücksichtigen und garantieren. Die Demokratie ist nicht grundsätzlich die bessere Lösung. Sie muss auch funktionieren. Wo sie nicht funktioniert, sucht sie sich Geheimlösungen.

Was wir brauchen, ist gegenseitiger Respekt, Zuversicht und den Glauben an eine lebenswürdige Zukunft. Sicherheit und Zukunft gewinnt man durch Vernunft! Im Zweifel sind Demokratien gefährdet, weil es für systemgefährdete Extremfälle kein Regelwerk gibt, nach dem Sanktionen zugunsten der Sicherung des Systems möglich sind.

Demokratie muss jeden Tag verteidigt werden! Der Umgang mit erlangter Freiheit bedeutet nicht nur, alle sich bietenden Möglichkeiten auszuschöpfen, sondern auch die Verpflichtung, Verantwortung zu übernehmen. Um Freiheit und Eigenverantwortung zu erhalten, muss

---

[47] Dankesrede von Aleida und Jan Assmann anlässlich der Verleihung des Friedenspreises des deutschen Buchhandels am 14.10.2018

man bereit sein, sich mit Leidenschaft und Zuversicht für die Demokratie zu engagieren. Es geht nicht mehr um das persönliche Ego, es geht um die Allgemeinheit. Jeder hat ein Stück Demokratie in seiner Hand! Letzten Endes widerspiegeln wir uns in unseren Politikern. Wir haben sie ja gewählt!

Auch darf die freiheitliche Verfassungsordnung (Exekutive, Judikative und Legislative) nicht durch multimediale Informationen unterhöhlt und ausgeblendet werden.

Bei der Verteidigung der sozialen Marktwirtschaft sollte man nicht nur ihre wirtschaftliche Seite in den Vordergrund stellen, sondern im Wesentlichen die Interdependenz zwischen Wirtschaft und Politik.[48] Demokratie lebt von Konflikt und von Konsens! Und genau darin lauert ihre Anfälligkeit.

Hat man sich an demokratische Verhältnisse gewöhnt, besteht die Gefahr, zu gelassen und zu spät auf Angriffe zu reagieren und wegen zwischenzeitlich angewöhnter Selbstverständlichkeiten aus dem Ruder zu laufen. Das sind die häufigsten Gründe für Autoritätsverlust demokratisch geführter Staaten.

Die freie Meinungsäußerung der Bürger ermöglicht Fragestellungen, die sich zu Selbstläufern von Erwartungszwängen entwickeln können und das System in Frage stellen. Je besser es Bürgern geht, umso grundsätzlicher werden Fragen wie „Leben wir, um zu arbeiten oder arbeiten wir, um zu leben?" „Wie können wir die Arbeitswelt so gestalten, dass wir sie als menschenwürdig ansehen?" oder „ Es geht um eine Gesellschaft, die Arbeit nicht nur als strategischen Erfolgsfaktor sieht, sondern auch sich selber Arbeits- und Lebensbedingungen schafft, die dem vorhandenem Wohlstandsniveau

---

[48] Siehe E.3.2 „Beziehungsgeflechte zwischen Wirtschafts- und Staatsordnung“

entsprechen". Solche auf den erwirtschafteten Lebensstandard reflektierende Wohlstandsfassaden als Forderungen für die Zukunft abzuleiten, weist auf die politische Brisanz systemischer Veränderungen. Derartige Diskussionen sind nur möglich in demokratischen Gesellschaftsformen. In Diktaturen würden sie blockiert.

Demokratische Gesellschaften brauchen Menschen, die sich engagieren, einbringen und mitmachen. Wer nur über die Verteilung von Einkommensverhältnissen nachdenkt, ist kein echter Demokrat und wer sich ausschließlich verantwortlich für eine Partei fühlt, der ist bereits auf dem Weg in die Diktatur!

Das Ringen um Macht findet überall statt. Es ist eine Binsenwahrheit, die immer aktuell bleibt. Demokratien zeichnen sich im Gegensatz zu Diktaturen durch ein breites Meinungsspektrum aus. In beiden Systemen neigen deren Führungseliten (Machthaber) in unterschiedlicher Intensität dazu, getroffene Entscheidungen und Maßnahmen durch Überbürokratisierung[49] und Überjustifizierung abzusichern und „festzuregeln". Dadurch wird die Umsetzung in die Praxis erheblich erschwert. Die Bereitschaft der Bürger zum Handeln wird wegen zu erfüllender Formalitätenzwänge häufig von Passivität geprägt sein.

Aus Sicht der Lenkung und Steuerung ist Diktatur die einfachere Lösung, aus Sicht der Menschenwürde die Schlechtere. Diktaturen sind nicht für Transparenz bekannt. Die Durchsetzung egoistisch ausgerichteter Strategien fällt Diktatoren leichter. Dennoch sollte man nicht übersehen, dass auch demokratisch gewählte Regierungen anfällig sind, in politisch kritischen Situationen die Demokratie auszuhebeln, indem sie am Parlament vorbei regieren. Hinzu kommt, dass auch demokratisch gewählte Präsidenten Nebelkerzen als

---

[49] Siehe E.5.2.3 „Bürokratie - ein ausufernder Fassadenpoker

Propagandaschlachten mit der Bereitschaft zu Fake-News legen können (Mr. Trump). Sie haben ein komplexes Verhältnis zur Wahrheit und versuchen durch Botschaften abzulenken Machtbesessene Menschen sind selbstsüchtig und höhlen allgemeingültige menschenwürdige Werte aus. Aus Machtgier lassen sie Alles über die Klinge springen.

Wem die Wahrheit fehlt, der braucht ein Feindbild. Wem Gefahr droht, der sucht immer die Schuld bei Anderen und gibt seinem selbst ernannten Feindbild die Schuld. Diktatoren setzen sich durch. Demokratien sind durch Manipulation in Form von „Fake- News" und „Lügen in eigener Sache" gefährdet!

Interessenpolitik dominiert über alle Grenzen hinweg. Größenwahnsinnige Exzentriker übersehen bewusst, dass es immer die Unsichtbaren (die da unten) sind, die Opfer von Ideologien werden und die Last tragen. Besonders deutlich erkennbar wird das am Beispiel totalitärer Staaten, wenn sie religiöse Gesinnung ihrer Bürger als systemisches Machtinstrument benutzen.

Repräsentative Demokratien erheben den Anspruch, dass Entscheidungen und Entwicklungen transparent sind. Der entscheidende Unterschied zwischen Demokratien und Diktaturen ist die Chance zur Freiheit. Dies aber nur, wenn die Legislative die Bürger rechtzeitig in Entscheidungen einbindet. Gesetze, Veränderungen oder Anweisungen werden von Bürgern eingehalten, wenn für sie nachvollziehbar ist, warum es beispielsweise ein Verbot gibt. Damit dokumentiert man den Idealfall, Bürger nicht nur informieren zu wollen, sondern sie Teil des Prozesses werden lassen. Das ist oft Grund genug, warum es in offenen gelenkten Systemen im Gegensatz zu autoritären Regimen häufig und teils überraschend wegen unterschiedlicher Interessen von Staat und Gesellschaft zu Verzögerungen und ggfs. Konflikten kommt.

Auslöser sind meistens Situationen, in denen Menschen sich getäuscht, verraten und unsicher fühlen. Beispiele sind:

- Die durch Lehman Brothers ausgelöste weltweite Finanzkrise im Jahr 2008.
- Das steuerliche Gewaltmonopol.
- Viele Dinge werden zu Lasten des Steuerzahlers unter den Tisch gekehrt.
- Die unterschiedliche Behandlung von Bürgern eines Landes und im Gegensatz dazu der Umgang mit internationalen Großkonzernen kann von vielen Bürgern nicht mehr nachvollzogen werden. Der sog. kleine Mann wird dem Steuerrecht entsprechend auf die Richtigkeit seiner Steuererklärung bis ins Detail frenetisch überprüft. Dagegen wäre Nichts einzuwenden, wenn nicht der gleiche Staat (die gleichen Autoritäten) stillschweigend zuschaut, wie internationale Konzerne hemmungslos weltweit von Steueroase zu Steueroase vagabundieren, um möglichst wenig oder keine Steuern zahlen zu müssen. Ähnlich verhält es sich bei Sportmillionären mit deren freizügiger steuerbegünstigter Wahl ihrer Wohnsitze.
- Bei derartigen Praktiken darf es nicht verwundern, wenn die eigene Bevölkerung jede Möglichkeit wahrzunehmen versucht, staatliche Einflussnahme zu umgehen bzw. zu unterlaufen. Schwarzarbeit ist keine Frage des Anstandes oder der Moral mehr.

Wenn auch Alles formalrechtlich in Ordnung sein mag, versteht die Mehrheit der Bevölkerung das nicht mehr und beginnt an der politischen Durchsetzungskraft ihrer Repräsentanten zu zweifeln. Verunsicherung in der Bevölkerung entsteht immer dann, wenn der Eindruck vorherrscht, die Spitze des Staates könne Probleme nicht wirklich lösen. In einer solchen Atmosphäre der „gefühlten" Antwortlosigkeit sind die schwächeren Bevölkerungsschichten besonders anfällig für Protestreaktionen. Das Steuer- und Gewaltmonopol darf aber nicht durch die Straße bestimmt werden.

Sozial kritische Situationen wirken auf den Lebensalltag, indem Menschen nicht mehr die erwarteten Leistungen erbringen, was sich wiederum auf deren Zukunft auswirkt. Deshalb ist der Staat gefordert, dafür zu sorgen, dass der soziale Zusammenhalt nicht zerfällt.

Auf die Wählergunst ausgerichtete Fassaden bei Neuwahlen sind der Versuch, Mehrheiten gegenüber konkurrierenden Parteien zu erlangen. Es sind „Versprechen", die selten gehalten werden, wie sie in das Volk hinein verkündet werden. Aus parteipolitischer Sicht ist diese Vorgehensweise ein systemisches Fassadenkalkül mit dem Ziel, Mehrheiten und damit Macht zu erringen.

Ein möglicher Nachteil, den man je nach Sichtweise auch als Vorteil ansehen kann, ist der schichtenspezifische Ausgang abgehaltener Wahlen. Er lässt sich aus der Struktur der wahlberechtigten Bevölkerung erklären. Je größer der Anteil einer bestimmten Bevölkerungsschicht ist, desto stärker wird sie sich im Wahlergebnis widerspiegeln. Ob solche Wahlergebnisse immer für die Interessenlage eines Volkes positive Auswirkungen haben, bleibt dahingestellt.

Auch sollte nicht übersehen werden, dass die Bildung regierungsfähiger Koalitionen umso schwieriger wird, je stärker das Parteienspektrum zersplittert und der Interessenausgleich über Kompromisse immer anfälliger wird. Viele kleine Parteien können Regierungsbildungen vollkommen auf den Kopf stellen.

Koalitionswillige Parteien müssen mehrere Partner einbinden, um Kompromisse zu erreichen. Je mehr Parteien in einem Parlament vertreten sind, desto schwieriger werden Koalitionsbildungen wegen der Unverhältnismäßigkeit ihrer Größe. Kleinere Parteien neigen zu

Überheblichkeit und sind bestrebt, ihre Chancen voll auszukosten und auszunutzen. Aus gleichen Überlegungen wächst über die gesamte Legislatur die Gefahr, dass Koalitionen auseinanderbrechen und in der Bevölkerung aufgrund empfundener Instabilität der Ruf nach einer starken Hand das demokratische System gefährdet. Darüber hinaus verschlechtern sich für Koalitionäre deren Profilierungsmöglichkeiten, weil das inhaltliche Profil und damit der Abgrenzungskurs gegenüber der Konkurrenz bei künftigen Wahlen schwieriger werden.

Die beschriebenen Anfälligkeiten sind Grund genug, warum es Staatslenkern offener Systeme schwerer als Diktatoren fällt, gegen sie gerichtete Entwicklungen rechtzeitig zu erkennen und zu korrigieren. Darüber hinaus dauern Entscheidungsprozesse in offenen Demokratien häufig zu lange und sind für konkurrierende Staatsgebilde zugunsten deren strategischen Ausrichtung leicht durchschaubar. Wer für den schnellen Weg ist, der wird sich nach einem starken Mann sehnen.

Die Gefahr, dass Demokratien zu autoritären Formen (könnte man als Demokratur bezeichnen) mutieren, nimmt zu. Demokratie kann funktionieren; kann aber auch aus der Bahn geworfen werden. Keine liberale Gesellschaft ist davor gefeit, dass Änderungen - auch machtpolitische - erfolgen. Systemveränderungen kommen nicht von oben, sondern von unten. Wenn man nur noch füreinander und nicht miteinander redet und Menschen thematisch nicht mehr beteiligt, wird die Kluft zwischen Politikern und Bevölkerung immer größer. Insbesondere demokratisch ausgerichtete Gesellschaften brauchen zum Überleben eine Balance zwischen Staat und Bevölkerung.

Gewinnen Nationalisten an Fahrt und Dynamik, läuft Demokratie ihr vermeintlich letztes Rennen gegen die Zeit. Nationalistische Ideologien können mit ihrem Eigenleben (ideologisierter Wahn) Gesellschaftssysteme in Frage stellen und zu Fall bringen. Will man derartige Entwicklungen einbremsen, darf man die Aufmerksamkeit nicht nur auf die Probleme richten, sondern muss auch auf die Vorteile der Demokratie verweisen und die Bevölkerung darüber informieren.

- In Demokratien spielt der Gesamtzustand einer Gesellschaft eine größere Rolle als in allen anderen Gesellschaftsformen.
- Demokratie ist die Lebensform, die am meisten lernfähig ist!
- Die soziale Marktwirtschaft zeigt mehr Bereitschaft zur gegenseitigen Solidarität mit den Schwächeren der Gesellschaft als Diktaturen.
- Einem Land, in dem es gerecht zugeht, geht es auch ökonomisch gut.
- Der Wohlstand eines Volkes (z.B. Bundesrepublik Deutschland, Österreich, Schweiz) beruht auf einer offenen Gesellschaft.
- Darüber hinaus darf nicht übersehen werden, dass die Verfolgung nationalistischer Ideen in einem Verbund von Staaten langfristig den Verbund zerstört. (Gefahr für Europa - Robert Menasse)
- Liberalisierung ist der Garant gegen Machtmissbrauch.
- Ein Machtvakuum bleibt nicht lange. Schnell gibt einer nach und ein anderer rückt vor.

Das sind Argumente, warum offene Gesellschaftssysteme ihr besonderes Augenmerk darauf richten müssen, dass (präsidiale) Diktatoren die Toleranz von Demokratien nicht missbrauchen.[50]

Dazu ist es notwendig, frühzeitig genug mit den Bürgern - aber nicht über sie - zu sprechen. Dabei spielen Differenzierungen (Unterschied zwischen Stadt- und Landbevölkerung, zwischen Gebildeten und weniger Gebildeten, zwischen Ober-, Mittel- und Unterschicht) in der

---

[50] Siehe E.3 „Ordnungspolitische Beziehungsgeflechte im Wettstreit

Vorgehensweise eine taktisch vielversprechende Rolle. Will man möglichst viele Wähler gewinnen, muss man Milieus ansprechen, die nicht zu den Gewinnern (die Unterprivilegierten) einer Gesellschaft zählen. Erfolg gewohnte Politiker werden ihre eingewöhnten persönlichen Fassaden überwinden müssen. Sie müssen sich trauen, in die Situation der Realität zu blicken und dürfen nicht mutlos sein, um Lösungen für ihr gewohntes Ordnungssystem zu suchen. Man erreicht schließlich mehr durch Gespräche als durch Gesprächsverweigerung! (gilt übrigens auch für den privaten Bereich). Wer als Politiker dazu in der Lage ist, der kann vom Milieu seiner Bürger profitieren.

Je stärker der Selbstwert demokratischer Gepflogenheiten ausgeprägt ist, umso höher sind die Erwartungen an den Staat. Kontroversen und Auseinandersetzungen gehören nun einmal zum demokratischen Alltag.

Dennoch ist die Welt häufig das Gegenteil von dem, was man sich ersehnt hat. Man kommt einfach nicht daran vorbei, dass Unzufriedenheit sich ihre Unruhestifter sucht. Findet man keinen „Schuldigen", werden fälschlicherweise Erwartungen an den Staat definiert und Ansprüche gestellt, die er gar nicht erfüllen kann. Man hat sozusagen seine angreifbare Fassade gefunden. Die davon befallenen Menschen haben in Wirklichkeit kein Problem mit dem Staat, sondern mit gesellschaftlichen Umständen und wissen nicht, an wen sie sich wenden und abreiben können. Ihr einziger Adressat, der zum Ärgernis wird, ist der Staat. Wir sind es gewohnt, unsere Bedürfnisse nach Sicherheit und Ordnung an den Staat zu senden.

Wenn die Regierenden aus Sicht der „Unzufriedenen" nicht in der Lage sind, Entscheidungen zu treffen und Lösungen zu schaffen, verlieren sie Akzeptanz und Vertrauen. Die Politik scheint nicht mehr auf der Höhe der Herausforderungen zu sein. Von der Bevölkerung gefühltes Politikerversagen führt dazu, dass ihre Politiker Kompetenz und Führungsstärke vermissen lassen sowie Glaubwürdigkeit und

Durchsetzungskraft (mit der Gefahr eines Absturzes der Demokratie) verlieren.

Politiker, die sich nicht ernsthaft mit dieser Problematik auseinandersetzen, dürfen sich nicht wundern, wenn Bürger ihre Enttäuschung und Wut zum populistisch radikalen Parteienspektrum tragen. Solche Situationen können sich schnell zur Spielwiese für Populisten entwickeln. Populisten brauchen Angst, andernfalls gelingt der Trick ihrer Taktik nicht. Sie verführen das Volk in Form ihrer extremen Ausrichtung.

Die Gefahr für die freiheitliche Demokratie entsteht aus Angst vor Erstarken extremer Kräfte. Falsche Mehrheiten können hochgespült werden (siehe Brexit und nationale Wellenbewegungen in Europa). Populisten schwingen die Populistenkeule, sind Profiteure von Unsicherheit und organisieren Widerstand mit dem Ziel, das demokratische Weltbild zu zerstören, um selbst die Macht ergreifen zu können.

Je entwickelter eine Gesellschaft ist, desto schwieriger wird der Umgang mit der Komplexität unterschiedlicher Interessen. Wohlstand und Entfremdung der Menschen entwickeln sich zu Sorgenkindern. Wir haben Angst, unser erlangtes Wohlstandsniveau zu verlieren. Das Gefühl, an den Rand gedrängt oder abgehängt zu werden, wächst. Der Umgang miteinander wird gefühlloser. Die soziale Lage vieler Menschen wird immer schlechter. Empörungswellen spiegeln allgemeine Unzufriedenheit und führen zu Diskussionen und Debatten, die an Sachlichkeit verlieren. Emotionen nehmen ihren Lauf und sind schwierig in den Griff zu bekommen!

Die Begegnung mit der Wirklichkeit läuft nicht mehr so, wie man es geglaubt hat. Demokratien geraten unter Druck, wenn die etablierten Parteien zulange Ruhe halten, Empfindungen im Volk nicht wirklich registrieren und dennoch so tun, als habe man Alles im Griff. Die Folge ist, dass Menschen nicht mehr wie bisher an das demokratische Gesellschaftsmodell glauben.

Spätestens wenn Minderheiten die Masse emotional gegen das vorherrschende System zu mobilisieren und aufzubringen versuchen, ist es Pflicht jeden Bürgers, die Gesellschaft im eigenen Interesse gegen politischen Extremismus zu schützen. Leider trauen sich viele Bürger einfach nicht, die eigene Überzeugung zu äußern. Verhalten sie sich zu vorsichtig und nennen die Dinge nicht beim Namen, unterstützen sie selbst eine erstarkende Emotionalisierung.

Radikalisierende Bewegungen bekommen ein Gesicht. Beginnen Populisten oder Nationalisten Unsicherheitsempfinden zu ihren Gunsten in innere Unsicherheit im Staat anzuheizen und auszunutzen, gehren Probleme vor sich hin. Sie aktivieren geschickt Ängste und nutzen sie für die eigene Ideologie. Solche Manipulationsmanöver[51] entwickeln sich zu einem selbst fütternden System. Meistens versucht eine militante Scene (Demagogen oder Populisten), sich auf diese Weise heran zu saugen. Aus dem Erstarken extremer Kräfte entstehen Ängste und zugleich eine Gefährdung für die demokratische Rechtsstaatlichkeit.

Je radikaler das innenpolitische Klima wird, desto wichtiger wird Bildung der unteren Mittelschicht und insbesondere der unteren Bevölkerungsschichten.

Politiker müssen sich die Zeit nehmen, solche Entwicklungen ehrlich zu benennen und ihren Bürgern zu erklären. Sosehr das offene demokratische Ordnungsmuster als Wertesystem gelobt wird, sosehr bietet es Anlass zu Kritik und Anfälligkeit.

Der Fairness gegenüber der jeweiligen politischen Führung sollte nicht unerwähnt bleiben, dass Kompromisse im demokratischen

---

[51] Siehe E.4 „Fassetten politischer Visionen“

Gesellschaftsmodell umso schwächer und desto anfälliger werden, je mehr Parteien involviert sind.

Die Gefahr einer systemischen Selbstzerstörung ist in autokratisch gelenkten Staaten nicht unmittelbar gegeben, weil im Gegensatz zum demokratischen Modell die Machtfülle auf eine Person zugeschnitten oder auf einen kleinen Kreis beschränkt ist. Die Spannungen zwischen den konkurrierenden gesellschaftlichen Systemen werden auch nicht dadurch gemildert, dass Alleinherrscher als Fassade maskiert „Moralpredigten" auf internationalen Gedenkveranstaltungen zu Menschenrechten halten, die sie selbst nicht einhalten.

Führer zentralistischer Systeme können nur durch Umsturz bzw. Revolution gestürzt werden. Alles andere ist unwahrscheinlich, da Unmut in der Bevölkerung mit den Mitteln des zentralistischen Machtapparates unterdrückt wird. Nichts fürchten sie mehr als die zunehmende Transparenz durch Fernsehen und durch das weltweite Internet. Obwohl auch ihre Wirtschaft - will sie international konkurrieren - davon abhängig ist, wird versucht, ihren Bürgern diesen Zugang mit allen möglichen Mitteln zu verschließen. Freiheit hat gegenüber staatlichen Interessen zurückzustehen und ist der erklärte Angstgegner!

Wenn Kirche einen Pakt mit dem Volk schließt, dann ist das Anstiftung zur Unterwanderung (China). Wenn andererseits Kirche eng mit Staatsorganen verbandelt, dann wird sie als Partner alle Vorteile genießen können (UDSSR). Die Staatslenker entscheiden über Gunst oder Missgunst, über Himmel und Hölle. Dem Volk bleibt nichts Anderes übrig, als Mitläufer zu sein. Diktaturen sind im Vergleich zu Demokratien das beste Beispiel für Ungleichheit.

Internationaler politischer Realismus ist immer eine Kombination aus Wettbewerb und Kooperation zwischen Nationen und Völkern. Wenn es um Entscheidungen und Reaktionsgeschwindigkeit geht, sind zentralistische Systeme schneller und effizienter als demokratische Systeme. Auch können sie radikalere Schritte einleiten.

Diktatorisch gelenkte Staaten scheinen via System stabil zu sein, weil niemand außer der Führungsspitze und deren unmittelbarem Umfeld etwas zu sagen hat. In kommunistischen Staaten wird nicht viel gefragt; die Partei hat immer Recht. Wenn sie auch Scheindemokratien vortäuschen, sind das alles andere als Demokratien nach westlichem Muster. Kommunistisch geführte Völker wie Russland oder China erscheinen relativ stabil, weil nicht viel gefragt wird und keiner in der Lage ist, sich dagegen aufzubäumen. Aus Sicht von Diktatoren ist Demokratie zu schwach, eigene Ziele durchzusetzen.

Demzufolge müsste man die Diktatur als das beste Ordnungssystem ansehen, wenn da nicht das Problem bestünde, dass es nirgends auf der Welt die dafür richtigen Köpfe (Führungspersönlichkeiten) gibt.

In autokratischen Systemen dient die Entwicklung des Staates eher dem Interesse seiner herrschenden Klasse (in Scheichtümern Kaste) als einer systemdienlich geführten Bevölkerung. Auch kapitalistisch ausgerichtete Demokratien sind davon nicht freizusprechen. Es gibt weder fairen Kapitalismus noch fairen Kommunismus. Jedes System zeichnet sich durch unterschiedlichen Umgang mit seiner Bevölkerung aus. Allerdings ist die Anzahl der Kapitalisten erheblich größer als die Minderheit der Besitzenden in kommunistischen Staaten.

Wenn auch jedes Gesellschaftssystem seine Vorzüge hervorzuheben versucht, erfüllen sie alle nicht die Forderung nach mehr Menschlichkeit. Die Lebensrealität in allen Gesellschaften muss sozialer werden, will ein System nicht an seinen meist perfekt inszenierten Übertreibungen scheitern.

Weitere Probleme sind die internationale Wettbewerbssituation und das weltweit verfügbare Internet. Nicht ohne Grund schränken autoritäre Regime den Internetzugang ein. Das sind vielleicht nachvollziehbare Gründe dafür, dass sich zentralistisch geführte Länder insgeheim auf ihrer internationalen ökonomischen Ausrichtung hin zur Demokratie entwickeln. Der Weg dorthin kann nicht unmittelbar erfolgen und braucht seine Zeit.

Wenn auch mancherorts die Befürchtung im Raum steht, dass das demokratische Gesellschaftsmodell vom autokratischen Modell überrollt wird, so zeigt das Beispiel China vielleicht den umgekehrten Weg; nämlich vom Entwicklungsland über den Zentralstaat zur Demokratie zu führen. Die vom Staat geförderten Auslandsreisen seiner Bürger öffnen den Blick nach draußen und erzeugen nicht vorhersehbare Energien. Nicht unerwähnt sollte sein, dass China zu den Ländern mit den meisten Milliardären zählt.

Je hartnäckiger der Dissens zwischen den Gesellschaftssystemen erkennbar und erlebt wird, umso stärker bilden sich polarisierende Positionen, die wiederum über politisierte Informationen emotionale Reaktionen meist in Form von Widerstand auslösen. Die Medien spielen dabei eine nicht unerhebliche Rolle. Sie bringen nicht nur Information. sondern auch Manipulation. Analysen treten häufig in den Hintergrund der Berichterstattungen und werden demzufolge nicht wirklich wahrgenommen. Polarisierungen dagegen werden medial übertrieben und vermarktet. Manchmal könnte man sogar den Eindruck haben, als seien die Medien eine neue Gewaltenteilung.

Warum es so schwierig ist, solchen emotionalen Kettenreaktionen Herr zu werden, ist hauptsächlich der Unfähigkeit zuzuschreiben, den politischen Gegner nicht wirklich zu verstehen (verstehen zu wollen) - geschweige denn ihm zuzuhören. Ein weiterer Grund sind die wechselnden Mehrheitsverhältnisse in den Parlamenten mit ihren jeweils unterschiedlichen Interessen.

Die jüngste blamable Fassade einer gewählten Regierung ist der Versuch, ihr eigenes Verhalten im Umgang mit Minderheiten als Gesetzmäßigkeit („überall auf der Welt dominiert die Mehrheit die

Minderheit") zu rechtfertigen. Wie heuchlerisch für ein Land, wenn deren Machthaber ihr moralisches Fiasko zu etablieren versuchen.

Ob wir es wollen oder nicht, jedes politische Ordnungssystem weist Lücken auf und stößt an seine Grenzen. Deshalb ist es wichtig, mit Mut positiv an die Zukunft heranzugehen.

Bei aller Euphorie über erwünschte gesellschaftspolitische Veränderungen darf nicht übersehen werden, dass mit der Abschaffung autoritärer Strukturen der Missbrauch nicht abgeschafft ist!

Das Entscheidende, was jedes Gesellschaftssystem an seiner Spitze braucht, ist eine starke Figur (oder mehrere) mit Ausstrahlungskraft. Wer Anerkennung und Erfolge erzielen möchte, der muss transformationsbewusst handeln und kommunizieren können.

E.4.4 Schattenrisse in Klassengesellschaften

Der Begriff Klassengesellschaft subsumiert die jeweils vorhandene Bevölkerungsstruktur. Man spricht von einer Ein-, Zwei- oder Dreiklassengesellschaft, in der man zwischen Ober-. Mittel- und Unterschicht unterscheidet. Die Zugehörigkeit zu einer dieser Klassen spielt bereits beim Start ins Leben eine Rolle, wenn nicht sogar für das ganze Leben eines Menschen.

E.4.4.1 Das soziale Fundament

Die prägenden Orte für die Zukunft einer Gesellschaft sind die vielen Familien. Sie sind wie ein Wasserzeichen in die Realität hineingedrückt. Wohlhabendere Familien können ihren Kindern Voraussetzungen für eine erleichternde Zukunft bieten, wohingegen mittellose Familien gezwungen sind, für das schlichte Überleben zu arbeiten und zu kämpfen. Das bleibt nicht ohne Wirkung auf die Akzeptanz allgemeingültiger Werte wie Toleranz, soziale Verantwortung, Respekt usw. Obwohl demokratisch geführte Gesellschaften einen höheren Lebensstandard erreichen, entzweien dennoch zunehmender Wohlstand die Bevölkerung und das führt dazu, dass viele Menschen sozial isoliert sind. Die daraus entstehende Suche nach Nähe macht sie anfällig für Glücksritter in ihren unterschiedlichen Gewändern und gefährdet das System.

Armut schränkt die Teilhabe am gesellschaftlichen Geschehen ein. Das Engagement zur Kindererziehung erfolgt entsprechend der beschriebenen Lebenssituationen. Die Bevölkerung erhofft sich, dass entstehende Defizite in den ersten Schuljahren durch eigentlich damit überforderte Schulen bereinigt werden.

Bei einem Vergleich zwischen den unterschiedlichen Bevölkerungsgruppen wird man feststellen, dass exklusive Zirkel ihre Netzwerke nutzen und Kinder wohlhabender Eltern später wie ihre Eltern leben möchten, was auf Kinder der unteren Bevölkerungsklassen so nicht zutrifft. Auch ist der Hang zu Freundschaften im Sinne vorausschauender Netzwerke unterschiedlich. *Menschen mit höheren Bildungsabschlüssen haben bessere Chancen.* In den unteren Schichten dagegen glauben die Menschen, dass es ihren Kindern in der Zukunft schlechter gehen wird. Ob das so zutreffen wird, ist u.a. abhängig vom vorherrschenden Schulsystem.

Bei einem auf Klassenzugehörigkeit zugeschnittenen Bildungssystem (England, Frankreich) wird der Einstieg und Aufstieg in die Upperclass erschwert, wohingegen ein auf Leistung ausgerichtetes Bildungssystem (BRD) die Chancen verbessert. Aber auch hier ist der Einwand berechtigt, dass das Bildungssystem nicht dem Beschäftigungssystem entspricht.

Je einseitiger die angestrebte Bildung ist, desto größer ist die Anfälligkeit des Systems. Nicht zu unterschätzen ist Neid und der daraus angestaute Zorn auf die Gewinner der Systeme. Das erhöht das Risiko, dass aus der Dominanz einseitig ausgerichteter Schichten negative gesellschaftspolitische Entwicklungen entstehen können.

Soweit die einzelnen Bevölkerungsschichten relativ ausgeglichen verteilt sind, besteht kaum Anlass zur Beunruhigung. Je stärker jedoch auf der relativen Verteilung die soziale Ungleichheit steigt, desto gravierender wird sich das im gegenseitigen Verhältnis niederschlagen und möglicherweise Sprengstoff für die weitere Entwicklung liefern.

Wer das vermeiden will, der muss bereit sein, mehr für das soziale Miteinander zu tun, indem er fragt, was notwendig ist und wie viel verhältnismäßig ist? Die Gescheiten und die weniger Gescheiten dürfen sich nicht in ihrer jeweiligen Welt gefangen nehmen. Es ist nur eine Frage des Willens - Niemand muss seine Identität aufgeben!

E.4.4.2 Bürokratie - ein ausufernder Fassadenpoker?

Im 19. Jahrhundert war die Einführung der Bürokratie als Antwort zur Gleichbehandlung des Bürgertums gegenüber der bis dahin vorherrschenden aristokratischen Klasse der Adelshäuser angelegt. Heute werden für Alles immer mehr Gesetze, Verordnungen und Vorschriften erlassen. Man erkennt kaum noch den Wald vor lauter Gesetzen und Vorschriften.

Unter Bürokratie stellt man sich alles Mögliche vor: Zu viele Regeln, unsensible „Verwaltungstätigkeiten im Rahmen festgelegter Kompetenzen innerhalb einer festen Hierarchie" (Wikipedia).

Regierungen und fälschlicherweise auch Bürger bewerten Regierungsleistungen u.a. über die Anzahl beschlossener Gesetze während einer Legislaturperiode. Je mehr Vorschriften, Regeln und Gesetze erlassen werden, desto arbeitseifriger und erfolgreicher seien diese Regierungen. Für die Bürger erfreulicher wäre eine geringere gesetzliche Ausbeute, da inzwischen viele Gesetze von den Bürgern als Einengung mit einem hohen bürokratischen Arbeitsaufwand verbunden werden.

Zuviel Reglementierung führt zu Unzufriedenheit und Vertrauensverlust in der Bevölkerung mit der Folge, dass die ursprünglich angedachte die Demokratie unterstützende Bürokratiefreundlichkeit sich in Richtung Bürokratiefeindlichkeit entwickelt. Und schon wird der Ruf nach Bürokratieabbau laut. Einerseits wollen wir die Bürokratie, andererseits beginnen wir, auch vor ihr zu flüchten.

Bürokratie nervt, weil die Bürger einerseits nach Recht und Gesetz behandelt werden möchten, um sozusagen gleichzeitig darauf pochen zu können, ihre Rechte durchsetzen zu wollen und zu können. Wenn Sicherheit, Kontrolle und Macht versprochen werden, ist Bürokratie willkommen und wird bejaht. Andererseits empfinden wir immer häufiger, in unseren Freiräumen stark beschnitten und eingebremst zu werden, weil wir für die praktische Umsetzung zu viel Zeit brauchen. Bürokratie ist eine Medaille mit zwei Seiten: Man versteckt sich hinter ihr oder nutzt sie zur eigenen Rechtfertigung.

Demokratien neigen dazu, den Menschen zustehende Rechte nicht nur optimal, sondern möglichst maximal zuzugestehen. Einzelfallgerechtigkeit wird häufig übertrieben und möglichst schnell durchzusetzen versucht. Nicht selten versuchen Bürgerinitiativen Bürokratie zu verhindern. Individualinteressen dürfen jedoch nicht so weit gehen, dass man ein allgemein interessierendes Projekt nicht durchführen kann. Allgemeininteressen sollten nicht gegenüber Individualinteressen gesetzlich und des Prinzips wegen immer durchgesetzt werden.

Trotz aller Vorbehalte funktioniert eine Gesellschaft nicht ohne Bürokratie. Wenn es sie nicht gäbe, würde Willkür unser Leben beherrschen.

Da kein Mensch so perfekt wie die Bürokratie ist, nutzen viele die Spielräume, die sich trotz aller Perfektion bieten und die wir brauchen. Regeln und Vorschriften haben ihren Sinn, wo allgemeine Defizite behoben oder ausgeglichen werden. Ist das nicht der Fall, wird Bürokratie zum Hindernislauf!

E.4.4.3 Systemwettbewerb im Sog der Weltpolitik

In Auseinandersetzungen zwischen Demokratien und Autokratien geht es um Weltführerschaft - neben der Ideologie immer auch um wirtschaftliche Macht. Regierungen wollen „ihr System" festigen und international durchsetzen.

Will man sich nach Außen profilieren, sind im Innern soziale Zufriedenheit und politische Stabilität erforderlich. Um ihre eigene Bevölkerung „bei Laune" zu halten, bemühen sich die politischen Führer, mehr Menschen in den Mittelstand zu bekommen, weil in erfolgreichen Staaten der Mittelstand das Rückgrat der Gesellschaft ist. Im Kampf um dieses erwünschte Ziel wird es notwendig, die Wirtschaftsleistung eines Landes durch Produktivität und Innovation zu erhöhen.

Obwohl autoritäre Regime auf diesem Gebiet hinterherhinken, befinden sie sich auf den Weltmärkten um Vormachtstellung kämpfend in harten wirtschaftlichen und politischen Konkurrenzkämpfen. Als internationaler Vorteil können sie bei der Produktion von Massengütern auf ihre Durchschlagskraft bauen. Auch auf niedrigeren Löhnen können sie mit ihrem Warenangebot auf den Weltmärkten punkten.

Auf Freiheit und Wettbewerb ausgerichtete Demokratien fürchten das Selbstverständnis des erlebten Wohlstandes ihrer Bürger. Werden deren gewohnte Ansprüche nicht erfüllt, breitet sich Unruhe aus, die im Zweifel eskaliert und Sehnsucht nach einem starken Mann hervorruft. In autoritär geführten Regimen wird es eine vergleichbare Situation kaum geben. Obwohl sich deren Bevölkerungen aufgrund der Transparenz globalisierter Märkte auf ihr Wohlstandsgefälle gegenüber demokratischen Staaten benachteiligt und als minderwertig einschätzen und empfinden, wird es kurzfristig kaum Veränderungen geben. Auf zaghafte Veränderungswünsche aus Teilen der Gesellschaft angesprochen, erhält man die Antwort: „Wenn das System so arbeitet wie es jetzt arbeitet, dann ist das so."

In Diktaturen gibt es keinen Widerspruch! Das Schlimmste sind die diktatorischen Lügen. (siehe Umgang mit Coronapandemie Informationen) Man schickt beispielsweise das ganze Volk in Wochenurlaub, vermittelt aber einen verharmlosenden Eindruck der Situation, weil es keine Kontrollmöglichkeit für den Bürger gibt.

Da die unentwegt vorherrschenden Auseinandersetzungen zwischen den konkurrierenden Ordnungssystemen kurzfristig nicht den erwünschten Erfolg bringen, setzen ihre politischen Führer auf langfristige Perspektiven und Strategien. Jeder glaubt, Gewinner einer solchen Entwicklung werden zu können.

Die Zukunft wird zeigen, ob autoritär geführte Staaten aufgrund ihrer beschriebenen Defizite sozusagen von alleine Türöffner für das demokratische Gesellschaftssystem werden oder ob schwächelnde Demokratien wegen aufkommender Instabilität nach autoritärer Ausrichtung rufen.

Ohne eine voreilige Stellungnahme propagieren zu wollen, kommt man an der Erkenntnis nicht vorbei, dass föderale Systeme dynamisch und fortschrittlicher als zentralverwaltungswirtschaftliche Systeme sind, weil sie eher nach Entwicklung blicken und Weiterentwicklung besser ermöglichen. Das bedeutet, dass sie mit ihrer qualitativen Produktpalette einfach attraktiver sind.

Dennoch bleibt eine gewisse Unsicherheit, da unerwartete Brüche in der Politik nie ausgeschlossen werden können. Wenn demokratisch gewählte Führungspersönlichkeiten aus persönlichem Machtstreben Gelüste nach „Mehr" entwickeln und Demokratie als Fassade missbrauchen, reicht das aus, alle Demokraten nervös zu machen!

E.4.4.4 Bildung - Jedermanns Geheimreservat

Junge Menschen, vor die Entscheidung gestellt, sich zwischen Ausbildung und Studium zu entscheiden, liebäugeln, sofern sie durch das Abitur Hochschulberechtigung erlangt haben, mit dem Studium. Für ihre Entscheidungen ist ein aus der Vergangenheit resultierendes Image gravierend, in dem die Akademisierung übertrieben wurde. Hinzu kommt, dass die allgemeinen Rahmenbedingungen diesen Bildungstrend unterstützt haben und die Wissenschaft die berufliche Bildung abgewertet hat.

Die Erfahrung jedoch hat gezeigt, dass Akademiker häufig Schwierigkeiten aufgrund vorhandener Praxisdefizite haben, wogegen Praktiker Theoriedefizite beklagen. Die imagewirksame Fassadengläubigkeit ist einer der Gründe, warum sich die bildungspolitische Landschaft ändert und eine neue Gleichrangigkeit angestrebt und aufgestellt werden sollte. Bildung und Qualifikation sind Voraussetzungen für Chancengleichheit der Bevölkerung eines Landes! Praktische Ausbildung und akademische Bildung müssen in ihrem Stellenwert angeglichen (nicht gleichgestellt) werden, zumal Bildung auch notwendig ist für Fachkräfte, die moderne Volkswirtschaften brauchen!

Überkommene Bildungsideale und deren Auswirkungen auf die Arbeitswelt scheinen überholt zu sein. Wir müssen berufliche Bildung und akademische Bildung in faireren Wettbewerb stellen, was beispielsweise das Image der Handwerksberufe angeht. Damit stellt sich die Frage nach den Chancen für Absolventen unterschiedlicher Bildungsangebote. Das Selbstverständnis höherer Bildungsgänge rechtfertigt ihr überkommenes Anspruchsverhalten nicht mehr. Hatten früher schulische und universitäre Abschlüsse ihren Stellenwert, so sind sie heute inflationiert. Die von Elterngenerationen erlebten Erfahrungen, durch höhere Bildungsabschlüsse bessere Berufschancen zu haben, führten dazu, dass deren Kinder durch längere „Ausbildungszeiten" fürs Leben „fitter" werden sollten. Entsprechend ist die Zahl der Abiturienten um ein Vielfaches in die Höhe geschnellt mit den beschriebenen inflationären Folgen für Hochschulabgänger.

Das oft noch „gesetzmäßige" Festhalten an traditionell eingefahrenen Einstellungskriterien für Mitarbeiter oder für deren Entwicklungsmöglichkeiten in Unternehmen ist ein Beispiel für die Verkennung sich verändernder Realitäten. Die von alters her angedachten Klassen einer Wissensgesellschaft in Form rein akademischer Abschlüsse ändert sich durch ihr Erscheinungsbild in der Masse.

E.5 Bildung - die gesellschaftspolitische Herausforderung

Bildung ist ein sozialpolitisches Anliegen, Grundlage für wirtschaftlichen Wohlstand und gesellschaftspolitische Stabilität. Wohl und Wohlstand sind abhängig vom Bildungsniveau seiner Bürger. Bildung ist das Fundament zu selbstbestimmtem Leben. Voraussetzung dafür ist, dass Staat und Wirtschaft miteinander arbeiten und sich in ihren Bildungsbemühungen unterstützen.

Staatliche und privatwirtschaftliche Bildungseinrichtungen organisieren unterschiedliche Bildungsgänge:

Die staatliche Souveränität spielt eine lenkende Rolle für das Bildungsniveau schulischer und universitärer Abschlüsse eines Landes.

Je zentralistischer ein Land geführt wird, umso engmaschiger wird seine bildungspolitische Ausrichtung angelegt sein, wohingegen föderalistische Gesellschaftssysteme bildungsbreiter angelegt sind.

Wenn auch der Ruf nach Bildung die gesellschaftspolitische Herausforderung schlechthin ist, sollte man dennoch nicht der Einbildung verfallen, Alles sei geschafft. Den Beweis für die Attraktivität erlangter Abschlüsse müssen letztendlich die Absolventen der Bildungsgänge selbst erbringen. Entscheidend ist die Frage, wie weit das jeweilige etablierte staatliche Bildungssystem den Erfordernissen heutiger Beschäftigungssysteme entspricht? Obwohl mehr für Bildung getan wird, sind die Aufstiegschancen doch sehr unterschiedlich, weil die Menschen zwischen und innerhalb der Bevölkerungsschichten unterschiedliche Aufstiegschancen haben.

Die Chance, die Handwerk und Fachhochschulen in Form der Kombination von Ausbildung und Fortbildung bieten, sind erheblich. Nicht unterschätzen sollte man, dass berufliche Abschlüsse in den meisten Fällen eine Übernahme durch den Arbeitgeber oder dessen Konkurrenten eröffnen, wohingegen heutzutage mehr Jungakademiker arbeitslos sind als früher.

In der Bundesrepublik Deutschland wird unterschieden zwischen rein staatlich organisierten Bildungsgängen (Grundschulen, Gymnasien und Universitäten, Berufs-schulen, Fachhochschulen - heute Hochschulen mit Zusatznamen) und privat-wirtschaftlich organisierter Bildung (Spracheninstitute, Bildungsinstitute Betriebliche Aus- und Weiterbildung und der Verzahnung aus beiden (Kindergärten, duale Ausbildung als Bildung mit teils staatlicher Anerkennung). Ein Indiz, dass in Deutschland die Qualifikation der Mitarbeiter sehr hoch angesehen wird, ist schon das duale Ausbildungssystem, das es sonst in dieser Form nirgendwo auf der Welt gibt und inzwischen teilweise kopiert wird.

E.5.1 Staatliche Bildungsgänge

Schulsysteme sind darauf ausgerichtet, das jeweilige Gesellschaftssystem abzusichern und zusammenzuhalten. Staatliche Bildung hat zum Ziel, Einheitlichkeit der Abschlussqualifikationen zu vermitteln. Die Abschlüsse zertifizieren symbolträchtig Bildungsvarianten mit jeweils unterschiedlichen Schwerpunkten (Volks- oder Hauptschüler, Berufsschüler Gymnasiasten, Akademiker) und Images. Staatliche Bildungsgänge in Deutschland sind schul-, gymnasial-, hochschul- und berufsorientiert ausgerichtet

„Die Sekundarstufe I definiert ... die mittlere Schulbildung. Sie reicht von der Klasse 5 nach Besuch der Grundschule bis zur Klasse 10 bzw. 9 an weiterführenden Schulen. Auf den weiterführenden Schulen sollen die Kenntnisse aus der Grundschule vertieft und deutlich erweitert werden".

Sekundarstufe II Die gymnasiale Oberstufe an Gymnasien und Gesamtschulen ist identisch und gliedert sich in eine einjährige Einführungsphase und in eine zweijährige Qualifikationsphase. Sie schließt mit der Abiturprüfung ab, mit der die Schülerinnen und Schüler die allgemeine Hochschulreife erwerben. (Wikipedia)

Bildungsinhalte schulischer Bildungsgänge werden durch rein fachgebundene Curricula festgelegt. Inzwischen wird befürchtet, dass dadurch zu wenig in Zusammenhängen gelernt wird. „Durch Klassifizierung der Fächer entsteht etwas, was es in der Welt so nicht gibt".[52] Daraus wird geschlussfolgert, dass bei vielen Kindern die Neugier zu lernen im Laufe der Zeit abnimmt, weil fächerübergreifende Problembehandlungen zu kurz kommen und Neugier und Interesse zu wenig gefördert werden.

---

[52] Prof. Dr. Harald Lesch in ZDF-Sendung Markus Lanz vom 5.März 2020

Berufsschulen sind „Schulen, die von Berufsschulpflichtigen/-berechtigten besucht werden, die sich in der beruflichen Ausbildung (Berufsausbildung) befinden oder in einem Arbeitsverhältnis stehen und ihre Schulpflicht noch nicht erfüllt haben (Berufsschulpflicht). (Gabler Wirtschaftslexikon)

Die Berufsausbildung erfolgt dual, indem sich schulische und betriebliche Ausbildung gegenseitig ergänzen.

E.5.2 Betriebliche Bildungsaktivitäten

Betriebliche Bildungsaktivitäten konzentrieren sich auf die Vermittlung von Faktenwissen, Fertigkeiten und Verhaltensschulungen. Weiterbildung in den Unternehmen ist überwiegend defizitorientiert.

Mit Ausnahme rein standardisierter Tätigkeiten sollte man auf gedrilltes Wissen und gedrillte Techniken verzichten, weil zur besseren Umsetzung in die Praxis versucht werden muss, an der Sozialkompetenz der Mitarbeiter zu arbeiten - an der Fähigkeit, Kommunikationssituationen zu analysieren und zu beeinflussen. Es erscheint unverzichtbar, dass das Personal gewisse Verhaltensstandards einfach „draufhaben" muss.

E.5.2.1 Betriebliche Weiterbildung ist nicht zwangsläufig erfolgreich

Vor übertriebenen Erwartungen ist zu warnen, weil am Ende häufig perfekt wirkende Einheitsmuster herauskommen. Man versucht, beispielsweise Motivations- und Kommunikationsdefizite durch Schulungen zu verbessern. Dabei wird vergessen, dass man allenfalls Potentiale der Mitarbeiter aktivieren und ausschöpfen kann. Mehr ist nicht zu erwarten!

Mit der Verhaltensentwicklung ist es nicht so einfach, wie es sich Management- und Trainingsexperten vorstellen. Das in Verhaltensschulungen „Gelernte“ bleibt nur begrenzt im Gedächtnis, wenn es nicht mit Erfahrungswissen verbunden wird. Insofern sind die Auswirkungen von Schulungen und Trainings begrenzt. Erfahrungswissen und Erfahrungsfertigkeiten sind das, was langfristig abrufbar bleibt.

Denkt man an seine eigenen Vorgesetzten und stellt sich vor, sie sollten ihren jahrelang praktizierten Führungsstil entscheidend ändern, wird man feststellen, dass in den meisten Fällen sehr hohe Erwartungen zugrunde gelegt wurden, die nur schwer realisiert werden können. Gleiches empfinden die Mitarbeiter während der Implementierungsaktivitäten. Wenn man schon nicht in der Lage ist, seinen eigenen Verhaltensstil zu ändern, sollte man nicht so „gläubig“ auf Verhaltensänderungen durch Schulungen bauen. Zusammensetzungen von Teams haben mindestens die gleiche Wirkung wie einseitig gerichtete Maßnahmen zur Steigerung der Verhaltenskapazität durch Schulungen und Training.

Mit Schulungen und Trainings kann man erreichen, bestimmte Potentiale seiner Mitarbeiter besser auszunutzen. Das mögen Kenntnisse von Zusammenhängen Analysefähigkeit, von bestimmten Hilfsmitteln, oder auch gewisse Empfehlungen sein, wie man beispielsweise zielorientierte Gespräche führen sollte. Die Grenzen solcher Schulungen liegen immer in den Fähigkeiten der Mitarbeiter und Vorgesetzten.

Management und Führungskräfte erwarten zu viel von Schulungen und Trainings. Sinnvolles Lernen funktioniert nur in Verbindung mit Erfahrungen.

E.5.2.2 Strategische Ausrichtungen

Weiterbildungsstrategien sind auf Defizite und Verbesserungsmanagement ausgerichtet. Damit verfolgen Unternehmen das Ziel, ihr Image bei der eigenen Kundschaft aufzuwerten und Wettbewerbsvorteile gegenüber der Konkurrenz zu schaffen. Gleichzeitig sind sie bemüht, die Qualifikationen ihrer Mitarbeiter und deren Marktattraktivität zu verbessern.

Es darf nicht unerwähnt bleiben, dass Unternehmen ihr Bildungsmanagement aus ökonomischen Sachzwängen von der in der Vergangenheit angestrebten Breitenqualifizierung zugunsten von Spezialisierungen und digitaler Standardisierung eingegrenzt haben. Chancen von Mitarbeitern, sich flexibler auf veränderte Marktgegebenheiten einstellen und anpassen zu können, was wiederum nicht ohne Folgen für die Unternehmen selbst bleiben wird, sind damit eingeschränkt.

Wenn Unternehmen ihren Bildungsaufwand zurückfahren, ist das fast schon eine Garantie dafür, dass der Anspruch, sich mit seinem Arbeitgeber solidarisch zu fühlen, bröckelt.[53]

E.6 Digitale Herausforderungen

Technologische Entwicklungen werden überwiegend als Nutzen ausgewiesen.

Merkmale industrieller Produktion seit der industriellen Revolution am Ende des 19. Jahrhunderts waren Arbeitsteilung und deren analoge Steuerung. Der Einsatz von Maschinen und maschinellen Systemen

---

[53] Prof. Dr. Kurt Kotrschal in ORF am 27.10.2019; Gedanken des Verhaltensforschers am 27.10.2019t „Was uns zu Menschen macht“

(Robotersysteme) sollte Menschen nicht ersetzen, sondern entlasten. Ziel war auch, die Produktqualität durch maschinellen Einsatz zu verbessern.

Die Digitalisierung ist insbesondere auch die Grundlage für Wettbewerbsvorteile der Wirtschaft eines Landes. Sie ist der rasante technologische Umbruch, dessen Folgen für einen Teil der arbeitenden Bevölkerung nur schwer abzuschätzen sind. Es vollzieht sich z.Zt. ein Digitalisierungsschub mit erheblichen Veränderungen.

Digitalisierung ist wesentlich breiter ausgelegt als die analoge Steuerung, weil komplexe Arbeiten in einem Arbeitsgang schneller und besser bewältigt werden als in kontinuierlichen Abläufen. Das Neue ist, dass sich viele Dinge relativ gleichzeitig und erschreckend schnell verändern. Digitalisierte Computersteuerung lässt Arbeits- und Produktionsprozesse in Unternehmen gestalterisch und auch kostengünstig bestimmen.

Die zunehmende Durchführung digitaler Konferenzen und Sitzungen oder Heimarbeit zeigen diesen Wandel. Mit der Digitalisierung ändert sich auch die Mobilität.

Die zweite industrielle Revolution ist bereits in vollem Gang. Wenn man - zugegebenermaßen noch nicht alltäglich - beim Betreten eines Hotels von einer digitalisierten Puppe empfangen und eingewiesen wird, dann ändert das in erheblichem Maße unsere bisherigen Gewohnheiten.

Die durch die Digitalisierung betroffenen Arbeitslosen schauen in eine mit Problemen behaftete Zukunft, weil sich neu entstehende Arbeitsplätze gewaltig ändern werden. Die Zahl möglicher alternativer neuer Arbeitsplätze wird nicht nur geringer, sondern erfordert zugleich höherwertige Qualifikationen.

Unter Berücksichtigung bestehender Arbeitsverhältnisse geht man davon aus, dass die derzeit in nicht Technik nutzenden Berufsfeldern arbeitenden Menschen den Anschluss verlieren und arbeitslos werden.

Trotz neu entstehender Arbeitsplätze dürften Abstiegsängste der Menschen, die nicht klarkommen mit der Digitalisierung und Aufstiegschancen der Gewinner die Gesellschaft spalten. Verlierer gibt es immer mehr als Sieger.

Die Zukunft scheint für viele Menschen getrübt. Digitalisierung trifft auch Unternehmensinhaber, die sich schwertun, mit diesen neuen Prozessen umzugehen.

Die arbeitende Bevölkerung wird Arbeitsplätze und soziale Kontakte verlieren. Home Offices und IT-Konferenzen werden das Geschäftsleben bestimmen, wenn ein Großteil des mittleren Managements nicht mehr wie bisher zu Tagungen oder Seminaren geschickt wird. Schon heute werfen IT-Konferenzen Probleme auf, weil zwar miteinander geredet wird, aber Kommunikation im Sinne unmittelbaren Diskutierens nur noch beschränkt stattfindet.

Die meisten Geschäftsreisenden werden verschwinden. Lediglich Vorstände und Topmanager werden sich noch außerhalb der Unternehmen treffen. Viele Beschäftigte werden ihre direkten Kontakte und Aussprachen vermissen. Verheerende Folgen wird das nicht nur für die Flugbranche, die Business Hotellerie und das Gaststättengewerbe auslösen, sondern auch für deren Zulieferer.

Auch darf nicht übersehen werden, dass digital gesteuerte Arbeitsabläufe nicht nur Arbeitsplätze ersetzen, sondern auch zur Gefahr werden können, wenn Menschen nicht mehr wirklich in Programmsteuerungen eingreifen können. Beispiele sind Flugzeugabstürze (Boeing 737 Max 8 und 9) durch Programmierfehler der Software, wo der Mensch durch digitalisierte Computersteuerung ersetzt wurde. Ähnliches dürfte geschehen mit für die Zukunft geplanten autonomen Automobilen. Wenn Menschen nicht mehr eingreifen können, wird der Glaube, dass Technik Menschenhand überlegen ist, zur Gefahr.

Der Zwang, sich nach einem neuen Arbeitgeber umsehen zu müssen, erfordert fachlich, physisch und psychisch Stärke, die viele Menschen meist gar nicht mehr haben. Ein selbstbewusstes Auftreten ist dann kaum zu erwarten. Man fühlt eine Verlassenheit und sieht sich als Verlierer.

Menschen in derartigen Situationen suchen Gleichgesinnte als Gesprächspartner zum gedanklichen Austausch als Hilfe. Es bilden sich öffentliche Interessen und mögliche Anfälligkeiten für Schattenseiten der Gesellschaft.

Übertragen auf die Arbeit verliert sich deren soziale Komponente in die Einsamkeit und endet in der Anonymität. Was passiert mit Menschen, die nicht mehr gefragt sind? Das Leben insbesondere der unterprivilegierten Bevölkerungsschichten ändert sich dramatisch. Viele derzeit noch Beschäftigte sehen sich mit Existenz- und Zukunftsängsten konfrontiert. Sie können vielleicht ihren sozialen Verpflichtungen und ihrer Verantwortung nicht mehr nachkommen.

Darüber hinaus entsteht das Problem, wie man den Sozialstaat bezahlen kann, wenn immer weniger in die Rente eingezahlt wird? Roboter, die Jobs wegnehmen, und Arbeitslose zahlen Nichts ein.

Da die Menschheit sich in allen Veränderungszyklen anpassen konnte, wird auch die Welt, in der wir heute leben, verbesserte Rahmen schaffen, deren Bedingungen zukunftsträchtig sein werden. Trotz dieser aus der Geschichte abgeleiteten Hoffnungsschimmer über technologische Fortschritte darf nicht übersehen werden, dass die Welt nicht einfacher wird, obwohl man davon ausgeht, dass Alles besser wird.

E.6.1 Mediale Dilemmata

Wie fair und sozial ist die digitale Kommunikationsfähigkeit? Soziale Netzwerke fördern und hinterlassen überzogene Fehleinschätzungen, weil die Frequentierung durch Teilnehmer ausschlaggebend für Schaltungen ist. Im Internet wird eine positive Realität vorgespielt, die bestehende Grenzen übersieht. Wut und Hass werden vermittelt, weil deren meist anonyme Beiträge öfter angeklickt werden und Werbeeinnahmen erhöhen. Es geht um Geld und nicht um soziale Wirksamkeit.

Das Internet, Smartphone und Tabletts sind als Kommunikationsträger zwischen Menschen nicht mehr wegzudenken. Geradezu fassungslos sind wir ihnen ausgesetzt. Sie prägen unser Verhalten und machen auf ihre Art abhängig.

Die größte Katastrophe ist der mögliche und manchmal sogar bewusst einkalkulierte Verlust an wahrheitsgetreuer unmittelbarer Information. Internetlinks haben einen entscheidenden Nachteil. Einmal angeklickt, sind sie einseitig ausgerichtet. Es folgt keine Gegendarstellung. Meinungen werden übergestülpt, ohne deren Richtigkeit überprüfen zu können. Die Jugend wächst damit auf, erlebt und gewöhnt sich an diese Art der Kommunikation als ihre sie prägende Selbstverständlichkeit, ohne die Dinge kritisch zu hinterfragen.

Wenn Kinder, Freunde, Eltern und Großeltern oder Menschen sich besuchen, wird das persönliche Gespräch häufig ausgegrenzt, indem jeder in die Welt seines Smartphones ein- und untertaucht. Es entsteht eine Situation, als hätte man sich Nichts mehr zu sagen. Entfremdung nimmt ihren Lauf. Ganze Generationen werden zu unmündigen Bürgern. Sogar Ehepaare in der S-Bahn vermitteln häufig den Eindruck, als könnten sie ohne Smartphone nicht leben!

Eltern sehen sich vor die Schwierigkeit gestellt, ihren Kindern rechtzeitig den Zugang zu digitalen Medien ermöglichen zu müssen, sollen sie nicht zu „außenstehenden" Verlierern der Gesellschaft werden.

Schlimmer sind Manipulationsabsichten, die bei anstehenden Wahlen über das Internet eingespeist werden. Fake-News vermitteln durch ihre „Heilsbringer" eine scheinbare Glaubwürdigkeit.

Andererseits ermöglichen digitale Medien den Zugang zu Menschen und Märkten in aller Welt, indem sie den internationalen Handel und Produktionsabläufe in einem Ausmaß erweitern und vereinfachen, wie es zuvor nie möglich war. Allerdings besteht auch hier die Gefahr des Missbrauchs, weil Informationen verbreitet werden können, deren Wahrheiten zweifelhaft sind.

E.7 Eliten - für die Gesellschaft richtungsweisende Initiatoren

Stellen Sie sich hypothetisch die Frage, was Sie unternehmen würden, wenn Sie plötzlich alleine auf der Welt wären?

Sie kommen sicher zu dem Ergebnis, dass jeder (Privatpersonen, Unternehmer und insbesondere Politiker) sein In- und Umfeld benötigt und darauf angewiesen ist. Dabei bedient man sich bevorzugt trainierter Fassaden.

Im Umgang miteinander ist Kommunikation das Alltagsgeschäft eines jeden Menschen mit unterschiedlichen Zielen, Ergebnissen und Empfindungen. Menschen, die sich dabei besonders hervorheben, werden als Vorbilder und/oder Eliten angesehen. Eliten zeichnen sich durch überdurchschnittliche Begabungen aus. In breiten Bevölkerungskreisen werden sie vorschnell als abgehoben, einflussreich und beneidenswert empfunden. Dahinter verbirgt sich das meist unausgesprochene Eingeständnis, selbst nicht über diese Fähigkeiten zu verfügen.

Die Privilegierung von Eliten schafft Spaltung und verfestigt eine distanzierende Mehrklassenideologie. Deshalb kann aber die Zugehörigkeit zu Eliten noch kein Makel sein, weil das Alltagsgeschehen ohne sie gar nicht funktionieren würde. Gesellschaftspolitisch entscheidend ist, wie groß der Unterschied zwischen den Eliten und den Bevölkerungsschichten ist und ob Elitenmitglieder die Interessen des normalen Menschen noch verstehen und nachvollziehen können? Je drastischer das Gefälle von der Mehrzahl der Bürger empfunden wird, umso gefährdeter ist das bestehende Gesellschaftssystem - es sei denn, die politische Führung beherrscht das Szenario ausnahmslos. Eliten dürfen sich nicht gegenüber anderen überreichern. Dann verlieren sie die Bodenhaftung und können die Interessen des normalen Menschen nicht mehr angemessen vertreten.

Das Erscheinungsbild besonders eifriger erfolgshungriger Menschen reicht vom Workaholic bis hin zum radikalen Egoisten. Welche Wertvorstellungen von Staatslenkern gelebt werden, hängt von deren politischen Eliten ab. Es gibt keine Gesellschafts- und Wirtschaftsform, die nicht von Eliten geprägt und gemacht wird. Die Frage ist, welche Eliten - wirtschaftliche, politische oder nationalistische - am Werk sind?[54]

Der soziale Frieden erfordert Menschen, die gestalten und ihre Fähigkeiten entfalten können. Sowohl im praktischen Leben als auch in der Unternehmenswelt und in der Gesellschaft geht es um Interessen. Bei deren Durchsetzung ist häufig festzustellen, dass Werte, die eigentlich allgemein gültig sein sollten, übersehen oder sogar bewusst missachtet werden.

---

[54] Robert Menasse in Logos „Glauben und Zweifel"; ORF am 29.09.2916

In der Bevölkerung und in Unternehmen kann es keine Gleichheit geben. Trotz aller wohlgemeinten ethischen und/oder ideologischen Perspektiven bestimmt Ungleichheit die Realität (stark/schwach; oben/unten; gebildet/nicht gebildet). Menschen sind nun einmal unterschiedlich und verhalten sich demzufolge auch sehr unterschiedlich. Diese Unterschiede scheinen ein Naturgesetz zu sein. Insofern zeichnen sich Eliten wie auch Vorbilder durch ihre besonderen Fähigkeiten aus und sind sozusagen Garanten bestehender Systeme für die Überlebensfähigkeit in einer Welt voller Gegensätze. Die oft verbreitete Widersprüchlichkeit im Umgang mit und dem Anspruch auf Verwirklichung von allgemeingültigen Gleichheitsforderungen ist ein schwaches Argument gegen Eliten.

Eliten sind richtungsweisende Impulsgeber. Damit spielen sie (für jedermann sichtbar oder auch nicht) eine wichtige Rolle in den jeweils vorhandenen Beziehungs- und Machtverhältnissen. Sowohl der private und berufliche Alltag als auch die Gesellschaft in ihrer Gänze brauchen Eliten und Vorbilder. Ohne Eliten funktioniert kein Ordnungssystem. Als Hinterlassenschaften schwanken ihre Schatten zwischen Euphorie und Skepsis, hin und her und reichen von Begeisterung bis zu Ängsten und dunklen Vorahnungen. Bei Eliten wie auch bei Menschen, die von sich glauben dazu zu gehören, ist der - wenn auch nicht offen ausgesprochene - Wille zur Abgrenzung gegenüber den Anderen vorhanden. Eliten trauen manchmal nicht der breiten Bevölkerung. Diese „Abgehobenheit" wirkt auf die breite Bevölkerung irritierend und teils abstoßend. Tritt daraus Standesdünkel sichtbar zutage, spaltet das die Gesellschaft und gefährdet sogar die Initiatoren selbst, sobald es in der bürgerlichen Mitte und insbesondere im unteren Bereich der Gesellschaft zu krachen beginnt.

Wer man ist, definiert sich sehr stark darin, wer man nicht ist. Dennoch gibt es ohne Eliten keine Fortschritte und keine Entwicklung. Man braucht sie. Man braucht treibende Kräfte.

F Im Spannungsfeld wechselwirksamer Lebenssituationen

Menschen sind mit ausschließlichem Selbstbezug auf ihre Person nicht überlebensfähig. Sie sind mit allen Aktivitäten umfeld- und umweltgebunden. Sie hängen alle voneinander ab und tun sich häufig doch so schwer damit.

Der Mensch ist ein Herdentier, das geleitet wird von der Komplexität der Wirklichkeit, die er alleine nicht ändern kann. Menschen brauchen „ihre" Heimat. Das kann ihr Zuhause sein; es kann aber auch das Unternehmen, für das sie arbeiten, oder das Land, in dem sie leben, sein.

Wichtig sind die sozialen Beziehungen, die bei jedem Einzelnen unterschiedlich stark ausgeprägt und strukturiert sind, sowie die sich daraus ableitbaren Identitäten. Damit in Einklang sollte auch die Bereitschaft, Verantwortung zu übernehmen, stehen. Allerdings entzieht sich ein großer Teil derjenigen, die eigentlich Nutznießer des Systems sind, dieser Verantwortung.

Nicht wenige Menschen wollen heutzutage keine Eigenverantwortung übernehmen, sich keine eigene Meinung bilden. Es ist viel bequemer, sich Meinungen Dritter über Medien vorsagen, vorleben zu lassen, nicht über Konsequenzen nachdenken zu müssen, um sich ggfs. ein Hintertürchen nach dem Motto „Aber die haben doch gesagt, was kann ich jetzt dafür", offen zu lassen.

F.1 Zur individuellen Lebenssituation

Die private Einbettung von Menschen und ganzer Bevölkerungsgruppen in ordnungspolitische Rahmenbedingungen ist Grundlage und Ausgangspunkt für deren beruflichen und gesellschaftlichen Erfolgsaussichten.

Wer aus einfachen Verhältnissen kommt, dessen Spielräume sind für die eigene Lebensplanung enger, als wenn er aus Familien mit gewissen sozialen und gesellschaftlichen Grundnormen und entsprechendem Bildungsniveau stammt.

Wer einen „ausgewogenen" Lebensverlauf erreichen möchte, der muss mindestens in zwei, wenn nicht sogar in allen drei „Erlebniswelten" (Privatsphäre, Beruf und Gesellschaft) aktiv sein. Private, berufliche und öffentlichen Kommunikationsebenen sind abstimmungsbedürftige Sektoren, die zueinander in Beziehung stehen und gemeinsam ausgesteuert werden müssen. Dabei muss es sich nicht immer um Aufgaben handeln, die auf Profit ausgerichtet sind. Auch ehrenamtliche Tätigkeiten sind gewinnbringendes gesellschaftliches Miteinander.

Jeder Mensch ist geradezu automatisch in jeden dieser drei Lebensbereiche - wenn auch mit unterschiedlicher Intensität - eingebunden. Die gegenseitigen Abhängigkeiten mögen unterschiedlich ausgeprägt sein. Sie regulieren sich jedoch im Zeitablauf von selbst. Übertragen auf Motivation und Identität gibt es keine Aktivitätengesamtheit; und dennoch sind sie in jeder Aktivität zu finden.

Diese Überlegung geht darauf zurück, dass alles, was man tut, zugleich auch motivations- und identitätswirksam ist. Das gilt für Jedermann. Weil das Leben so kompliziert ist, bilden „Motivation und Identität" viele einzelne Fassetten. Opportunisten beispielsweise verschanzen sich bevorzugt hinter geschönten Fassaden.

Befragt man Menschen, was sie motiviert, dann sind es Erfolgserlebnisse, interessante Aufgaben, Handlungsspielräume und die Möglichkeit zur Selbstverwirklichung sowie Zuspruch und Aufmerksamkeit von Dritten. Leider spielen gesellschaftlich und beruflich oft auch materielle bzw. finanzielle Aussichten eine dominierende Rolle!

Im Kern sind Kommunikation und Interaktionen Basis menschlicher Aktivitäten und Gewohnheiten. Kommunikation hat eine überwiegend psychologische Dimension. Der erste Eindruck ist immer emotionaler Art und hinterlässt meist eine dauerhafte Wirkung. Insofern sind es bestimmte Ausprägungsformen, wie gegenseitige Einflussnahmen passieren. Einmal bestimmt die Privatsphäre; ein anderes Mal ist es der Beruf und relativ pauschaliert verhält sich die Öffentlichkeit.

Über die jeweilige Vorgeschichte von Menschen lässt sich deren Realität verstehen. Privatperspektiven interagieren mit der Unternehmenswelt und gesellschaftspolitischen Realitäten. Entscheidend ist die Mehrdeutigkeit der Situationen. Spannungen innerhalb der einzelnen Lebensräume wie auch zwischen diesen muss man aushalten können. Das Gemeinsame aller drei Lebensbereiche eint deren Stärke und ist zugleich ein Wunsch, dass das Nebeneinander existiert und funktioniert. Leider sind einzelne Personen oft nicht bereit, Gedankengänge und Selbstveränderungen sozusagen als „Reformierung" an sich selber vorzunehmen und auch „Überzeugungsarbeit gegenüber Dritten zu leisten"

Gesellschaftlich möchte man oft gewisse Leitfäden vorgesetzt bekommen. Verantwortung selber zu übernehmen ist eine der schwierigsten Eigenschaften, die ein Mensch in sich selber trägt. Jeder kennt seine Rechte, aber wie schaut es aus, Pflichten und Verantwortung zu übernehmen?

Zwischen den jeweiligen Lebensräumen bestehen gegenseitige Abhängigkeiten. Wenn man an ihnen aktiv etwas verändert, dann wirkt sich das auf die anderen Lebensbereiche aus. Man beschäftigt sich beispielsweise aufgrund der zunehmenden Bedeutung digitaler Entwicklungen weniger mit seiner Lebensgefährtin oder seiner Familie als vielmehr mit seinem Smartphone. Der Wunsch, ein direktes offenes Gespräch zu führen, wird immer seltener. Unter diesem Aspekt bedeutet Digitalisierung Fremdsteuerung und Fremdbestimmung.

F.1.1 Wirkungsketten zwischen Privatsphäre und Berufswelt

Unternehmer, Manager und Mitarbeiter sind erfolgreich, wenn es gelingt, unterschiedliche „Identitätsmerkmale" in Einklang zu bringen. Je stärker Arbeits- und Freizeitbereich mit Image- und Optimierungsdruck konfrontiert werden, desto häufiger stellen sich Selbstzweifel ein. Selbstzweifel können zu unterschiedlichen Zeiten und in unterschiedlicher Stärke auftreten.

Das Gefühl, ausgenutzt zu werden, lässt viele Menschen nicht los. „Fremdausbeutung" im Führungsalltag wird unmittelbar aus der jeweiligen Situation heraus empfunden, wohingegen „Selbstausbeutung" meist erst später bewusst wird.

Unabhängig von Aufgaben oder Arbeiten, die auszuführen sind, dürfen Wechselwirkungen zwischen Qualifikation und Motivation auf keinen Fall übersehen werden.

Arbeitsprozesse erfordern unterschiedliche Aktionen, die Leistungsanreize zu Qualität, Leistungsmotivation und Sozialverhalten bieten. Daraus ergeben sich unterschiedliche Wirkungen auf Loyalität, Akzeptanz, Identifikation und Kooperationsbereitschaft. Unterschiedliche Wirkungsketten sind der Grund, warum es problematisch ist, Situationen jeweils nur von einem Aspekt zu betrachten. Verantwortung und gewisse Entscheidungsfreiheiten müssen nicht immer nur in einer vorgegebenen Hierarchie ablaufen.

Häufig fühlen sich Mitarbeiter im beruflichen Alltag ungerecht behandelt, weil ihr Leistungsvermögen nicht optimal genutzt wird oder weil es oft zu „Machtspielchen" zwischen einzelnen Abteilungen kommt. Man kann auf Dauer nicht gegen die Fähigkeiten und Bedürfnisse seiner Mitarbeiter arbeiten und gleichzeitig Leistung realisieren wollen. Die ursprünglich vorhandene Motivation sinkt;

Identität mit der Arbeit geht verloren, die eigentlich mögliche Leistung wird nicht erbracht!

Dagegen könnten Mitarbeiter mehr Leistung erbringen und mit ihrer Arbeit wachsen, wenn ihre Handlungsmöglichkeiten oder -bedingungen verbessert werden. Das Wichtigste überhaupt ist die Chance, die jemand bekommt, Leistung erbringen zu können. Es wird für Menschen immer wichtiger, anspruchsvolle, sinnvolle und interessante Aufgaben zu haben. weil die Bedeutung (nicht die Wertschätzung) der Arbeit an sich für den Einzelnen steigt.

Warum investiert man nicht einen Teil erwirtschafteter Profite in ein verbessertes Arbeitsumfeld und schafft Anreize für jeden einzelnen Arbeitnehmer? Müssen die Obrigen immer alleine am Profit beteiligt sein? Man kann nicht einfach die eine oder die andere Perspektive übernehmen, sondern muss auch von der relativen Verteilung der Einflussmöglichkeiten ausgehen. Beispielsweise kommen im Privat- und Berufsleben der Motivation und Identität besondere Bedeutung zu. Erfolge oder Misserfolge im Beruf wirken insbesondere auch auf das Familienleben:

- Bei Erfolgen des berufstätigen Ehemannes wird dessen Ehefrau zur unbezahlten Führungskraft des arbeitgebenden Unternehmens, indem sie den Aktivitäten ihres Mannes keine Steine in den Weg legt und ihn unterstützt.

Gelingt es Managern und Führungskräften nicht, bei ihren Mitarbeitern einen Gleichklang zwischen Berufswelt und Zuhause herzustellen - was häufig der Fall ist - werden private Probleme Erfolge überschatten oder umgekehrt.

- Misserfolge und daraus resultierende Existenzängste wirken belastend und schmälern die familiäre Unterstützung. Der Einfluss des meist zuhause gebliebenen Ehepartners als unbezahlte Führungskraft für den Arbeitgeber erlischt, sobald der/(die) daheim gebliebene Partner(in) den Aktivitäten seines (ihres) berufstätigen Ehepartners ablehnend gegenübersteht.

F.1.2 Die Öffentlichkeit im Blickfeld

Der Gesetzgeber nimmt u.a. durch das Steuermonopol Einfluss auf Handlungsspielräume seiner Bürger.[55] Deren Leistungsmotivation kann noch so stark sein - eine Erfolgsgarantie ist sie nicht! Es hängt davon ab, wie sich die einzelnen Lebensräume miteinander „vertragen".

Unternehmer und Manager sind „naturbedingt" von der Richtigkeit ihres Handelns überzeugt (andernfalls wären sie keine Führungseliten) und versuchen, ihre Meinungen und Interessen durchzusetzen, ohne immer in der Hektik ihres Alltags an die Wirkungen auf ihre Gesprächspartner zu denken

Auch Politiker leben oft weit weg von der „normal arbeitenden Bevölkerung". Das jetzige gesellschaftspolitische System der Bundesrepublik ist materiell auf Erfolg ausgelegt wie kaum in einem anderen Land Europas.

Es besteht kein Zweifel, dass auch Managementhandeln sehr schnell politisches Handeln ist, sobald man bereit ist, seinen Handlungsrahmen für das politische Handeln so weit wie möglich zu öffnen, indem man beispielsweise einen hohen Selbstorganisationsspielraum in Form der Delegation über ganze Unternehmen als Wert an sich ausbreitet.

Da die jeweiligen Herausforderungen sehr groß sind, muss man Motivation, Identifikation und Kooperation stärken. Dazu braucht man ein allseits gegenseitiges positives Bild.

---

[55] Siehe E. "Gesellschaftliche und politische Realitäten"

Häufig jedoch reagiert Volkesstimme mit Enttäuschung und Frustration auf Entscheidungen ihrer gewählten Politiker, weshalb politische Entscheidungsträger versuchen sollten, die Bedürfnisse ihrer Bürger zu erfassen, bevor sie Entscheidungen treffen. Andernfalls besteht die Gefahr, dass sie an den Erwartungen ihrer Bürger vorbei regieren und eigene egoistische Motivationsstrukturen an ihre Bevölkerung anlegen. Erst wer weiß, welche Erwartungen die Menschen haben, kann sich überlegen, wie er diese Bedürfnisse am besten ansprechen und befriedigen kann.

Voraussetzung für die Qualität politisch Verantwortlicher ist, dass sie sich auf ein tragbares Menschenbild beziehen, das von der Würde des Menschen geprägt ist. Egoismen als Fassade sind kein Allheilmittel. Selbst hochmotivierte intelligente Menschen können nicht „durchstarten", wenn die Rahmenbedingungen es nicht zulassen.

Sind die Bürger von ihren Repräsentanten enttäuscht, werden in offenen Gesellschaftssystemen Wahlergebnisse die Antwort erteilen.

Es grenzt schon an Schizophrenie, wenn in autoritär geführten Präsidialsystemen deren politische Führer in Scheinwahlen ihre Konkurrenten als Lügner und Systembeschmutzer verdammen und bei einem für sie unerwarteten Wahlergebnis demselben angefeindeten Gegner mit dem Hinweis auf demokratische Verhältnisse im eigenen Land gratulieren.

Wie so häufig gilt auch hier: „Wie viel Wahrheit steckt in Lüge und wie viel Lüge steckt in Wahrheit?

F.2 Thesen aus Best-Praxis-Situationen

Eine Gesellschaft sollte sich insbesondere dadurch auszeichnen, wie sie mit Gefühlen ihrer Bürger umgeht oder mit den Gefühlen Dritter spielt.

Fast jeder Erwachsene durchläuft in seiner Lebensspanne mehrere Lebenskrisen. Wir leben in Abhängigkeit von gesellschaftlichen Normen und ängstigen uns allzu oft vor Abweichungen von der Erwartung Einzelner und/oder der von der Gesellschaft vorgegebenen strukturellen Norm.

Warum glauben viele Menschen, ihre Gefühle besser nicht zu zeigen? Es ist ihre Angst, durchschaut zu werden, Schwäche zu zeigen, in psychologischen Druck zu geraten und angreifbar zu werden. Wenn es auch genügend Gründe geben mag, seine wahren Gefühle hinter Fassaden zu verbergen, so sind es doch die Gefühle, die den Charakter und das Persönlichkeitsbild eines Menschen prägen und - wenn auch auf Umwegen - offenlegen. Solche Erfahrungen sind Grund genug, Sehnsucht nach Erfolg und Individualität zu haben. Die abschließende Selbstreflexion soll Eigeninitiative fördern und die eigene Haltung verstärken.

Jeder hat das Recht und die Pflicht, seine Situation aufzuarbeiten, insbesondere wenn man etwas verbessern oder verändern will. Es macht Sinn, sich selbst im „Schatten bröckelnder Fassaden" zu hinterfragen und seinen Alltag neu zu justieren, Je mehr Hürden zu überwinden sind, desto freier möchte man von einer Furcht sein, die eigentlich gar keine sein bräuchte.

Der Selbstfindungsglaube führt bei vielen Menschen in die Verunsicherung hinein. Man sucht seinen Lebenssinn in Allem, was verunsichert. Dabei erscheinen Werte und Authentizität vielen zweitrangig.[56] Der häufigste Fehler auf der Suche nach Eigenständigkeit unterläuft uns, wenn wir unseren Alphatieren als Vorbilder blindlings hinterherlaufen. Auch wenn man dem Trend gerecht werden will, kommt am Ende keiner daran vorbei, mit der

---

[56] Rolf Ganzen Deutschlandfunk „Freistil" vom 22.09.2019

Gemeinschaft zurechtkommen zu müssen und sich zu fragen, was seine obersten Werte sind, denn jeder ist für sein Handeln verantwortlich. Eine Antwort zum Umgang mit seinen Lebenssituationen ist Selbstoptimierung als Methode. Sobald dabei allerdings das eigene Umfeld bzw. andere Menschen davon negativ betroffen werden, sollte man Selbstoptimierung nicht um jeden Preis verfolgen.[57]

Es erscheint alles lustig, solange es die Anderen etwas angeht. Dennoch müssen wir auch deren Nöte und Wünsche versuchen zu verstehen, wollen wir uns selbst verstehen! Der Wunsch nach Objektivierbarkeit sich abzeichnender Herausforderungen drängt sich auf. Wer seine bestehenden festgefahrenen Gewohnheiten überwinden will, muss sich umstellen können. Die Zeit solcher Übergänge besteht stets auch aus Konflikten, die durchgehalten werden müssen. Ein erfolgversprechender Umgang mit störenden Fassadenwelten ist Aufklärung der Situationsumstände.

Wertorientierung und Interessenorientierung errichten unterschiedliche Perspektiven. Unsere Interpretationsgegenwart reflektiert auf Erfahrungen und Erwartungen - auf Gegebenheiten und Empfindungen. Erfreuliche und weniger erfreuliche Schatten wirken unerwartet auf uns ein. Sich einschleichende Fassadenkulturen werden zu Herausforderungen. Was beispielsweise typisch deutsch oder typisch tirolerisch ist, wird zum Maßstab für persönliches Handeln. Man fühlt sich damit vertraut oder man empfindet es beunruhigend.

Wir erleben private und allgemeine Beziehungen, leben in verschiedenen politischen Systemen und müssen das Alles aufeinander abstimmen und in Einklang bringen. Das erfordert die Fähigkeit, in Tuchfühlung mit sich selbst zu kommen. Die zentrale Frage ist

---

[57] Siehe Kap. C.3.7.3 „Im Zwiespalt der Selbstoptimierung“

schließlich: „Was muss ich tun, um mit mir selbst im Reinen zu sein und mit meinem Umfeld besser umgehen zu können?[58] Obwohl der Kopf entscheidend ist, sollte man dennoch nicht immer die Vernunft in den Vordergrund stellen, sondern auch seine Gefühle und den Glauben an sich selbst.

Wer bereit ist, sich selbst zu überprüfen und das Wagnis möglicher Korrekturen einzugehen, der wird offen sein für notwendige Veränderungen in seinen Einstellungen und Haltungen. Wenn sich Situationen wandeln, wandeln sich auch Einstellungen. Die beschriebenen „Schatten bröckelnder Fassaden" machen nur Sinn als Orientierung für den Umgang mit persönlich erlebten Situationen. Fassaden können sich sehr schnell zu Stolpersteinen entwickeln, die man überwinden muss. Wo Schatten ist, könnte auch Licht sein. Licht ist stärker als Schatten!

Sich von Abhängigkeiten befreien können, hat eine entspannende Wirkung. Es setzt eine geistige Flexibilität voraus, miteinander und nicht nur über- oder gegeneinander reden zu wollen und reden zu können. Wo man Vertrauen hat, geben Gespräche Impulse. Je nachvollziehbarer Situationen sind, umso besser kann man sie verstehen und sich verständigen! Wir müssen im Vertrauen sein, dass wir uns nicht kaputt machen lassen.

Die wichtigste Voraussetzung für die Gestaltung der eigenen Zukunft ist die Fähigkeit, in unterschiedlichen Situationen die richtige Messlatte anlegen zu können. Selbstreflektion ist eine Frage der jeweiligen Perspektive, über sich selbst nachzudenken. Die Auflistung möglicher Selbstwirksamkeiten sind Anregungen zu eigenständigem selbstkritischem Hinterfragen aus „Im Schatten bröckelnder Fassaden" durch den Leser. Sollte den Leser die „Herausforderung zur

---

[58] Kap.C.1 „Menschen sind selten mit sich im Reinen"

Selbstreflexion" komisch misstrauisch machen; so soll sie dennoch dazu beitragen, aus möglichen Schwächen Zuversicht und persönliche Stärke zu ziehen.

Im Austausch unserer Gedanken und Gefühle wird ein psychologischer Mechanismus angesprochen, der stärkeren Einfluss auf unseren Alltag hat als wir wahrhaben wollen oder als wir es gemeinhin glauben. Gefühle begleiten unser Leben. Man kann sie nicht so einfach beiseiteschieben! Es ist spannend, was beim Hinterfragen des eigenen Verhaltens herauskommt.

F.2.1 Kernprobleme im zwischenmenschlichen Miteinander

Nicht selten belügen wir uns mit eingebildeten Idealvorstellungen. Um eine identitätswirksamere Aufmerksamkeit zu erzeugen, wählt der Autor als Einstimmungsbarometer die persönliche Anrede - das „Du"! Nähe ist etwas Existentielles.

- **Berechne die Folgen Deines Handelns, bevor Du handelst.** (Max Weber) (B.12 Wenn Ethik als Fassadenbluff verkommt")
- Neid konterkariert Authentizität. (C.2. „Macht, Gier und Neid")
- **Man muss sich zutrauen, zu vertrauen.** (C.3.1 „Nähe und Distanz – ein Karussell der Gefühle")
- Das Gefährlichste im Leben ist Arroganz durch Selbstüberschätzung. (D.3.6 „Selbstinszenierte Spielregeln - ein Führungsphänomen")
- **Auch Deine Zeitwahrnehmung ist subjektiv beschleunigt.** (B.3. „Im Fassadenrausch von Zeit und Geschwindigkeit"; D.5.1.1 „Der Wettbewerbsfaktor Zeit")

- **Statt Wünsche setze Ziele, die erreichbar sind.** (C.,4.1 „Nähe und Distanz - ein Karussell der Gefühle ..."; D.4.1.1 „Zielorientierte Führung ...")
- Besonders stark empfundene Erlebnisse nisten sich als Kürzel in Dein Unterbewusstsein ein und mischen ungebremst in vergleichbaren aktuellen Situationen mit! (C.3.1 „Nähe und Distanz - ein Karussell der Gefühle"; C.3.7.1 „Interdependenz zwischen Emotion und Vernunft"; C.3.2.1 „Perspektivwechsel")
- **Menschen meckern häufig, obwohl es ihnen gut geht. Man will immer mehr, immer mehr.** (B.10 „Wenn Anonymität als Maske missbraucht wird"; B.12 „Wenn Ethik als Fassadenbluff verkommt"; B.4.1 „Der Wahrheit verbunden bleiben"; C.1 „Menschen sind selten mit sich im Reinen"; C.2 „Macht, Gier und Neid"; E.4.1 „Das demokratische Gesellschaftsmodell")
- **Im Umgang mit Konflikten zeigt sich Deine wahre Stärke oder Schwäche.** (B.10 „Wenn Anonymität als Macht missbraucht wird"; C.3.1 „Nähe und Distanz - ein Karussell der Gefühle"; D.3.3 „Chefsessel - Orte der Unberechenbarkeit")
- Es ist falsch anzunehmen, dass diejenigen, die Erfolg oder Glück haben, keine Probleme hätten. (C.2 „Macht, Gier und Neid"; D.3.3 „Chefsessel - Orte der Unberechenbarkeit")
- **Jammern ist Energieverschwendung.** (C.3.5 „Selbstisolation - Versteckspiel aus Verzweiflung")
- **Wer Anderen etwas Gutes tut; es kommt irgendwann zurück. (**D.5.2.5 „Interaktion findet überall statt, ohne dass es Allen bewusst ist")
- Wenn Du Deine Gesprächspartner in einem besseren Zustand hinterlässt als Du sie vorgefunden hast, führst Du gute

Gespräche (C.3.4 „Wir sind verletzlicher, als wir glauben/ Wie kommen Gefühle zustande?")

- **Am meisten lernst Du von Menschen, die Dich neugierig machen und für deren Leben Du Dich interessierst.** (B.5 „Authentizität - Die Kunst echt zu sein")
- **Ohne Bildung gibt es keine Zukunft!** (E.6 „Bildung - die gesellschaftspolitische Herausforderung")
- **Glaubwürdigkeit zeichnet Deine Persönlichkeit aus. (**D.5.2.5 „Interaktion findet überall statt, ohne dass es Allen bewusst ist"; B.5.2 „Authentizitätsmerkmale und Risiken")

F.2.2 Schöpfe Deine Möglichkeiten besser aus und mach' mehr aus Dir

Bei Allem, was Du denkst, was Du entscheidest und was Du tust, hinterfrag' Dich stets, warum Du so denkst, entscheidest und handelst. Die meisten Menschen haben kein stabilisiertes Ich! Jeder hat Träume, Konflikte und Ängste.

Harmoniefreudige Menschen werden häufig als zu anständig und wertvoll gepriesen; jedoch aus vernunftbetonter Sicht als Schlappschwänze verhöhnt

Deine alltäglichen Abenteuer finden im Kopf statt. In bewusster Abwägung mit Deiner Gefühlslage könntest Du Deine Möglichkeiten besser nutzen.

- Wehre Dich gegen persönliche Schattenrisse

Verstrick Dich nicht in Lügen. Hinter erlogenen Fassaden schaukeln sich Situationen hoch, die Schattenbilder mit falschen Aussagen erzeugen. Ehrlichkeit und Offenheit überwinden Abhängigkeit von Fassadenwelten.

Man lügt sich sehr schnell etwas vor. Dabei nehmen wir an der großen Flucht vor uns selber teil, weil es eben die Anderen so machen. Wir fliehen in ein äußeres Image und unterwerfen uns damit dessen Erwartungshaltungen. Je stärker Du Dich Fassadenkulturen beugst, desto abhängiger wirst Du oder bist Du schon.

Gib nicht nach den ersten, vielleicht nicht gelungenen Versuchen auf, sondern halte durch! Um die Wahrheit musst Du kämpfen, willst Du mit Dir selbst zufrieden und im Reinen sein. Das setzt voraus, mit der eigenen Betroffenheit umgehen zu können, um zugleich die Wahrnehmung der Wahrheit der eigenen Wirklichkeit zu ermöglichen. Lügen, leugnen und vertuschen kratzt an Deiner Glaubwürdigkeit! Vergiss' nicht, in jeder Krise zeigt sich der Charakter. Viele Menschen, die auf die Butterseite gefallen sind, sind oberflächlich geworden und haben Dankbarkeit verloren.

Es gibt immer Momente der Wahrheit, die jeder kennt und die niemand wahrhaben will! *(B.4.1 „Der Wahrheit verbunden bleiben"; C.3.6 „Lügen - Fassaden für Verschleierungen")*

- Überwinde Sturheitsblockaden

Wer möchte in seinem Innersten nicht frei sein von Kriegsschauplätzen persönlicher Auseinandersetzungen mit Wirkungsketten emotionaler Selbstbestätigung bzw. krampfhafter Durchsetzungssymbolik als Fassadenwelten? Wer möchte nicht so frei sein, um zu tun und zu lassen, was er will? Daraus abgeleitete äußere Anfälligkeiten spielen eine besondere Rolle und bestimmen unser aller Verhalten. Probleme scheinen manchmal so groß zu sein, dass Du Dich vor Dir selber verschanzt und in Sturheit verfällst.

Sturheit und Starrsinn sind Vorboten zur Selbstoptimierung und Flucht in eine selbstbestimmte Welt. Die gelebte Fassade wird als Selbstschutz genutzt. Selten sind die Initiatoren mit ihrer eigenen Gemütsverfassung glücklich. Meist leiden sie selbst an ihrem mahnenden schlechten Gewissen. Das birgt die Gefahr in sich, das Ende erwünschter Zufriedenheit selbst einzuläuten. Sturheit ist ein nachhaltiges Manko, was Dich und Deine Souveränität in Frage stellt. Deshalb darf Starrsinn kein Dogma sein, von dem Du Dich nicht trennen kannst. Wenn Sturheit Dein Verhalten lenkt, beginnt der eigentliche Selbstbetrug. Sturheit im Schatten der Selbstüberschätzung zelebriert Ungerechtigkeit und Unfairness, Argumenten nicht mehr wirklich zuhören zu können. Du musst Dich von der Hybris Starrsinn befreien. Sturheit ist die größte Dummheit, die Selbstbetrug einleitet!

In jeder Phase Deines Lebens wartet eine Chance, festgefahrene Meinungen zu überwinden und Geschätztwerden und Selbstachtung wieder herzustellen! *(B.11 „Kultur als Identitätsträger"; C.3.1 „Nähe und Distanz - Ein Karussell der Gefühle"; C.3.7 „Im Zwiespalt der Selbstoptimierung"; C.3.7.1 „Interdependenzen zwischen Emotion und Vernunft")*

- Zeig' Dich nicht ultraselbstbewußt; sei nicht so streng zu Dir selbst!

Konflikte gehören zum Alltag- auch wenn sie Dir nicht passen. Du wirst der Verlierer sein, wenn Du Dich dagegenstemmst. Zeig' Dich weder ultraselbstbewusst noch lass' Deine Emotionen durchbrennen. Betrachte Zufälle, Veränderungen und Weiterentwicklungen als etwas Positives!

Dominanzverhalten provoziert Distanz bis hin zu Gegnerschaft. Emotionale Attacken und Auswüchse sind verräterische Signale über Deine Befindlichkeit. Wer glaubt, sich lautstark und diffamierend äußern zu müssen, der verkennt, dass er sehr viel von sich selbst preisgibt. Je stärker es aus Dir herausbricht, desto mehr erfahren Deine Gesprächspartner (evtl. Gegner) über Deine Gemütsverfassung. Reagiere nicht mit Zorn; es lohnt sich nicht!

Ultraselbstbewusstes Verhalten führt zu Verlust an Selbstkontrolle und zeigt, dass Du die Bedeutung rationaler und emotionaler Wirkungsketten unterschätzt. Nicht immer sind Deine Selbstverständlichkeiten Maßstab für andere. Geh' nicht mit dem Kopf durch die Wand. Wer sich ultraselbstbewusst durchzuschlagen versucht, der leidet a la longue an teils gnadenloser Selbstüberschätzung mit Selbstzweifeln. Manchmal solltest Du Hüllen der Vergangenheit abstreifen können. Lockere Dich endlich und gestehe auch Dir zu, was Menschen ausmacht - ihre Schwächen! *(C.3.1 „Nähe und Distanz - ein Karussell der Gefühle"; C.3.7.1 „Interdependenz zwischen Emotion und Vernunft")*

- Meide persönliche Vergleiche

Bei Planung und Gestaltung eigener Aufgaben und Verantwortlichkeiten versuchst auch Du, Dich an anderen Lebenswirklichkeiten von Menschen zu orientieren - auch wenn es immer eine Frage ist, womit man was vergleicht, Vergleiche dienen der Standortorientierung. Sie stärken Gleichgesinnte und produzieren bei vielen Menschen Enttäuschung oder Neid. Was immer Du vergleichst, Du begibst Dich in Abhängigkeit. Vergleiche können in die Enge treiben und sogar in den Ruin führen!

Je stärker Du gewonnene Einsichten akzeptierst und wertschätzt, umso intensiver wird Dein Wunsch zur Nachahmung und Identifikation mit der Folge, dass Du Dich Deiner neuen Situation vollkommen öffnest und unterwirfst. Du reagierst rein intuitiv, indem Du bereit sein wirst, die neue Identität als die Deine zu akzeptieren und deren Ziele als die Deinen zu übernehmen.

Deine Vergleiche mögen zur Verbesserung Deiner Motivation beitragen - sie können aber auch als Hebel zur Manipulation missbraucht werden. Sei nicht blindgläubig, wenn andere Dich zu motivieren versuchen!

Wer sich immer mit *anderen* vergleicht, der erlebt am Ende einen Zustand, den er gegebenenfalls korrigieren möchte, weil seine ursprüngliche Spontanität verloren gehen könnte. Menschen sind sehr unterschiedlich und verhalten sich demzufolge auch sehr unterschiedlich. Auch Du bist nur ein Rädchen im großen Getriebe. Vergleiche wirken immer auf Dich zurück! *(C.2 „Macht, Gier und Neid"; C.3.7.1 „Interdependenzen zwischen Emotion und Vernunft")*

- Problemverdrängung und Selbstmitleid schwächen

Es ist normal, Ängste oder Angstzustände zu haben und in kritische Situationen zu fallen. Menschen, die sich aus Hilflosigkeit, Hoffnungslosigkeit und Niedergeschlagenheit enttäuscht auf der Verliererstraße wähnen, neigen dazu, sich zurückzuziehen und sich wehleidig ihrem Schicksal zu beugen. Sie fliehen in die Einsamkeit - nichtsehend, dass auch Stillstand Verdrängung darstellt. Oft wird Selbstmitleid auch benutzt, um einen gewissen Druck gegenüber Dritten aufzubauen oder auch um im Mittelpunkt zu stehen.

Aktivitäten im Umgang mit Krisen und Problemen spielen eine entscheidende Rolle für das Selbstbewusstsein. Klagelieder und Selbstmitleid schwächen nur. Sie erhöhen die Gefahr, Chancen gar nicht erst zu erkennen bzw. zu verlieren. So schwer es auch fallen mag, beschäftige Dich nicht den ganzen Tag mit Deinem „Schicksal". Stemme Dich dagegen und nehme Dir vor, nicht jeden Tag und womöglich noch ganztägig oder sogar über Wochen hinweg mit Deinem Schicksal zu hadern und in Trance zu versinken. Durch Verdrängung wirst Du tiefgreifende Probleme nie lösen.

Nicht an etwas zu denken, das Dich bewegt, ist nicht möglich. Emotionale Verknüpfungen verfestigen sich im Kopf. Als Lösungsstrategie setze Dich wiederholt mit der Wahrheit des Problems auseinander. Überwinde Deine Dich fortwährend überrumpelnden Gedanken mit der persönlichen Aufforderung, sie pro Tag nur einmal zuzulassen. Wende Dich mit der Zeit gedanklich bewusst davon ab. Lass' die Vernunft Deine Gefühle besiegen!

Die Art und Weise im Umgang mit Problemen entscheidet in stärkerem Maße über Erfolg (Zufriedenheit) oder Misserfolg als die Lösung des eigentlichen Problems. Um gedanklich in die Tiefe Deiner Herausforderungen und Probleme vorzudringen, musst Du immer weiter nachfragen und Dich auch selbst hinterfragen. Wenn Du allerdings Alles bis ins kleinste Detail zu hinterfragen versuchst, weißt Du oft am Ende überhaupt Nichts. Ganz ohne Gottvertrauen wirst auch Du nicht entscheiden! *(B.4.2 „Authentizitätsmerkmale und Risiken"; B.7.1 „Mangelnde Entscheidungsbereitschaft und -sicherheit"; B.7.2 „Problemlösungsprozesse als Problemfall"; C.3.5 „Selbstisolation - Versteckspiel aus Verzweiflung")*

F.2.3 *Optimiere Dein Persönlichkeitspotential*

Die Art und Weise, wie Du auf andere Menschen wirkst, zeichnet Deine Persönlichkeit aus. Es ist das gewisse Etwas, das jemand besitzt und etwas Besonderes, was ihn interessant und für andere attraktiv macht. Persönlichkeiten eilt der Ruf voraus, man könne ihnen aufgrund ihrer

Glaubwürdigkeit vertrauen. Es gelingt ihnen, Identität, Nachahmeffekte zu schaffen und Vorbild zu sein.

Je mehr Persönlichkeit ein Mensch ausstrahlt, desto eher kann er sich erlauben, auch emotional zu reagieren sowie offen und ungekünstelt wahrgenommen zu werden. Persönlichkeit steckt an. Persönlichkeitsstärke ist der Grundpfeiler und Selbstverstärker erfolgreicher Menschen. Erfolg macht Spaß!

- Akzeptiere Deine emotionale Befindlichkeit und glaub' an Dich

Wenn auch Disziplin im Kopf stattfindet, kann man nicht Alles ausschließlich rational begründen, sondern muss Gefühle einschließen und ihnen ihren Freiraum geben.

Woran liegt es, dass viele Menschen nicht zufrieden sind? Wer ehrlich ist, muss sich eingestehen, meistens liegt es an ihm selbst! Wenn es keine Steigerungen gegenüber dem Ist-Zustand mehr gibt, orientieren sich Menschen an Menschen, die bei ihnen besondere Aufmerksamkeit hervorrufen: Sie vergleichen sich mit deren Lebenswirklichkeiten, um daraus persönliche Folgerungen abzuleiten. Auch hier handeln sie rational und zugleich emotional. Es gibt viele Dinge, die kann man nicht lernen; das bringt man mit dem Herzen mit! Nur wenn Du Deine Gefühle mitnimmst, kannst Du Dich selbst finden. Die Unzufriedenheit vieler Menschen hängt oft an den für uns gesellschaftlich vorgegebenen Zielen der materiellen Befindlichkeit und Aussicht ab, die uns heutzutage die mediale Welt vorgaukelt.

Am Ende werden sich auch Deine Emotionen durchsetzen und Dich im schlimmsten Fall sogar innerlich zerstören oder in Ecken zwingen, häufig mit der Folge, dass Dir das eigene Ich verloren geht. Das Emotionale wird das kognitiv Rationale immer überlagern. Auch Du hast bereits gelernt oder wirst lernen müssen, wozu übereifriges

Vernunftverhalten führen kann. Nur mit Emotion wirst Du Menschen wirklich erreichen. Mach', was Du denkst, dass es richtig ist, und nicht das, was Du denkst, was andere denken. Gönne Dir Deinen persönlichen Belohnungsmechanismus und sag' Dir „Ich bin okay, so wie ich bin!"

Auch wenn Du Dich als toleranter, sozial denkender und handelnder Mensch verstehst, Du bist und bleibst ein Egoist (ein gewisser Egoismus spiegelt auch ein gesundes Selbstwirklichkeitsbild wider. Wärst Du es nicht, könntest Du nicht überleben. Nicht ohne Grund hat Bertold Brecht in seiner Dreigroschenoper den auch heute noch geltenden Zeitbezug „Erst kommt das Fressen und dann die Moral" zu Weltruhm verholfen.

Wir geben uns gerne tolerant aus, sind es aber in Wirklichkeit nicht! Lass Dich deshalb vom Vorwurf, ein lästiger Egoist zu sein, nicht tabuisieren. Sind wir nicht alle egoistisch? Mach Dir keinen Kopf darüber, was andere sagen. Es ist Dein Leben! Was Du brauchst, ist Vertrauen - Vertrauen in Dich selbst. Nur Einer kann Dir dabei helfen: Du selbst! Vergiss' nie: Wer Schwierigkeiten hat, der verliert den Blick für Andere!

Frag' Dich, was Dich als Person ausmacht? Das sind nicht allein Dein Wissen, Deine Fertigkeiten, sondern im Wesentlichen Deine Gefühle - nicht nur, was Du sagst und tust, sondern auch wie Du es sagst und wie Du es tust. Auch wenn Äußerlichkeiten oft täuschen, vergiss' nicht, Du selber bist Teil solcher Befindlichkeiten. Auch Du wirst schnell in ein Klischee gedrängt, wo Du eigentlich nicht hingehörst!

Wenn Du einen Traum hast, der sich nicht erfüllt, und Du Dein Nervenkostüm nicht im Griff hast, dann leb' Deinen Traum platonisch aus. Träume als nicht erfüllbare Erwartungen stimulieren Aktivitäten, die eine Echtheit erblicken lassen. Halt nicht fest an Alterfahrungen. Auch wenn es nur eine Wahnvorstellung ist, die Flucht in eine neue Phantasiewelt eröffnet die Chance, Dich von Deinem persönlichen

Dilemma zu befreien. Aufgeben sollte keine Option sein. Du solltest Dir nicht einreden lassen, dass Du etwas nicht kannst, was Du eigentlich willst. In Gesprächen solltest Du stärker diskutieren, wofür Du bist und weniger, wogegen Du bist. Du musst Dich einfach einbringen, an Dich selbst glauben und Zuversicht ausstrahlen. Durch Engagement und Selbstwertempfinden kannst Du so viel erreichen!

Werde nicht Opfer der Inkompetenz Anderer. Geh' zu Bett mit einem positiven Gedanken und beginne den Tag mit einem positiven Gedanken. Du wirst besser schlafen. Entsprechend wird Dein neuer Tag verlaufen. *(C.2 „Macht, Gier und Neid;"; C.3.1 „Nähe und Distanz - ein Karussell der Gefühle"; C.3.4 „Wir sind verletzlicher, als wir glauben/ wie kommen Gefühle zustande"; C.3.71 „Interdependenzen zwischen Emotion und Vernunft"; C-3.7.3 „Im Zwiespalt der Selbstoptimierung"; D.2.1 „Lernprozesse als Identitätsmechanismen"; D.5.2.5 „Interaktion findet überall statt, ohne dass es Allen bewusst ist")*

- Hab' einfach Mut

Jeder hat das Recht, Fehler zu machen, da selbstgemachte Fehler Erfahrungen in jedem selbst sammeln. Es ist ein wichtiger Aspekt zu einer selbstbewussten Entwicklung und dient eigener Meinungsfindung. Dennoch neigt der Mensch dazu, Fehler zu verstecken.

Kein Mensch ist problemfrei. Es gibt keinen Menschen, der keine Zweifel hat. Verleugne nicht Deine Zweifel! Sie sind der natürlichste Antrieb auf der Suche nach der Wahrheit und damit auch auf der Suche nach Deinem eigenen „Ich". Ob Du Deine Wahrheit wissentlich „erlebst", mag dahin gestellt bleiben. Die glaubhaften Details sind ihr aber auf der Spur.

Um Deinen Alltag bewältigen zu können, musst Du Dich in vielerlei Hinsicht immer wieder neu entscheiden. Wichtige Entscheidungen trifft man am besten, wenn man die richtigen Informationen hat. Bist Du nicht sicher, wie eine Situation ausgeht, ist jede Entscheidung ein Wagnis. Jeder muss sich im Klaren darüber sein, dass Entscheidungen immer auch Fehler bedeuten können. Gestehe' Dir das Recht auf Angst zu! *Allein mit Angst fertig werden zu müssen, kommt schon einer Bedrohung gleich.* Anstatt Entscheidungsblockaden brauchst Du Mut, Dich selbst oder andere Dinge zu riskieren. Man muss das tun, woran man glaubt und was zu tun ist.

Angst ist ein tiefgreifendes Regulativ zu unserem Leben und schaltet dennoch häufig im Alltagsverlauf das Gehirn ab. Wer Angst hat, läuft Gefahr, die Orientierung zu verlieren. Weil Angst und Verzweiflung ihr Ventil brauchen, musst auch Du durch die Angst durchgehen. Es muss einen Ausweg geben!

Wenn sich Probleme zur Krise auftürmen, erzwingt das Entscheidungen. Jede Krise braucht Flexibilität. Aufgabe von Krisen ist nicht, dass man verbietet oder zerstört, sondern dass man Lösungen sucht. Es geht am Ende um Eigenverantwortung!

Dein größter Schutzschirm ist die Fähigkeit, Dich auf Verknüpfungen mit Parallelsituationen bzw. möglichen Folgeproblemen konzentrieren zu können, meist kommen jedoch situationsübergreifende Problembehandlungen zu kurz. Wenn Du Dein Gegenüber nicht verstehst (nicht verstehen willst), werdet ihr auch keine tragbare Lösung (Kompromiss) finden! Leider macht man sich nicht genügend Gedanken über die motivationale Situation seiner Gesprächspartner.

Das beste Mittel gegen Angst sind Informationen und darüber reden können. Wo man Vertrauen hat, gemeinsam miteinander zu sprechen, geben Gespräche Impulse! Das „Wir" muss gelingen, nicht das „Ich". Du würdest Deinen Gesprächspartnern wie auch sie Dir helfen, wenn ihr einander zuhört, wenn ihr offen und ehrlich den Dialog sucht. So könntet ihr bei Differenzen herausfinden, welche Problemfelder (vielleicht) missverstanden wurden!

Sollte Dich eine Situation überfordern und Du Fehler gemacht haben, suche keine drastischen Ventile, sondern hab' den Mut, sie einzugestehen und Dich zu entschuldigen. Fehler sind dazu da, dass man daraus lernt. Schenke Dir selbst mehr Aufmerksamkeit. Manchmal ist es gut, die Perspektive zu wechseln, damit es Dir besser geht. Es klärt viele Situationen und befreit Dich von Gewissensdruck!

Es lebt sich besser, wenn Du Dir selbst vertraust und Selbstliebe empfinden kannst! Beides ist immens schwierig, aber machbar. Bleib' dabei respektvoll und fair - auch in kritischen Situationen. Toleriere, was ist und sei ehrlich zu Dir selbst und zu Deinen Mitstreitern. Du kannst die Realität doch nicht ändern!

Verschanze Dich nicht hinter Starrsinnsbarrieren. Aus Unsicherheit und Mangel an Vertrauen ist noch nie Zuversicht hervorgegangen. Hab' Vertrauen in Dich. Erhalte Dir bei aller empfundenen Hilflosigkeit zumindest einen Hauch von Hoffnung. Löse Dich von Deinen eigenen Fesseln und überwinde Dein Standardprogramm, Sturheit!

Verantwortung musst Du selbst übernehmen. Wie man mit Angst umgeht, ist schließlich auch eine Charakterfrage. Geduld im Umgang mit Dir selbst ist Deine persönliche Herausforderung. *Du stehst nicht über den Dingen, Du bist Teil der Dinge. Das Potential, das in jedem Menschen steckt, kann man immer wieder „hervorholen"!* Es steckt viel in Dir, wenn Du es nur versuchst! Du musst Dich auf Neues einlassen können. Die Perspektive für Hoffnung braucht jeder Mensch!

Wenn es Dir nicht gut geht, versuche an Dinge zu denken, die Dir guttun. Auch Dein Leben ist immer für Überraschungen gut. Wer etwas erreichen will, der muss es auch versuchen und zeigen! Eine Chance hast Du nur, wenn Du mutig bist! Wenn Du von einer Sache überzeugt bist, hab' Mut zu kämpfen und weigere Dich aufzugeben! (*B1 „Angst -*

der schlimmste Fallstrick", B.4 „Authentizität - die Kunst, echt zu sein"; B.4.3 „Mut, sich zu riskieren"; C. 3.1 „Nähe und Distanz -.ein Karussell der Gefühle"; C 3.7.3 „Im Zwiespalt der Selbstoptimierung")

- Denk positiv

Vermittle keine negative Grundhaltung und lass' Dich nicht wahrnehmen als jemand, der Menschen keine Energie zuführt. Denk' positiv und sehe' nicht alles negativ, weil sich diese Haltungen und Einstellungen über das Unterbewusstsein in Deine Gegenwart einschleichen.

Alle Gestaltungsmöglichkeiten im Umgang mit Krisen und Problemen sind wichtig für Dich und Dein Image. Es geht um den Versuch, Dir Dein eigenes Profil zu verleihen und Dich weiter zu entwickeln. Es geht also auch darum, Deine Situation zu verbessern. Dann erfährt Dich Dein Umfeld und Du Deine Gegenwart entspannter. Wer positiv denkt, der wird auch seine Gegenwart positiv erleben! Wer ständig alles negativ sieht, bekommt am Ende auch negative Ergebnisse! *(B.7.1 „Mangelnde Entscheidungsbereitschaft und -sicherheit"; B.7.2 „Problemlösungsprozesse als Problemfall"; C. „Persönliche Alltagserfahrungen"; C.3.1 „Nähe und Distanz - ein Karussell der Gefühle", C.3.7.1 „Interdependenzen zwischen Emotion und Vernunft"; D,2.1 „Lernprozesse als Identitätsmechanismen"; D.5.2.5 „Interaktion findet überall statt, ohne dass es Allen bewusst ist")*

- Erhalte Dir Deine Souveränität

Menschen geraten sehr schnell in eine mentale Defensive mit der Folge, ihre wahren Gefühle verstecken zu wollen. Wenn Du Dich in akuten Problemsituationen zurückziehst, schweigst, und alles herunterschluckst, landest Du nirgendwo und tabuisierst Dich selbst. Du gerätst sogar in Gefahr, dass Deine Schwäche von Anderen genutzt wird, indem sie Dich für sich selbst instrumentalisieren.

Konflikte gibt es überall zur Genüge. Zum Aufräumen gehört die Chance, darüber sprechen zu können. Du solltest Dir nicht einreden, Verletzungen kleinreden zu müssen, sondern überwinde Dich, darüber reden zu wollen, sofern Dein Gegenspieler es zulässt!

Wenn Du eine anscheinend nicht auflösbare Situation vorfindest, mach' sie für Dich gedanklich größer und Du erfährst eine andere Relation als persönliche Hilfestellung.[59]

Private Illusionen und ideologische Utopien bergen tiefgreifende Gefahren in sich.

Private Illusionen - also nicht erfüllte Wünsche - sind Wahnvorstellungen bzw. Ängste, Versagen oder Verlustängste, etwas verlieren zu können oder bereits verloren zu haben, was man nie wirklich besaß. Durch wiederkehrendes tägliches Bewusstwerden solcher Situationen durchlebt man ungewollt psychische und physische Angstzustände bis hin zu Depressionen.

Ideologische Utopien können gesellschaftspolitische Fehlentwicklungen auslösen, die auch Dir schaden, beispielsweise dürfen Bürger in zentral gelenkten Volkswirtschaften im Gegensatz zu demokratischen Volkswirtschaften nicht selbständig laut denken, geschweige denn sich öffentlich gegen das System äußern. Die Forderung nach Chancengleichheit wird je nach Weltanschauung unterschiedlich interpretiert. Die Einen fordern Gleichheit für alle,

---

[59] Albert Einstein

während die Anderen die Möglichkeit gleicher Chancen einfordern. Sei nicht blind gegenüber anonymen Online-Plattformen.

Konzentriere Dich auf Deine Meinung, indem Du alles Auffällige und Anfällige (insbesondere politische Anschauungen) kritisch hinterfragst. Geh' skeptischer mit Informationen um! Akzeptierte die Welt so wie sie ist und lebe Dein Leben. *(B1 „Angst - der schlimmste Fallstrick", B8 „Chancengleichheit - Fassettenvielfalt mit Hürden"; B.10 „Wenn Anonymität als Maske missbraucht wird"; C.1 „Menschen sind selten mit sich im Reinen"; C.3.1 „Nähe und Distanz - ein Karussell der Gefühle"; C.3.5 „Selbstisolation - Versteckspiele aus Verzweiflung"; E.4 „Fassetten politischer Visionen")*

- Optimiere Deine Motivationswirkung

Menschen brauchen Ziele! Was immer Du unternimmst, es ist motivationsabhängig. Motivation ist unser aller Antriebsmotor. Ohne Perspektive weißt Du nicht, wohin Du schauen sollst! Deine persönliche Motivation sollte weitestgehend von Offenheit und Vertrauen geprägt sein.

Wer motivieren möchte, orientiert sich üblicherweise an bekannten Konzepten und hofft auf Erfolge. Die wirkungsvollsten und wirklich wichtigen Motivationsschübe sind nicht das Ergebnis aus konzeptempfohlenen Modellen, sondern entspringen einer vertrauensbildenden Fähigkeit der Menschen - beispielsweise eines Vorgesetzten -, nämlich Neugier zu reizen. Lass' Dich Deine Neugier reizen bzw. reize die Neugier der Menschen, die Du für ein bestimmtes Ziel gewinnen möchtest. Neugier herausreißen ist die intensivste Form der Motivation - unabhängig ob Eigen- oder Fremdmotivation! Das aber lässt sich nicht in Form eines Konzeptes abarbeiten. Die wenigsten Menschen sind dazu in der Lage.

Sollte Dein Naturell Natürlichkeit und Begeisterung entfachen können, dann nutze diese Begabung - wenn nicht, dann allerdings solltest Du Dich an Empfehlungen ausrichten, die Dich ansprechen. *(C.3.7.1 „Interdependenzen zwischen Emotion und Vernunft")*

- Überwinde Anpassungsängste

Erwachsene - insbesondere ältere Menschen - tun sich schwer im Umgang mit Veränderungen und notwendig werdenden Anpassungen. Blindheit gegenüber der Realität kann die Ursache sein, Verhaltensrealitäten nicht zu sehen bzw. nicht sehen zu wollen.

Wenn Du erfolgreich sein willst, musst Du das Lied der Anderen singen können. Allerdings treibt notwendiges Anpassen Menschen in teilweise hektische Ungeduld. Aber auch in diesen Fällen sollte jeder trotz Abneigung gegen Anpassungszwänge wissen, dass es immer Menschen gibt, die stärker sind als man selbst.

Viele Menschen vergleichen sich beim Einkommen mit Kollegen und fühlen sich ungerecht behandelt, wenn diese für die gleiche oder eine vergleichbare Arbeit mehr verdienen. Wenn diejenigen belohnt werden, die Anpassungsleistungen erbringen, dann erscheint es nützlich, sich auch in diese Richtung zu bewegen. Aus Selbstachtung sollte man nicht übersehen, dass übertriebenes Anpassen zu Unterwürfigkeit und Niedergang der eigenen Persönlichkeitswirkung führt. Die daraus entstehende Gefahr ist die eigentliche Glaubwürdigkeitsfalle in Anpassungskonflikten. Und dennoch „handle so, wie Du möchtest, dass andere handeln."[60] *(A „Vorwort"; C.3.7.3 „Im Zwiespalt der Selbstoptimierung)*

---

[60] Kategorischer Imperativ von Immanuel Kant

- Vernunft allein ist nicht Alles

Wir begründen unser Handeln überwiegend rational. Diese Vorstellung ist ein fahrlässiger Irrtum. Was für einen Menschen vernünftig ist, muss aus Sicht eines anderen Menschen noch lange nicht vernünftig sein. Woran liegt das? Neben aller Logik gibt es gefühlsmäßige Befindlichkeiten. Der Verstand steht still, wenn Gefühle überwiegen. Entscheidungsfindungen hängen vom Zusammenspiel rationaler und emotionaler Einschätzungen verschiedener gesellschaftlicher Bereiche und Tatsachen ab.

Du solltest nie vergessen, dass Deine eigentliche „Geheimzentrale" (Abrufzentrum) nicht Dein Gehirn, sondern Dein Unterbewusstsein ist. Was Du machst oder wie Du handelst, es wird über Dein Unterbewusstsein gesteuert. Hinter jeder rationalen Entscheidung steht immer eine emotionale! Es gibt keine Entscheidung ohne Emotion! Über diesen Filtermechanismus werden alle Entscheidungen gesteuert. Dennoch werden Emotionen zu häufig vernunftorientiert übergangen und in Schach gehalten, was sehr schnell zu individuellen Komplikationen führen kann.

Das Schlimmste ist nicht, wenn Dir Fehler unterlaufen, sondern wenn Du Nichts unternimmst. Lass' Emotion und Vernunft nicht durchbrennen. Dein Unterbewusstsein taucht insbesondere in kritischen Situationen auf und meldet sich zu Wort. Suche zur Abfederung Deinen persönlichen Mix. Gefühle, die Dir lästig sind, versuche sie dennoch zu verstehen! Wenn Du allerdings Deine Intelligenz nicht nutzen kannst, grenzt das schon an Dummheit. *(C.3.7.1 „Interdependenzen zwischen Emotion und Vernunft")*

- Lebe Dein gefühlbegründetes Momentum der Vernunft

Misserfolge und Erfolge sind Orte der Erfahrung und bestimmen Dein Leben. Erfolge sind das Tafelsilber Deines Alltags, solange sie Dich nicht blind und gierig machen[61] Im Umkehrschluss können auch Misserfolge Selbstverstärker sein.

Die meisten Menschen sind besser im Reagieren als im Agieren. Sie konzentrieren sich überstark auf Probleme; haben aber meistens keinen Lösungsvorschlag parat. Man wird den Eindruck nicht los, dass Meckern zur Gewohnheit wird und zu jedermanns Handwerkskasten gehört. In solchen Fällen wäre es besser, Problemen aus dem Weg zu gehen, was anscheinend gar nicht so leicht ist.

Verschwende deshalb keine Zeit durch Unentschlossenheit. Löse Deine Probleme jetzt und nicht erst morgen, übermorgen oder in ungewisser Zukunft. Wer still stehen bleibt, der kommt nicht weiter. Wenn Du nicht anfängst, wirst Du nicht fertig. Schmerzhafte Prozesse werden nicht dadurch besser, dass Du sie verlängerst. Durch Verdrängung wird kein Problem gelöst, sondern nur die Austragung verhindert.

Auch solltest Du nicht vor Problemen davonlaufen, weil sonst die Angst größer wird, sie nicht zu bewältigen. Benenne das Problem möglichst direkt, dann lässt sich eine Lösung meist leichter finden!

Angst ist ein schlechter Ratgeber - Kenntnis ist eine gute Antwort. Wenn sich Probleme zur Krise entwickeln, dann erzwingt das Entscheidungen. Mit einer Entscheidung kann man umgehen, mit Ungewissheit und Unentschlossenheit nur sehr schwerlich.

Auch solltest Du Dich nie nur auf Dein gegenwärtiges Problem allein konzentrieren, sondern immer mögliche Folgeprobleme

---

[61] Michael Chalupka, Bischof der evangelisch-lutherischen Kirche in Österreich

berücksichtigen. Wenn es Dir nicht gut geht, kannst Du Anderen nicht helfen und vice versa.

Vernünftig handeln bedeutet Priorisieren. Als Begleiterscheinung gehört dazu der Hinweis, dass Du nicht den ganzen Tag Dein Problem mit Dir herumschleppst. Um nicht toxisches Opfer quälender Wahnvorstellungen zu werden, solltest Du Dich mit Deinem Problem allenfalls nur einmal am Tag auseinandersetzen nach dem Motto, Nachrichten nur einmal anzuhören, damit sie einen nicht ganztägig blockieren.

Willst Du Kompromisse erzeugen, musst Du von Deiner Ausgangsposition etwas zurückweichen können und darfst das Ergebnis nicht als Niederlage empfinden!

Wenn Du morgens keinen Plan hast, wirst Du müde und verlierst „Tatendrang". Nicht wenige Menschen bevorzugen und empfehlen, man solle vom Ende her denken und entscheiden.

Du kommst der Lösung Deiner Probleme näher, wenn Du Dich auf die Probleme konzentrierst, die wirklich existieren und nicht auf Probleme, die gar nicht da sind, die nur in Deinem Kopf sind. Stimme Dich positiv ein und nehme Deine Probleme als Herausforderung an. Versuche, Dich der Sprache Deiner Gesprächspartner anzunähern. Stelle Dir immer die Frage: „Wie bekomme ich gegenseitiges Verständnis hin"? Wichtiger als keine Entscheidung ist eine Entscheidung. Probleme von der anderen Seite sehen macht Vieles viel leichter! Als Lösung von Problemen und Krisen bietet sich an, auf sich selbst zu reflektieren und nach Möglichkeit mit Bekannten oder dem Problemverursacher zu diskutieren. Nur wenn Du die Probleme Deiner Gesprächspartner begreifst, kannst Du ernsthaft an Problemlösungen herangehen! Renn' nicht weg, sondern stelle Dich und erliege nicht dem Irrtum, Probleme vertuschen zu können. Vertuschungsversuche untergraben das Vertrauen.

Mach' Probleme nicht kleiner als sie sind, aber mach' sie auch nicht größer! Um auf eine objektivere Entscheidungsebene zu gelangen, solltest Du Dich bei anstehenden Handlungen erst einmal fragen, ob es wirklich Sinn macht und eine Reaktion notwendig ist oder nicht? Achte darauf, den zweiten Schritt nicht vor dem ersten zu machen.

Vielleicht kannst Du Deine Situation nicht ändern, aber Du kannst Deine Einstellung dazu verbessern. Auch wenn es um die eigenen Interessen geht, musst Du bereit sein, Kompromisse zu suchen. Trotz kontroverser Diskussionen sollten sich Kontrahenten auf das konzentrieren, was ihnen gemeinsam ist! Versuche Meinungsstreit auszuhalten und gib' Dir und Deinem Gegenüber die Gelegenheit, sein Gesicht zu wahren! Entscheidend ist, wer mit wem kann, ohne seine Identität zu verlieren. Leiste Deinen Beitrag und glaub' an Dich!

Sollte Dein Selbstwert unsicher wie ein Schiff hin und her schwanken, versuche Dein Selbstbewusstsein aufzubessern, indem Du Deine Ziele herunterschraubst und niedriger ansetzt. Deine Chance auf Erfolgserlebnisse wird steigen. Nimm die neue Herausforderung an. Auch Du hast die Chance und darfst Dich neu erfinden! Frag', was Dich als Person ausmacht? Selbstisolation als Ausweg und reinigender Gewissensbeweis für Problemlösungen wird Deine Realität (Wege) in Zweifel stellen.

Was immer Du unternimmst, Du brauchst ein Ziel und Du musst Verlässlichkeit ausstrahlen! Wenn es Dir auch noch so schwerfällt, bleib' in kritischen Situationen zielgerichtet dialogoffen und gleichzeitig Deiner gefühlbegründeten Logik treu. Je stärker Du Deine Linien aus dem Gefühl gestaltest, umso authentischer bist Du! Ausschließlich Denken kann kein Leben sein.

Du musst Dein Momentum finden. Zukunft lebt von Zuversicht! Engagement wird belohnt. Es gibt immer eine ausgleichende Gerechtigkeit *(B.4.3 „Mut, sich zu riskieren"; B.7.1 „Mahngelde Entscheidungsbereitschaft und -sicherheit"; B.7.2 „Problemlösungs-*

prozesse als Problemfall"; B.12 „Wenn Ethik als Fassadenbluff verkommt"; C.1 „Menschen sind selten mit sich im Reinen" C.3.1 „Nähe und Sympathie - ein Karussell der Gefühle"; C.3.7.1 „Interdependenzen zwischen Emotion und Vernunft"; C.3.5 „Selbstisolation - Versteckspiel aus Verzweiflung"; D.3.3 „Chefsessel - Orte der Unberechenbarkeit")

- Werde Networker

Netzwerke sind Verbindungen von Menschen gleicher Vergangenheiten und/oder Interessen, deren Mitglieder sich durch ihre identitätsprägenden Merkmale solidarisch verhalten. Netzwerke sind privat, beruflich und gesellschaftlich von Bedeutung und oftmals Meinungsbildner.

Als „Außenseiter" musst Du abwägen, wie weit Dich solche „Netze" tangieren. Sobald Dich Dein Ehrgeiz packt und Du weißt, wohin Du willst, nutze jede Chance zu Gesprächen mit Networkern. Als „Frischling" nutze informelle Kontakte und versuche sie auszubauen, weil sie neben fachlichen und praktischen Fähigkeiten den Einstieg in Networking begünstigen.

Sobald Du in Verantwortung kommst, kannst Du ohne gute Beziehungen kaum überstehen! Wer ein guter Networker ist, kann sich austauschen, hört andere Meinungen und erfährt wichtige Informationen.

Schottest Du Dich dagegen ab und hast kein Netz zur Verfügung, wirst Du anfälliger gegenüber anderen Einflüssen. Entscheidend für Deine weitere Entwicklung sind neben Neugier und Disziplin Akzeptanz und Toleranz gegenseitiger Abhängigkeiten und Wechselwirkungen in Netzwerkbeziehungen.

Erfolgversprechend sind insbesondere Gespräche mit Menschen außerhalb Deines unmittelbaren Lebensraumes. Menschen mit unterschiedlichen Lebenserfahrungen (privat oder beruflich) oder über Generationen hinweg geben meist etwas preis, was Du normalerweise so nie gehört hättest. Du erfährst Informationen, die Dir einen anderen Blickwinkel eröffnen und (hoffentlich) positive Energie erzeugen. Verbessere Deine Chancen durch Networking! *(B.5 „Interdependenz - Grundlage für Intervallentwicklungen"; D.2.1„Lernprozesse als Identitätsmechanismen"; D.2.1.2 „Interdependente Verknüpfungen"; D.3.4.1 „Vererbte Arroganz")*

- Bleib' auf dem Boden der Tatsachen

Verantwortung tragen bedeutet Einfluss nehmen können und begründet Deine Legitimation. Darüber steht nur noch als Gütesiegel der Erfolg - häufig unabhängig davon, wie er zustande gekommen ist. Wenn Du nachhaltig Erfolge erzielst, fragt kaum jemand, ob der eingeschlagene Weg vielleicht nicht mit ganz fairen Mitteln vollzogen wurde. Nichts ist bekanntlich erfolgreicher als der Erfolg! Wer sich selbst überschätzt, der ist nicht selten am Ende auch noch der Erfolgreiche und wird in der Unternehmenswelt als Führungskraft prämiert. Das widerfährt uns in allen Lebensbereichen.

Je stärker die Aktionen privat, beruflich und gesellschaftlich ineinandergreifen, umso eindeutiger ist die Legitimation für das Handeln der jeweils betroffenen Personen. Die Bedingungs- und Rahmenlastigkeit trägt dazu bei, die Legitimation zu festigen:

Im Privatleben sind es Gesetze, Regeln und Normen; in Unternehmen ist es der Organisationsgrad; in der Gesellschaftspolitik sind es die herrschenden und bestimmenden Gesellschaftssysteme. Wer beispielsweise Gesetze erlässt und anordnet, konstruiert sich seine

Legitimation selbst und spricht sich jedes Recht zu (insbesondere Diktatoren). Zerbreche nicht an Niederlagen - auch nicht an privaten! *(B.12 „Wenn Ethik als Fassadenbluff verkommt"; C.3.5 „Selbstisolation - Versteckspiel aus Verzweiflung"; E.1 „Macht und Ohnmacht - Gesellschaftliche und politische Realitäten"; E.5.2.1 „Das soziale Fundament")*

- Nutze Dein Recht auf Freiheit

Jeder hat das Recht so zu leben, dass es ihm gut geht und er sich wohlfühlt. Möglichst unabhängig sein und sich von Abhängigkeiten befreien können, hat eine entspannende Wirkung. Freiheit ist ein besonderer Qualitätsstandard. Frei sein hat einen hohen Stellenwert und ist ein hohes Gut, hat aber auch seine Grenzen. So gerne man es möchte, der Einzelne kann seine persönliche Freiheit nicht alleine heraufbeschwören. Wir können sie nur im Rahmen und im Sinne der Allgemeinheit erlangen und durch gemeinschaftliche Einsicht und Willensbildung halten. Freiheit in der Gemeinschaft kann nur in der Offenheit aller Seiten erwachsen, weshalb die Auseinandersetzung um die persönliche Freiheit ein sich seit Menschheitsgedenken wiederholender sinnvoller Kampf ist. Es lässt sich durchaus darüber streiten, ob eine Freiheit, tun und lassen zu können, was man will, nicht etwa auch ein gewisses Trugbild ist? Leben ohne Arbeit funktioniert in den allerwenigsten Fällen.

Ausgehend vom Freiheitsdrang jedes Einzelnen bestimmen Werte und Ziele den Grad persönlicher Freiheit. Sie ist abhängig von der Einstellung der Menschen. Verfolgt man seine eigene Sicherheit als Ziel oder ist der oberste Wert die eigene Persönlichkeit? Was bestimmt mein Denken? Man neigt dazu, der Freiheit der eigenen Persönlichkeit der kalkulierten Sicherheit vorzuziehen. „Sicherheitsdenken schränkt

Freiheit ein, wohingegen Persönlichkeit Freiheitspotentiale erweitert. Die persönliche Freiheit ist abhängig von Zielen und trägt dazu bei, den Selbstwert zu erhalten. Entdecke Freiheit als Deine Befreiung von Fassadendruck! *(B.4.1 „Der Wahrheit verbunden bleiben"; B.4.3 Mut sich zu riskieren")*

- Verbessere Dein Kommunikationsvermögen

Kommunikation ist einer der wichtigsten Hebel zum Erfolg. Sie gehört zum Alltag und ist abhängig von der Sensibilität aller unmittelbar am Geschehen Beteiligten. Gute Gespräche zeichnen sich aus, dass Du Deinen Gesprächspartnern mehr Energie geben kannst, als sie vorher hatten. Kommunikation ist nicht das, was Du sagst, sondern die Art und Weise, wie Du es sagst! Dabei sollte für Dich und Deine Vorgehensweise stets entscheidend sein, wann Du was wozu sagst! Kommunikation von Mensch zu Mensch ist Zuwendung und zugleich auch der Schlüssel zum Erfolg.

Somit gehört zur Kommunikation auch die Fähigkeit, Vertrauen aufzubauen. Geh' auf die Menschen zu und spreche ihre Sprache. Kommunikation kann sowohl in positiven als auch negativen Situationen eine Eigendynamik entwickeln und beschränkt sich nicht nur auf das, was man sagt.

Menschen, die in Rage geraten, hält' Nichts mehr auf. Sie donnern meist lautstark in einem Redeschwall auf Dich ein, in dem Du selber kaum noch Luft bekommst. Dein Vorteil: Mehr kannst Du nicht über sie erfahren. Sie könnten Deine besten Informanten werden!

Gib' Dich in Deiner Rhetorik so wie Du bist. Der persönliche Kontakt zu Menschen findet nicht nur im Kopf statt. Argumentiere deshalb auch assoziativ, um Deine Gesprächspartner sowohl kognitiv als auch emotional in Deine Gedankenlinien einzubinden. Dabei können

Natürlichkeit, Lockerheit und Formulierungsfreudigkeit Deine Kommunikationsbemühungen verstärken und ansteckend wirken. *(B.4.2 „Authentizitätsmerkmale und Risiken"; B.7.2 „Problemlösungen als Problemfall"; C.1 „Menschen sind selten mit sich im Reinen"; C.3.7.1 „Interdependenzen zwischen Emotion und Vernunft"; D.6 „Vertikale und horizontale Transformationseffekte"; D.8.7 „Images und Symbole.- unterschätzte Spiegelbilder."; F.1 „Zur individuellen Lebenssituation")*

1. Nimm Deine Gesprächspartner ernst

Wenn Du willst, dass Deine Gesprächspartner Dich ernst nehmen; dann nimm' Du sie ernst und versuche ihre Sprache zu sprechen. Hinterlasse sie in einem besseren Zustand als Du sie vorgefunden hast. Wenn auch Irritationen und Enttäuschungen Dich ängstigen, verdränge Zweifel und überprüfe Deine Gefühle und Dein Vernunftgebaren als Chance zur Beruhigung der Situation. Sei kommunikativ und zeige Nähe. Zur Verbesserung interaktiver Prozessabläufe fasse Probleme stets in ihren Gesamtzusammenhang. Zieh nie Aufmerksamkeit zu stark auf Dich. Vermeide Selbstherrlichkeit und Arroganz. Vergiss nicht, Deine Gesprächspartner während der Gespräche anzuschauen. *(C 3.4 „Wir sind verletzlicher, als wir glauben"; C.3.7.1 Interdependenzen zwischen Emotion und Vernunft)*

2. Achte auf Körpersprache

In Gesprächen kommt es immer darauf an, wie intensiv sie verlaufen und empfunden werden. Neben Intuitionen ist die Körpersprache eine wichtige Informationsquelle zur Einschätzung von Menschen, da

Körper und Psyche eng miteinander vernetzt sind. Kommunikation erfolgt direkt verbal oder indirekt über Umwege in Form von Gesten, Mimik, Haltungen, Blicken, Sprachmodulation usw. Auch Du sendest und empfängst Mimik- und Gestiksignale. Sender und Empfänger laufen nicht immer in Gleichklang. *(C.1 „Menschen sind selten mit sich im Reinen")*

Daraus ergibt sich eine Menge an Signalen, die ein Bild über Einstellungen und Empfindungen wie auch Abneigung oder Zuneigung erkennen lassen. Nicht zuletzt lässt sich aus dieser Gemengelage auf den Charakter eines Menschen schließen. Überdenke deshalb auch Dein Auftreten. Genau wie Du wird Dein Gegenüber auf Dein nonverbales Erscheinungsbild achten und reagieren. Deine Körpersprache beeinflusst in starkem Maße, wie weit Dir Dein Gegenüber konzentriert zuhört.

Versucht sich jemand zu profilieren oder seine Gesprächspartner in die Enge zu treiben, erhöht er das Stressniveau. Er wird neben Steigerung der Sprechgeschwindigkeit eine distanzierende Sitzhaltung einnehmen, einen starren Blick halten oder bewusst schnell durch herausfordernde Fragen vorpreschen. Wer sich so verhält, der zeigt Geringschätzung und will Distanz dokumentieren. Diese Beispiele könnten in ihrer umgekehrten Handhabe genauso wirken, wenn nicht negative Empfindungen höhere emotionale Aufmerksamkeit und stärkere Wirkungskraft erzeugen würden.

Unabhängig von der Perspektive ist Körpersprache die natürlichste Informationsquelle über die Beziehungsqualität zwischen Menschen, weil niemand Körpersprache lernen muss. Sie ist bereits in jedermanns Naturell angelegt. Menschen reagieren auf emotionale Signale vergleichsweise gleichartig. Wer dies leugnet, läuft Gefahr, Opfer seiner Unbedarftheit zu werden.

Meide zu starke Aufmerksamkeit auf Dich! (C.1 „Menschen sind selten mit sich im Reinen"; C.3.7.1 „Interdependenzen zwischen Emotion und

Vernunft", D.5.2.5 „Interaktion findet überall statt, ohne dass es Allen bewusst wird")

F.2.4 Es gibt selten Erfolg ohne Widerstand

Jeder strebt nach Erfolg und Anerkennung. Auf dem Weg dahin müssen häufig Stolpersteine überwunden werden.

Es ist ratsam, eine klare Position einzunehmen, auch wenn sie Dir schadet, weil dadurch Unsicherheit genommen wird. Es wird Situationen geben, in denen Du Einschränkungen ertragen - und gleichzeitig Hoffnung schöpfen musst.

Es steckt viel in Dir, wenn Du es nur versuchst! In außergewöhnlichen Zeiten musst Du Ungewissheit aushalten. Verfang Dich nicht in Vorurteilen, wenn Du die wahren Hintergründe nicht kennst! Auf jeden Fall solltest Du Deine Rahmenbedingungen kennen und eine Idee haben, wie Du Dein weiteres Vorgehen gestalten willst. Berücksichtige dabei:

- **Fassaden entwickeln sich häufig zu Rollen, die abfärben.** *(B.13 „Wenn Fassadenwelten zu Betrugsmanöver motivieren")*
- **Sei Dir bewusst, dass Gewinner sehr schnell jegliche Sensibilität gegenüber Verlierern abstreifen.** *(C.2 „Macht, Gier und Neid"; D.3 „Selfmanagement im Führungskollektiv"; E.1 „Macht und Ohnmacht - gesellschaftliche und politische Realitäten"; E.4 „Fassetten politischer Visionen)*
- **Wer Wertschätzung nicht schätzt, ist nicht Wert, wertgeschätzt zu werden!** *(C.3 „Lügen - Fassaden der Verschleierung"; C.3.1 „Nähe und Distanz - ein Karussell der*

Gefühle"; D,.5.2.5 „Interaktion findet überall statt, ohne das es Allen bekannt ist")

F.2.4.1 Falls Du Verantwortung übernimmst, bereite Dich vor, nicht enttäuscht zu werden.

Wer Verantwortung trägt, beeinflusst das Verhalten derjenigen, für die er verantwortlich ist. Er muss Abhängigkeiten berücksichtigen und mit Widerständen rechnen. Zielorientierung und verständnisvolles Verhalten werden eingefordert. Daneben wird gleichzeitig Durchsetzungsvermögen gefordert, was in letzter Konsequenz dominantes Verhalten legitimiert. Auf Grundlage dieser Doppelzüngigkeit lauert hinter jeder Maskerade im Verborgenen stets eine autoritäre Führungskeule. Mit derartigen Widersprüchlichkeiten muss man umgehen können! Vergiss' nicht: Kritik ist einfach - Lösungen dagegen sind schwierig!

Welche Verantwortung Du auch immer trägst, mach' Dir Gedanken, was Du tust und damit auslöst?

- **Führung muss zeitgemäß ausgelegt werden.** *(D.2.1.3 „Konsequenzen für Organisation und Management")*
- **Hierarchie betontes Managen ist überholt; aber ganz ohne geht es auch nicht.** *(D.2.1.3 „Konsequenzen für Organisation und Management)*
- **Wenn Du Nichts probierst, hast Du vorher schon verloren.** *(B.4.3 „Mut, sich zu riskieren"; D.3.3 „Chefsessel - Orte der Unberechenbarkeit")*
- **Frauen ticken anders als Männer, sie haben feinere Antennen.** *(C.3.1 „Nähe und Distanz – ein Karussell der Gefühle")*

- **Das Verhalten von Chefs ist begründungspflichtig.** *(D.1 „Stimmungsbilder aus der Unternehmenswelt"; D.3.3 „Chefsessel - Orte der Unberechenbarkeit")*
- **Macht braucht Alphatiere.** *(B.6 „Das Phänomen Macht"; C.2 „Macht, Gier und Neid"; E.1 „Macht und Ohnmacht - Gesellschaftliche und politische Realitäten")*
- **Motivation und Identität sind Zugpferde nicht nur unternehmerischen Handelns.** *(B.2 „Das Phänomen Identität hat viele Facetten"; B.2.2 „Zur beruflichen Erlebniswelt"; B.5 „Interdependenzen - Grundlage für Intervallentwicklung"; B.11 „Kultur als Identitätsträger"; D.2„Identitäts- und Authentizitätsoptionen"; F.1 „Zur individuellen Lebenssituation"; F.1.1 „Zwischen Privatsphäre und Lebenssituation")*
- **Gewinnmaximierung ist auf Dauer ein Vabanquespiel mit kurzfristigen Imageeffekten.** *(C.2 „Macht, Gier und Neid"; D.2.2.3 „Lean - ein richtungsweisender Fassadenkult"; D.5.1.2 „Das Shareholder-Value Debakel"; D.5.2.1 „Win-Win-Situationen"; D.5.2.6 „Personalförderung und Personalrecruiting - im Zweifel ein Flop"; D.5.2.7 „Investitionsabhängige Unruhestifter")*
- **Profitabilität alleine ist kein langfristiger Erfolgsfaktor.** *(D.5.1 „Schattenseiten wirtschaftlicher Profitabilität")*
- **Topdown-Implementierungen sind meist aus der Dringlichkeit der Situation entstandene Reorganisationsstrategien.** *(D.3.2. „Fassaden scheinbarer Objektivität."; D.5.1.1 „Der Wettbewerbsfaktor Zeit")*
- **Beurteiler sind selten objektiv, insbesondere Mitarbeiterbeurteilungen sind subjektiv.** *(D.3.2 „Fassaden scheinbarer Objektivität")*

- **Überprüfe Deine Teamfähigkeit, ob Du jemals in einem Team gesportelt oder gearbeitet hast.** *(B.8.2 „Problemlösungsprozesse als Problemfall"; D.5.2.5 „Interaktion findet überall statt, ohne dass es Allen bewusst ist")*
- **Es ist erfreulich, moralische Grundsätze zu haben. Es gibt aber Situationen, in denen man sich anpassen muss. Moral wird häufig als Lückenbüsser missbraucht.** *(B.4.2 „Authentizitäts-merkmale und Risiken"; B.12 „Wenn Ethik als Fassadenbluff verkommt"; C.3.7.3 „Im Zwiespalt der Selbstoptimierung)*
- **Vergiss nicht, dass es Menschen gibt, die sich hinter dem Rücken ihrer Chefs nicht nur positiv äußern.** *(D.3.3 „Chefsessel - Orte der Unberechenbarkeit"; D.5.2.3 „Images und Symbole -unterschätzte Spiegelbilder"; D.5.2.5 „Interaktion findet überall statt, ohne dass es Allen bewusst ist")*
- **Egal, wie mächtig man sich fühlt - es gibt immer Einen, der noch mächtiger ist.** *(D.3.3 „Chefsessel - Orte der Unberechenbarkeit)*
- **Zur Durchsetzung von Überzeugungen müssen Lernprozesse initiiert werden; Lernprozesse bewirken Identitätsmechanismen.** *(D.2.1 „Lernprozesse als Identitätsmechanismen"; D.4.1 „Konzepte und Modelle")*
- **Im Umgang mit Modellen muss unterschieden werden zwischen Theorie und Praxis.** (D.4 „Theoriegestützte Verhaltensmuster"; D.5.2.4 „Motivationsmodelle erzeugen nicht zwangsläufig Motivation)

- **Situative Führung setzt alle Stilvarianten voraus und überfordert die meisten Führungskräfte.** *(D.4.2 „Situative Führungsinitiativen"; D.4.3 „Zusammenfassung")*
- **Scheinbare Objektivität wird als Durchsetzungsmanöver in Defensivstrategien genutzt.** *(D.3.2 „Fassaden scheinbare Objektivität")*
- **Motivation und Identität verstärken sich gegenseitig.** *(B.2 „Das Phänomen Identität hat viele Facetten"; B.2.2 „Zur beruflichen Erlebniswelt"; B.5 „Interdependenzen - Grundlage für Intervallentwicklung"; B.11 „Kultur als Identitätsträger"; D.2 „Identitäts- und Authentizitätsoptionen"; F.1 „Zur individuellen Lebenssituation"; F.1.1 „Zwischen Privatsphäre und Lebenssituation")*
- **Bei Einarbeitung neuer Mitarbeiter kommt deren soziale Integration meistens zu kurz.** *(D.3.3 „Gewöhnungsbedürftige Rituale")*
- **Bei Plänen ist Skepsis angebracht. Sie sind nur so gut wie ihre Anwender.** *(D.5.2.2 „Pläne sind häufig das Papier nicht wert, auf dem sie stehen")*
- **Zeit und Geschwindigkeit sind die größten Hindernisse.** *(B.3 „Im Fassadenrausch von Zeit und Geschwindigkeit"; D.5.2 „Eklatante Irrtümer")*
- **Verträge mit Beratern sollten erst am Ende ihrer Implementierung „endgültig" beglichen werden - nicht früher.** *(D.2.2 „Taktik und Strategie"; D.5.1.1 „Der Wettbewerbsfaktor Zeit")*
- **Kommunikation und Vielfalt verschiedener Kulturen sind typische Schwachstellen.** *(B.11 „Kultur als Identitätsträger"; D.2.2 Taktik und Strategie; D.5.2.5*

„Interaktion findet überall statt, ohne dass es Allen bewusst ist")

- **Je höher im Ranking, desto notwendiger wird Kollektivbindung.** *(D.3.2 „Fassaden scheinbarer Objektivität"; D.2.2.2 „Strategische Blockadehaltungen"; D.3.1 „Milieu-Dominanz - ein weitverbreitetes Sicherheitspolster"; D.3.3 „Gewöhnungsbedürftige Rituale"; D.3.6 „Selbst inszenierte Spielregeln - ein Führungsphänomen")*

F.2.4.2 Falls Du gesellschaftspolitisch interessiert oder engagiert bist, solltest Du wissen:

- **Gesellschaftspolitische Ordnungssysteme müssen funktionieren.** *(E. „Gesellschaftspolitische Perspektiven"; E.1 „Macht und Ohnmacht - Gesellschaftliche und politische Realitäten"; E.2 „Politisches Machtgebaren ist immer systemisch legitimiert")*
- **Politisches Machtgebaren ist immer systemisch legitimiert.** *(E.2 „Politisches Machtgebaren ist immer systemisch legitimiert")*
- **Es gibt weder fairen Kapitalismus noch fairen Kommunismus.** *(E „Gesellschaftspolitische Perspektiven"; E3 „Ordnungspolitische Beziehungsgeflechte m Wettstreit"; E.4.1 „Das demokratische Gesellschaftsmodell"; E.4.2 „Das zentralistische Gesellschaftsmodell"; E.5.1 „Licht und Schatten zwischen Anspruch und Wirklichkeit")*
- **Demokratische Gesellschaftsmodelle stellen das Individuum in den Mittelpunkt und nicht das Kollektiv.** *(E.4.1 „Das demokratische Gesellschaftsmodell")*

- **Marktwirtschaften sind leistungsfähiger und sozialer als Planwirtschaften.** *(E.3.2 „Beziehungen zwischen Wirtschafts- und Staatsordnung"; E.3.3 „Selbst und Mitbestimmung"; E.3.4 „Wettbewerb und Leistung"; E.4 „Fassetten politischer Visionen"; E.5.1 „Licht und Schatten zwischen Anspruch und Wirklichkeit"; E.5.2.4 „Systemwettbewerb im Sog der Weltpolitik")*
- **Je fortschrittlicher eine Gesellschaft ist, desto schwieriger wird der Umgang mit der Komplexität unterschiedlicher Interessen.** *(E.5.1 „Licht und Schatten zwischen Anspruch und Wirklichkeit")*
- **Auch Du darfst Extremisten nicht an die Macht schweigen.** *(E.4.1 „Das demokratische Gesellschaftsmodell"; E.5.1 „Licht und Schatten zwischen Anspruch und Wirklichkeit")*
- **Bildung ist nicht zwangsläufig erfolgreich - wohl aber Voraussetzung für berufliche und gesellschaftliche Entwicklungschancen.** *(E.6 „Bildung - die gesellschaftspolitische Herausforderung"; E.6.2.1 „Weiterbildung ist nicht zwangsläufig erfolgreich"; E.6.2.2 „Strategische Ausrichtungen")*
- **Ohne Eliten funktioniert kein Ordnungssystem. Jede Gesellschaft braucht sie als treibende Kraft.** *(E.8 „Eliten - für die Gesellschaft richtungsweisende Initiatoren")*
- **Trotz Wohlstand leiden viele Bürger an sozialer Isolierung.** *(C.2 „Macht, Gier und Neid"; E.5.2.1 „Das soziale Fundament")*
- **In der Demokratie gibt es keine Lösung, die für alle Seiten ideal ist.** *(E.4 „Fassetten politischer Visionen"; E.5.1 „Licht und Schatten zwischen Anspruch und Wirklichkeit")*

- **Demokratien sind im Gegensatz zu Diktaturen auf ihre Bürger angewiesen.** *(E.2 „Politisches Machtgebaren ist immer systemisch legitimiert"; E.3.2 „Beziehungswirklichkeiten zwischen Wirtschafts- und Staatsordnung"; E.6.1 „Licht und Schatten zwischen Anspruch und Wirklichkeit")*
- **Wer Macht klug verteilt, vermeidet sie.** *(B.6 „Das Phänomen Macht"; E.2 „Politisches Machtgebaren ist immer systemisch legitimiert", E.4 „Facetten politischer Visionen")*
- **Der Machtapparat wird in Diktaturen nicht gewählt, sondern ausgewählt.** *(E.4 „Fassetten politischer Visionen"; E.5.1 „Licht und Schatten zwischen Anspruch und Wirklichkeit")*
- **Diktatoren haben kein Ablaufdatum.** *(B.3.2 „Beziehungen zwischen Wirtschaftsordnung und Staatsordnung"; E.5.1 „Licht und Schatten zwischen Anspruch und Wirklichkeit")*
- **Kompromisse sind Kitt und Garantie der Demokratie.** *(E.4 „Fassetten politischer Visionen")*
- **Kritikdiffamierung ist der schlimmste Feind der Demokratie.** *(E.5.2 „Schattenrisse in Klassengesellschaften")*
- **Ungerechtigkeit und Perspektivlosigkeit sind Gift.** *(E „Gesellschaftspolitische Perspektiven"; E.7.1 „Der rasante technologische Umbruch")*
- Nicht Populisten sind stark, sondern die Angst vor ihnen. *(E.4 „Fassetten politischer Visionen")*
- **Populisten profitieren von Krisen.** *(E.4 „Fassetten politischer Visionen")*
- **Digitalisierung schafft Umbrüche durch schnelle Bewältigung komplexer Arbeiten und verursacht Unruhe mit sozialer Wirksamkeit.** *(E.7 „Digitale*

Herausforderungen"; E.7.1 „Der rasante technologische Umbruch")

- **Stillhalten ist eine lebenslange Überlebenstaktik.** *(C.3.1 „Nähe und Distanz - ein Karussell der Gefühle"; E.3.2 „Beziehungen zwischen Wirtschafts- und Staatsordnung")*

F.3 Präsentationstableaus als Mustervorlage für Situationsanalysen[62]

Tableauanfertigungen sind Analyseverfahren zur Lösung von Problemen in konkreten Situationen. Sie können in allen Lebenswirklichkeiten (Ethik-, Führungs-, Quantitäts- und Qualitätstableaus usw.) veranlasst und angefertigt werden. Auf die eigene Person bezogen spricht man von Persönlichkeitstableaus.

F.3.1 Erstelle Dein Persönlichkeitsprofil

Wer sich weiterentwickeln und erfolgreich sein möchte, der muss relativ offen für Diagnosen auch zu seiner Persönlichkeit sein, um sich besser kennenzulernen. Der erste Schritt dahin heißt Eigen- und Fremdkritik.

Die abschließende Eigenbefragung als Test mit Hilfe der Tableaumethode ist eine Diagnosemethode, mit der man versucht, über ein Grundraster wesentliche Aspekte situativer Persönlichkeitsmerkmale zu erfassen.[63] Mit Anfertigung von Ist- und

---

[62] Günter Bolten „Auf der Suche nach Führungsidentität"

[63] Prof. Dr. Knut Bleicher „Das Konzept integriertes Management"; St. Galler Management-Konzept; Bd.1 Frankfurt am Main, New York 1995, S.

Soll-Profilen stellst Du Dich einer Art kritischen Durchleuchtung. Es empfiehlt sich, Dich selbst sozusagen spiegelbildlich zu Deiner jeweils individuellen Lebenssituation zu überprüfen. Worauf es ankommt ist nicht, dass Du Dir Spezialwissen aneignest, sondern dass Du situativ aufzeigen kannst, welche Möglichkeiten und Reaktionen sich Dir eröffnen.

Zur Absicherung des Testes solltest Du zunächst Dich aus dem Fließtext „Im Schatten bröckelnder Fassaden" initiierende persönlichkeitswirksame Merkmale als Fragen aufschreiben und anschließend nach einem zeitlichen Abstand die wichtigsten Fragen als Grundraster in Dein Analysetableau aufnehmen.

Dein Persönlichkeitstableau soll eine Diskussionsbasis für Gespräche mit Dir vertrauten Menschen schaffen. Sie dienen auch dazu, Deine Chancen und Risiken im Umgang mit Menschen besser einschätzen zu können.

F.3.1.1 Dein aus dem Fließtext abgeleitetes Fragebrainstorming

- Bin ich ein Einzelgänger oder Gruppenmensch?
- Ist Sturheit als Reaktionsmuster eine Überlebensstrategie?
- Gehe ich Probleme zielorientiert an oder verdränge ich sie?
- Wirke ich auf Fremde kumpelhaft oder abgehoben?
- Wenn jeder an sich denkt, ist an Alle gedacht?
- Bin ich harmonieabhängig?
- Brauche ich den direkten Kontakt zu Menschen?

---

409 ff

- Bin ich selbstbewusst genug?
- Wirke ich glaubwürdig?
- Am Ende geht es um die Strahlkraft einer Person!
- Reagiere ich in bedrängten Situationen stur und starrsinnig?
- Stehe ich gerne im Mittelpunkt?
- Wird mir meine Offenheit zum Verhängnis?
- Bin ich Sympathieträger?
- Wie tolerant bin ich gegenüber andersdenkenden Menschen?
- Habe ich Vorbilder?
- Liebe ich Aufmerksamkeit?
- Habe ich genügend Vertrauen zu mir selbst?
- Zeige ich ein elitäres Gehabe?
- Wie halte ich es mit Nähe und Distanz?
- Beherrsche ich meine Emotionen?
- Bin ich rechthaberisch und nachtragend?
- usw. usw.[64]

---

[64] Hier zufällig und ungeordnet zwecks methodischer Vorgehensweise zusammengetragen.

F.3.1.2 Festlegung auf Kernfragen und methodisches Vorgehen[65]

Wähle Kernfragen aus Deinem Fragenkatalog aus und gib' für jede Situationsbeschreibung zwei Urteile ab:

a) Wie stark **ist** diese Eigenschaft jetzt in Deiner gegenwärtigen Situation ausgeprägt? (Bewertung A)

b) Wie stark **sollte** nach Deiner Meinung diese Eigenschaft in ihrer gegenwärtigen Situation ausgeprägt sein? (Bewertung B) (s. Abb. Basistableau)

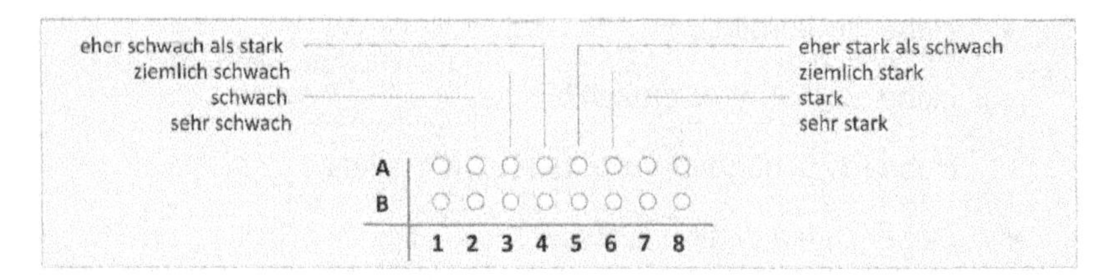

Abbildung 4: Basistableau

F.3.1.3 Bewerte Deine Kernfragen analog dem Basistableau:

Trage nun Deine Urteile zu den von Dir ausgewählten Fragen auf der jeweils vorgegebenen Bewertungsskala mit den acht Ausprägungsstufen ein:

[65] Systematik und Vorgehensweise der abschließenden Selbstbefragung aus Management-Veranstaltungen von Prof. Dr. Rolf Wunderer auf Persönlichkeitsmerkmale übertragen.

Frage 1: Bemühe ich mich, fair und tolerant zu sein?

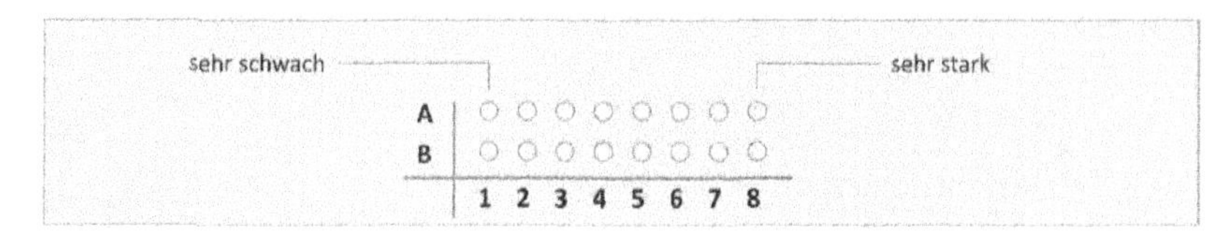

Frage 2: Entspreche ich der Forderung, grundsätzlich positiv zu denken?

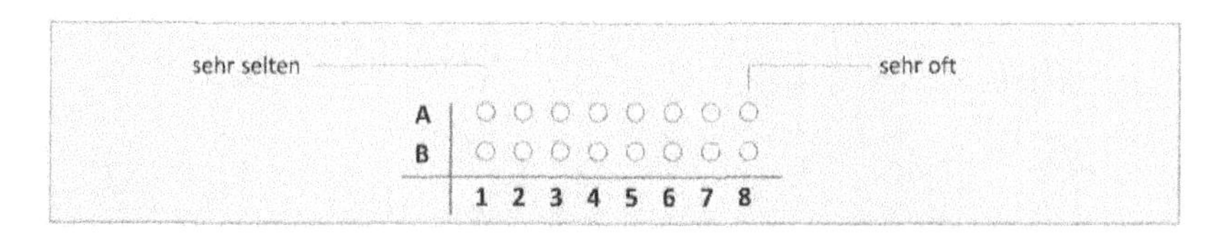

Frage 3: Befürchte ich Rückwirkungen meiner Gesprächspartner?

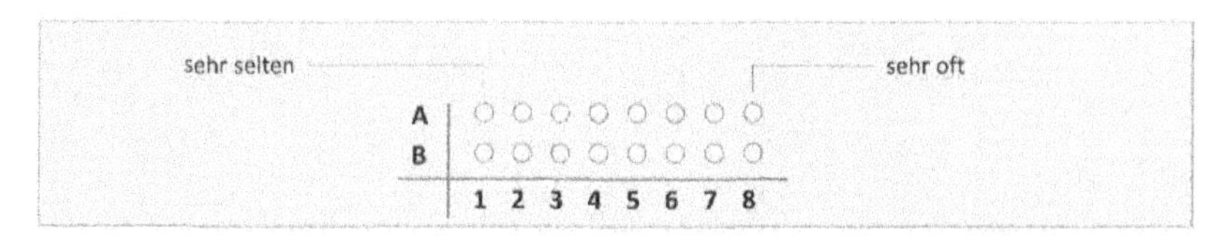

Frage 4: Hinterlasse ich bei Gesprächspartnern einen besseren Zustand als ich sie vorgefunden habe?

sehr eingeschränkt — sehr umfassend

A ○ ○ ○ ○ ○ ○ ○ ○
B ○ ○ ○ ○ ○ ○ ○ ○
1 2 3 4 5 6 7 8

Frage 5: Reagiere ich in kritischen Situationen selbstbewusst mit Sturheit?

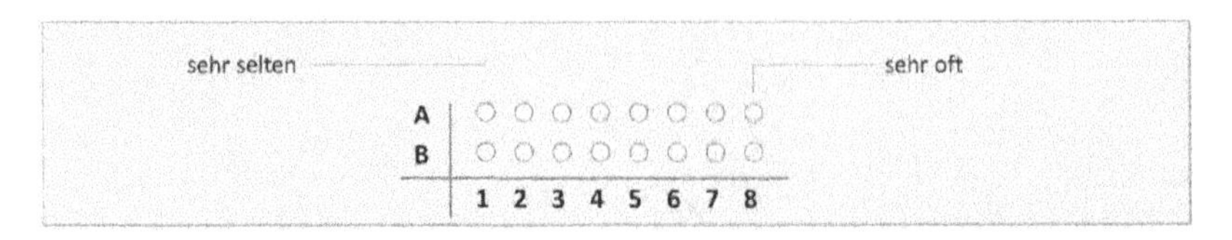

Frage 6: Welche Erwartungen hat meine Mitwelt an mich?

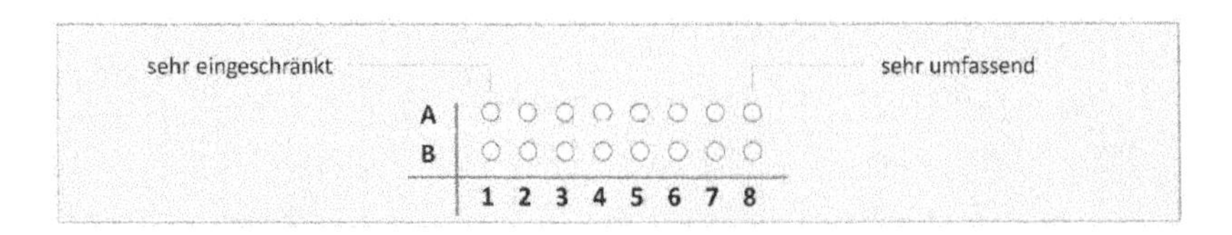

Frage 7: Empfinde ich Konkurrenzdruck?

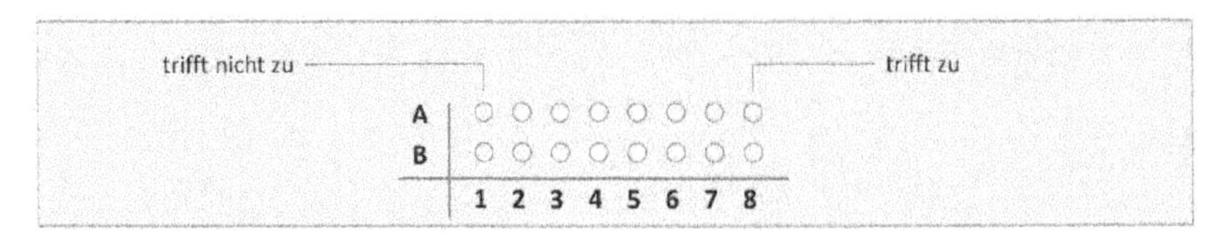

Frage 8: Verdränge ich anstehende Probleme und schiebe dadurch Entscheidungen hinaus?

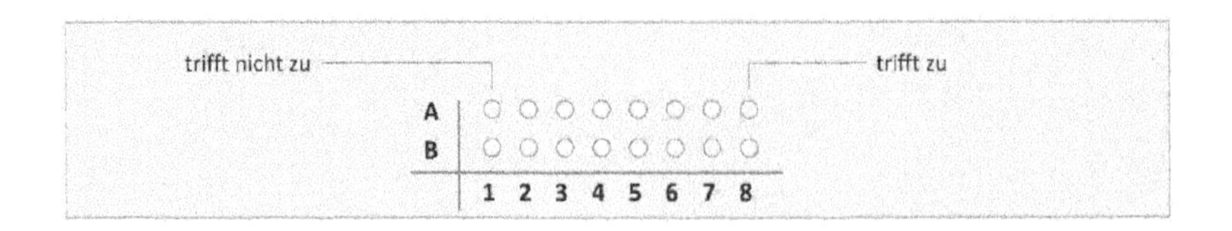

Frage 9: Bekenne ich mich zu meiner Person?

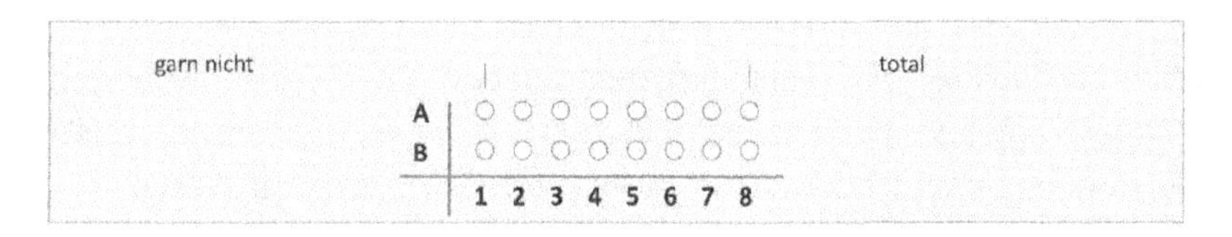

Frage 10: Entspreche ich den Erwartungen meiner Mitmenschen?

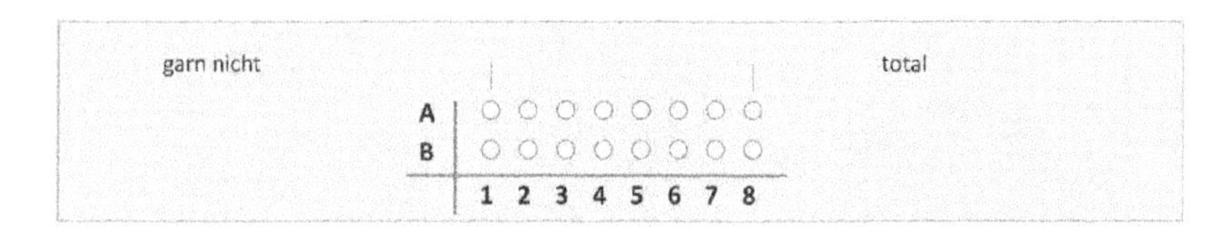

Frage 11: Bin ich Sympathieträger?

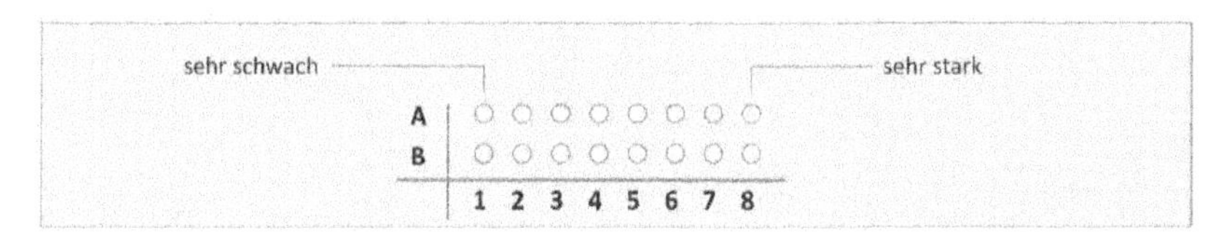

Usw., usw.

F.3.1.4 Auswertung des Persönlichkeitstableaus

Fehlen vertrauenswürdige Personen und ist man auf sich allein gestellt, so muss es bei einer ausschließlich einseitigen Beurteilung bleiben. Wünschenswert ist jedoch, Menschen (Kollegen, Freunde oder Verwandte) einzubeziehen, mit denen man offen und ehrlich über die Tableauergebnisse reden und Schlüsse ziehen kann, ohne Angst haben zu müssen. Da Fremdbild und Selbstbild meist nicht übereinstimmen, dürften diese möglichst vertraulichen Gespräche erkennenswerte Einsichten zu Tage fördern.

Die im Beispiel zur Persönlichkeitssituation im Tableau erfassten Fragen ergeben ein fiktives Bild des individuell bestehenden Ist-Zustandes (A-Wert) bzw. des erwünschten Soll-Wertes (B-Wert).

Die vorliegende Ergebnisanalyse ist eine von konkreten Fragen unabhängige Fiktion.

Frage	A-Wert	B-Wert	Diagramm
			1 2 3 4 5 6 7 8
1	4	6	
2	5	8	
3	5	2	
4	5	4	
5	4	7	
6	4	7	
7	8	6	
8	7	6	
9	5	6	
10	5	7	
11	5	8	

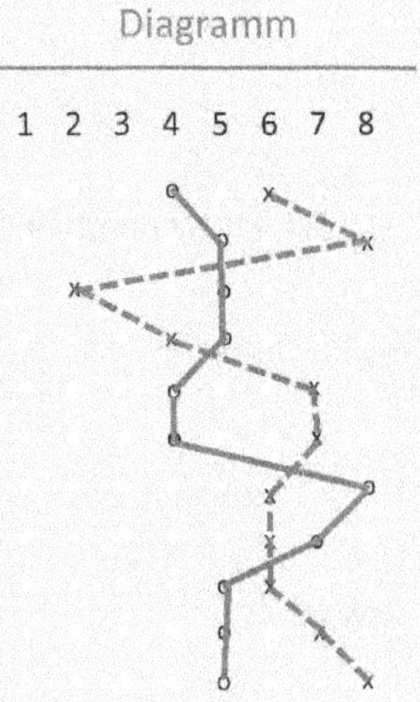

Abbildung 5: Beispiel einer Ergebnisanalyse

Da die B-Werte (durchgängiger Linienzug) in den angenommenen fiktiven Antworten das Forderungspotentials widerspiegeln, stellen sich für eine Auswertung folgende Fragen, die ggf. zu diskutieren sind:

1. Die Vertikalbetrachtung gibt eine Rangskala des Forderungspotentials wieder.
2. Auswertungen sind umso aussagekräftiger, wenn sich Durchschnittswerte, die als Diskussionsgrundlage dienen, ermitteln lassen (andernfalls muss man sich mit einem individuellen Mittelwert begnügen).
3. Bei welchen Fragen ist die Differenz zwischen Soll und Ist am größten? Die Horizontalbetrachtung ergibt eine Aussage über den vermeintlichen Selbsterkenntniswert bzw. Frustrationswert.
4. Wieweit weichen die Soll-Werte bei alleiniger Beurteilung von dem auf die Gesamtheit ermittelten Mittelwert ab?
5. Welche Soll-Werte weichen bei Einbindung mehrerer Personen von den jeweiligen Durchschnittswerten am stärksten ab?

Auffälligkeiten sollten auf jeden Fall in anstehende Gespräche und Diskussionen einfließen und/oder mit eingeweihten Personen besprochen werden, um eine stärkere Sensibilisierung und Identifizierung für die ermittelten Persönlichkeitsimpulse zu erreichen.

Bei wiederholenden Befragungen (Übung macht den Meister) sollte man je nach Untersuchungsschwerpunkt die entsprechenden Kapitel „Privat-, Berufssphäre und Gesellschaft bzw. die Merkmale durchforsten, auf die jeweilige Untersuchungspriorität hin filtern und ein entsprechendes Fragentableau anfertigen.

Schwerpunkt sind die auf das Wichtigste reduzierten Kernfragen, die sich aus der subjektiven Einschätzung auf das jeweilige Tableau konzentrieren, um anschließend die Ist-Bewertung der Soll-Bewertung gegenüberzustellen.

Um die Aussagequalität solcher Tableaus zu verbessern, kann man die für das jeweilige Tableau zugeschnittenen Fragen in ihrer Bedeutung für das Persönlichkeitsbild vor Ort gewichten. Eine auf diese Weise ermittelte Aussage würde der Realität sehr nahekommen.

Bei aller Würdigung solcher Analysen weiß jeder aus eigener Erfahrung, wie schwierig es ist, Persönlichkeitsspielräume auszuweiten. Genau das ist die Schwierigkeit bei jedem Versuch, Erkenntnisse aus Befragungen zur Persönlichkeitswirkung eines Menschen sozusagen freiwillig umzusetzen.

G Fragen und Fakten, die bleiben

Wege, die wir durchlaufen, verändern sich in unterschiedlicher Folge. Dabei spielen zeitliche u/o. inhaltliche Zufälle eine größere Rolle, als man gemeinhin denkt. Jeder fühlte sich sicher schon mehrfach als Gewinner und Verlierer.

Trotz aller Bemühungen, die Vielfalt alltäglicher Probleme möglichst optimal zu lösen, bleiben Fragen und Fakten. Nicht selten stellt sich die Frage, wie viel Lüge in apostrophierten Wahrheiten steckt und wie viel Wahrheit in Lügen? Daraus sollte man lernen, dass jeder Mensch seine eigene Schlüsselfigur ist und es Sinn macht, positiv zu denken und keine weiteren Scherbenhaufen anzurichten. Dabei spielt der ehrliche Umgang mit sich selbst und Fairness gegenüber seinen Mitmenschen eine besondere Rolle. Auch gehört dazu, dass man die persönliche Auseinandersetzung zwischen der Macht seiner Gedanken und seiner Gefühle überwindet und möglichst in Einklang mit seinem Gewissen bringt.

Das erfordert, sich in seine eigenen persönlichen Empfindungen versetzen zu können, dabei fair zu bleiben und Goodwill zu zeigen. Machen wir uns nicht selber zum Opfer und beseelen uns mit eingefahrener Überheblichkeit, wenn Rationalität aus Prinzipientreue Gefühle beherrscht. Ein erfolgversprechender Umgang zur Bewältigung störender Fassadenwelten ist eine ehrliche Selbstreflexion auf situative Umstände. Jeder sollte versuchen, auch persönlich empfundenen Niederlagen etwas Positives abzugewinnen!

Dabei sollte man auch offen sein für unerwartete Situationen. Jeder verlangt heutzutage ein Mindestmaß an gegenseitigem Respekt. Das muss dann aber auch für jeden gelten! Wo Schatten ist, wird es auch wieder hell!

Wenn wir aus unseren „Schattenrissen" zurückkehren, erfahren wir hoffentlich mehr über uns selber. „Dat löppt sik allens wedder törech !!!"

Quellenverzeichnis

Rudolf Baro „Die Alternative zur Kritik des real existierenden Sozialismus"

Prof. Dr. Knut Bleicher „Das Konzept integriertes Management"; St. Galler Management-Konzept; Bd.1 Frankfurt am Main, New York 1995, S. 409 ff

Günter Bolten „Auf der Suche nach Führungsidentität"; Springer Gabler, Springer Fachmedien Wiesbaden 2013

Bernd Faulenbach; „Demokratien und Diktaturen im 20.Jahrhundert"

Ute Frevert „Die Politik der Demütigung: Schauplätze von Macht und Ohnmacht" Fischer Verlag, Frankfurt am Main 2017)

Prof. Dr. Reinhard Haller „Das Wunder der Wertschätzung, Gräfe und Unzer Verlag 2019

Laurence J. Peter und Raymund Hull „The Peter Principle", William Morrow Verlag, New York 1969

Prof. Dr. Rolf Wunderer und Wolfgang Grunwald „Führungslehre"; Walter de Gruyter, Bd.1, Berlin, New York !980

Prof. Dr. Rolf Wunderer „Führung und Zusammenarbeit in Märchen und Arbeitswelten" Springer Gabler Verlag 2017

Anregungen aus dem Alltag

Rundfunk- und Fernsehen als Stichwortgeber

Private Gespräche